TOMO V

HISTORIA DE LA EDUCACION EN ESPAÑA

TEXTOS Y DOCUMENTOS

TOMO V

2 Volúmenes

HISTORIA DE LA EDUCACION EN ESPAÑA

TEXTOS Y DOCUMENTOS

Nacional-Catolicismo y Educación en la España de posguerra

Estudio preliminar y selección de textos

ALEJANDRO MAYORDOMO PÉREZ

VOL. I

MINISTERIO DE EDUCACION Y CIENCIA

Secretaría General Técnica

1990

Edita: Centro de Publicaciones. Secretaría General Técnica del Ministerio de Educación y Ciencia

Tirada: 1.000 ejemplares

NIPO: 176-90-120-X

ISBN: Obra completa: 84-369-1841-X

ISBN: Vol. I 84-369-1839-8

Depósito legal: S. 661 - 1990

Impreso en España

EUROPA ARTES GRÁFICAS, S. A. Sánchez Llevot, 1

Teléf. (923) *22 22 50. 37005 Salamanca

INDICE GENERAL

Páginas

I

ESTUDIO PRELIMINAR: LA EDUCACION COMO «CRUZADA». EL MODELO EDUCATIVO EN LA ESPAÑA DEL NACIONAL-CATOLICISMO

«Habéis visto el resurgir de un pueblo, de una raza, al calor de los santos ideales de Patria y Religión. Sus proezas son tales, que han empequeñecido a los hombres grandes de la Historia (...). Tenedlo muy en cuenta, maestros... Esos niños, cuya educación se os encomienda, ésos que son los hombres de mañana, han de ser guiados por la senda de la verdad y del bien: ése es el mandato de Dios, ése es el mandato del frente de las trincheras, de la sangre vertida y de las vidas inmoladas...».

(FRANCO)

1. Introducción

La perspectiva histórica de los temas educativos del franquismo cuenta con estudios densos y pormenorizados que nos permiten conocer su génesis y primeras manifestaciones, todavía en el tiempo de guerra, o el funcionamiento de su sistema escolar en relación con el proceso de socialización política [1];

[1] Alted, A., *Política del Nuevo Estado sobre Patrimonio Cultural y la educación durante la Guerra Civil Española,* Madrid, Ministerio de Cultura, 1984; Fernández Soria, J. M., *Educación y cultura en la Guerra Civil Española,* Valencia, Nau Llibres, 1984; Cámara Villar, G., *Nacional-Catolicismo y Escuela. La socialización política del franquismo,* Jaén, Ed. Hesperia, 1984.

además, y en variados trabajos, es posible seguir aspectos parciales de los diversos elementos que conforman su entramado político-pedagógico[2]; e, incluso, son numerosos aque-

[2] ARGANMENTERÍA GARCÍA, R., *Las promociones del S.E.U.*, Madrid, Gráf. Zagor, 1963; BURILLO, J., *La Universidad actual en crisis (Antología de textos desde 1939)*, Madrid, Ed. Magisterio Español, 1968; COMÍN, A. C., «Educación 1938-1970. De la ideología espiritualista a la ideología tecnocrática», *Cuadernos para el Diálogo*, Extra XXXVII (1973), págs. 6-12; CLEMENTE LINUESA, M., *La historia en los textos escolares de la Escuela Primaria (1945-1975). Estructura científica y análisis ideológicos*, Tesis doctoral, Universidad de Salamanca, 1980; ESTEBAN, L., «Evolución de los objetivos de formación de profesores. Concreción de un caso: Objetivos de formación magisterial durante el período bélico (1936-1939)», en *La investigación pedagógica y la formación de profesores*, VII Congreso Nacional de Pedagogía, Madrid, S.E.P. Instituto «San José de Calasanz», 1980, t. I, págs. 75-97; CHUECA, R., «El Boletín de los Seminarios de formación del Frente de Juventudes», en VARIOS, *Las fuentes ideológicas de un Régimen (España 1939-1945)*, Zaragoza, Libros Pórtico, 1978, págs. 147-175; FERNÁNDEZ SORIA, J. M., MAYORDOMO PÉREZ, A., «En torno a la idea de Universidad en la España de la postguerra (1939-1943)», en *Higher Education and Society Historical Perspectives*, 7th, International Standing Conference for the History of Education, Salamanca, 1985, t. II, págs. 249-262; GARCÍA CRESPO, C., *Léxico e ideología en los libros de lectura de la escuela primaria (1940-1975)*, Universidad de Salamanca - I.C.E., 1983; GERVILLA CASTILLO, E., *La ideología religioso-educativa en la escuela española a través de la Legislación y los textos escolares (1936-1953)*, Tesis doctoral, Universidad de Málaga, 1986; GÓMEZ, M.ª E., «Historia y crisis del sindicalismo universitario (1939-1969)», en *Cuadernos de Realidades Sociales*, núms. 14-15, enero de 1979; HEREDIA SORIANO, A., «La Filosofía en el bachillerato español (1938-1975)», *Actas I Seminario de Historia de la Filosofía española*, Ed. Universidad de Salamanca, 1978; JEREZ, M., «La Revista Nacional de Educación (1941-1945)», en VARIOS, *Las fuentes ideológicas de un Régimen..., op. cit.*, págs. 177-210; MAYORDOMO PÉREZ, A., RUIZ RODRIGO, C., «La Iglesia española ante la educación (1939-1980)», en *Educadores* 125 (1983), págs. 685-706, y 127 (1984), págs. 169-180; MAYORDOMO PÉREZ, A., «El Magisterio primario en la política educativa de la postguerra (1939-1945)», en VARIOS, *La educación en la España contemporánea. Cuestiones históricas*, Madrid, Sociedad Española de Pedagogía, 1985, págs. 262-271; MONTORO ROMERO, R., *La Universidad en la España de Franco (1939-1970) (Un análisis sociológico)*, Madrid, Centro de Investigaciones Sociológicas, 1981;

llos que han analizado distintas cuestiones desde la referencia de un determinado marco territorial [3].

Aquí, y desde el enfoque que tiene esta publicación, como instrumento de documentación y reflexión, intentamos sistematizar algunas de las más importantes instancias educativas, significar o precisar el enfoque político-ideológico del Nuevo Régimen —desde el ámbito de lo pedagógico—, res-

NAVARRO SANDALINAS, R., «La enseñanza primaria durante el franquismo (1936-1975)», Tesis doctoral, Universidad de Barcelona, 1987; RUIZ RODRIGO, C., PALACIO LIS, I., «Ideología y escuela en España (1939-1951)», en *Escolarización y Sociedad en la España Contemporánea (1808-1970)*, II Coloquio de Historia de la Educación, Valencia, 1983, págs. 253-266; SÁEZ MARÍN, J., *El Frente de Juventudes. Política de juventud en la España de la postguerra (1937-1960)*, Madrid, Siglo XXI, 1988; VALLS MONTÉS, R., *La interpretación de la Historia de España, y sus orígenes ideológicos en el bachillerato franquista (1938-1953)*, Valencia, Instituto de Ciencias de la Educación, 1984; VALLS, *La enseñanza de la literatura en el franquismo (1936-1951)*, Barcelona, A. Bosch Ed., 1983.

[3] BENSO CALVO, C., «Escuela y sociedad en Orense (1940-1970)», en *Escolarización y Sociedad..., op. cit.*, págs. 565-580; CARIDE GÓMEZ, J. A., «Política educativa, escolarización rural y práctica social en Galicia (1939-1970)», en *Escolarización y Sociedad..., op. cit.*, págs. 599-616; COSTA RICO, A., «Da escola da palabra e da cidadanía á escola do silencio», en *A Nosa Terra* 2 (1987), págs. 13-19; DELGADO, B., «Un cas de llibre escolar censurat», en *II Jornades d'Historia de l'Educació en els Països Catalans,* Ciutat de Mallorca, 1978, págs. 48-53; GONZÁLEZ GALLEGO, Il., «Falange y educación. Zaragoza, 1936-1940», en *Historia de la Educación* 7 (1988), págs. 203-230; MARQUÉS SUREDA, S., «L'escola publica durant la posguerra. El cas de la Garrotxa (1939-1949)», Sisenes Jornades d'Historia de l'Educació als Països Catalans, Escola Universitaria de Magisteri, Lleida, 1984, págs. 458-467; MONÉS I PUJOL-BUSQUETS, J., *L'escola a Catalunya sota el franquisme,* Barcelona, Edicions 62, 1981; NEGRÍN FAJARDO, O., «El Estatuto de Enseñanza de los territorios de Guinea de 1943», en *Africa 2000* 1 (1987), págs. 35-38; PASTOR, M.ª I., *La educación femenina en la postguerra (1939-1945). El caso de Mallorca,* Madrid, Instituto de la mujer, 1984; SERRA BUSQUETS, S., «Els expedients de la 'Comisión Depuradora de Magisterio': Un expedient de 1939 i un altre del 1941, de Menorca», en *II Jornades..., op. cit.*, págs. 142-153; VARIOS, *Purga de Maestros en la Guerra Civil. La depuración del Magisterio Nacional de la provincia de Burgos,* Valladolid, Ambito, 1987.

catar y analizar el testimonio o el retrato vivo del discurso y la realidad educativa de una época decisiva, y de gran influencia, además, en la educación de muchos españoles de hoy. Un análisis y una invitación a la lectura, tratando de unir la sistematización suficientemente integral, con la concisión y con la necesaria amplitud y representatividad de la selección de materiales. También en el caso del estudio preliminar hemos preferido acudir con profusión a otros textos del período; escritos coetáneos que puedan ser eco real y cotidiano de ideologías, mentalidadas .y actitudes, que transmitan con mayor fuerza y viveza el calor y el color —si se nos permite la expresión— de esos años. En todo caso, en busca de referentes que nos hagan llegar significación, es decir, captación de sentidos, caracteres explicativos, comprensión de los rasgos de esos particulares años de nuestra Historia.

Comenzaremos recordando cómo el Régimen que se instala en la España llamada «triunfal» de 1939 ha sido calificado desde distintas perspectivas, pero casi siempre como complejo en sus orígenes y componentes, y en algunos aspectos contradictorio y ambiguo en su ideología, desarrollo y manifestaciones.

No vamos a entrar aquí en un análisis del mismo, pero sí conviene evocar algunas de sus notas características que tendrán una gran o tenue, pero significativa, influencia y repercusión en el ámbito de lo educativo. Un régimen totalitario, dirigido por un poder autoritario que descansa y se justifica en el «caudillismo», practica un nacionalismo a ultranza, y alienta un fervor patriota apasionado; con una férrea centralización en el interior, y un prolongado aislacionismo. El primer franquismo presenta un discurso político-ideológico enardecido y simplista —las más de las veces— y exige como valores fundamentales para la «ciudadanía» la abnegación y el espíritu de sacrificio y servicio al Estado, la disciplina, la docilidad social y política, la conformidad con el «nuevo orden». El «espíritu nacional», el destino histórico de la Patria, la unidad nacional, son defendidas y excitadas, junto al rechazo al partidismo o la prevención ante peligrosos extranjerismos e intelectualismos. En el momento fundacional predomina el mensaje de la doctrina falangista, como programa; después esa componente e influencia será, cuando menos, controlada, y las esperanzas de la tendencia revolucionaria falangista se irán desdibujando, sobre todo al ir desmarcándose el Régimen —con la evolución de la Guerra Mundial— de ciertos rasgos fascistizantes. Cambios en las formas de poder que van consolidando otra presencia constante: el clima de exaltación religiosa, la vinculación entre Iglesia y Estado, la mayor influencia de los sectores católicos.

Esos años se viven como la ocasión de hacer posible el cambio de rumbo que marque genuina y definitivamente la vida nacional. El mensaje apunta que la victoria no puede ser descanso; los objetivos son otros más que los militares, la empresa ha de continuar. El clima de las alocuciones radiofónicas iniciales, desde el 2 de abril, está presente por muchos años: «¡Españoles, alerta! La paz no es un reposo...!»; España sigue en pie de guerra, se dice... «hacia su irrenunciable destino».

Una España en la que la consigna es ganar el futuro desde el reencuentro con sus auténticas esencias, construir el presente y ser ejemplo con la reafirmación de «nuestra postura histórica en el mundo». Es un ideal de «reconquista» histórica: «Crear un pensamiento español, sin estridencias ni contagios, es lo mismo que edificar una Cultura. Tal es el afán que de nosotros exige hoy la Historia (...). Nuestra Patria nos pide hoy (...) la integración activa y militante, en una viva síntesis política, de todos los valores del espíritu» [4]. Como expresa el texto, en esa acción colectiva de creación y construcción, la cultura y el espíritu son considerados como una valiosa aportación a ese empeño que persigue el advenimiento de una nueva España.

[4] «Editorial», *Revista Nacional de Educación* 24 (1942), 5.

La consigna puede quedar reflejada en un planteamiento que estaría próximo a lo que García Morente llamaba dar vida histórica a la patria desplegando el ser personal en continua «correlación» con la superior unidad que es España. Así lo explicaba en el discurso pronunciado en la Universidad de Madrid en la apertura del curso 1942-1943. Allí, invitaba a formarse una idea inequívoca de nuestra historia y de su significado, y a ser fiel a la esencia de la patria, con la «vocación perenne» de España. Si ya antes Menéndez Pelayo había afirmado que perdida la fe religiosa, apenas tenía raíz y consistencia el patriotismo español, y Ramiro de Maeztu reclamaba después restaurar la obra católica de la España tradicional apelando a la unión de lo español y lo católico, García Morente habla del sentido profundo de la Historia de España, la «consustancialidad» entre Patria y Religión; identifica ahora aquella vocación como «el servicio y defensa de la religión», y, añade, «el símbolo de la personalidad hispánica concreta sus formas en el perfil del caballero cristiano» [5]. Un caballero cristiano del que había hablado con anterioridad [6] como tipo ideal o aspiración: un hombre que cree en la eficacia de su voluntad y resolución para transformar la realidad, que es tenaz y eficaz en sus convicciones, que es esencialmente religioso...

Pemartín, por su parte, había escrito antes identificando la civilización europea con el cristianismo, y la muerte de Es-

[5] «Ideas para una filosofía de la historia de España», en *Idea de la Hispanidad,* Madrid, Espasa-Calpe, S.A., 1961, pág. 225. En la misma ocasión dice G.ª Morente: «(...) la historia de España se descompone en la serie de los esfuerzos por realizar ese ascetismo nacional. Primero, haciéndose la nación a sí misma por eliminación violenta de «lo otro» o por incorporación de «lo otro» a la propia esencia cristiana. Segundo, convirtiéndose la nación en promotora y paladín de la cristianización del mundo. Tercero, desdeñando la nación el trato y comercio con «lo otro», con lo no-cristiano del descarriado mundo», *ibidem,* pág. 217.

[6] «El caballero cristiano» (conferencia pronunciada en Buenos Aires en 1938), *op. cit.,* págs. 51-97. Más tarde publicaría *Ser y vida del caballero cristiano,* Madrid, Ed. Juventud en Acción Católica, 1945.

paña con la discordancia entre la ideología dominante y el Ser histórico-católico de España: «La Nación Española *es,* si *es Católica;* ésa es la esencia de nuestra nacionalidad[7].

No obstante es preciso no pasar por alto algunas otras referencias que aún con brevedad debemos anotar aquí. Algunos de los 26 puntos que constituyen la norma programática del Movimiento, recogiendo las bases falangistas, resultan particularmente interesantes para ilustrar el enfoque que seguimos en este trabajo. Así el punto segundo, en donde se califica a España como «unidad de destino en lo universal»; o el sexto en que se declara que «nuestro Estado será un instrumento totalitario al servicio de la integridad patria». Pero, sobre todo, aquellos que tratan los temas de educación y religión:

23. «Es misión esencial del Estado mediante una disciplina rigurosa de la educación conseguir un espíritu nacional fuerte y unido e instalar en el alma de las futuras generaciones la alegría y el orgullo de la Patria. Todos los hombres recibirán una educación premilitar que les prepare para el honor de incorporarse al Ejército Nacional y Popular de España».
24. «La cultura se organizará en forma de que no se malogre ningún talento por falta de medios económicos. Todos los que lo merezcan tendrán fácil acceso a los estudios superiores».
25. «Nuestro Movimiento incorpora el sentido católico —de gloriosa tradición y predominante en España— a la reconstrucción nacional.

    La Iglesia y el Estado concordarán sus facultades respectivas, sin que se admita intromisión o actividad alguna que menoscabe la dignidad del estado o la integridad nacional».

[7] PERMATÍN, J., *Qué es «lo nuevo». Consideraciones sobre el momento español actual,* Tipografía Álvarez y Zambrano, Sevilla, 1937, págs. 47-51.

Otro apunte significativo lo podemos encontrar en los escritos sobre el nacionalismo de Onésimo Redondo; el fundador de la Falange de Valladolid escribía en 1932 que el nacionalismo no debía ser confesional, aunque ello no significara falta de respeto por la religión católica ni neutralidad: la religión no debía ser bandera para la política, no es apropiado llevar la religión al palenque —dice— de las luchas políticas: «(...) por ser totalitario, por no representar a ninguna fracción religiosa aunque ésta sea mayoritaria como la católica en España, el nacionalismo que es hoy la aspiración y será mañana la encarnación única del Estado Español, no tiene por qué ser un movimiento dedicado a defender la Religión (...)» [8].

Y todavía sañalaremos otra cuestión más. El fundador de las J.O.N.S., Ramiro Ledesma, había declarado en el «Manifiesto político de la conquista del Estado» (1931) la supremacía de éste, defendiendo con toda claridad un «panestatismo»: «El Nuevo Estado será constructivo, creador. Suplantará a los individuos y a los grupos, y la soberanía última residirá en él y sólo en él. El único intérprete de cuanto hay de esencias universales en un pueblo es el Estado (...)» [9]. Años más tarde, en una obra escrita en 1945, Arrese se ocupa en aclarar la doctrina joseantoniana sobre el Estado totalitario, precisando la verdad frente a lo que, en el prólogo a su obra Raimundo Fernández Cuesta dice que son defectos de entendimiento o «designios deliberados de interpretación», recalcando las diferencias entre el Estado Fascista y Nacionalsocialista y el nuestro [10]. Arrese se detiene en explicar que la doctrina

[8] «Ensayo sobre el nacionalismo», en *El Estado Nacional,* Barcelona, Ediciones F.E., 1939, pág. 46.

[9] «La conquista del Estado», Recogido en *Doctrina e Historia de la Revolución Nacional Española,* Barcelona, Editorial Nacional, 1939, pág. 35.

[10] Quizás convenga recordar aquí que, en 1933, Onésimo Redondo se oponía a importar soluciones y fórmulas, a *la extranjerización y el culto de las formas:* «Pensar en una adaptación a España de lo que Mussolini o Hitler

falangista no tiene nada que ver con el fascismo, aludiendo a las palabras de José Antonio que negaban ese carácter en la Falange, y al propio gesto del fundador que se negó a asistir al Congreso Internacional Fascista de Montreux; comenta el deseo del líder falangista de conseguir que el individuo y el Estado no se anulen sino que se encuentren en su comunidad de destino, y la estrategia de quienes falsearon esa doctrina asignando a Falange un totalitarismo, una pretensión de Estado absorbente y panteísta [11]; y con él se preconiza un Estado no «en pugna con el hombre, sino encajado en una misma obligación, en la obligación de servir a esa unidad de destino»: ni individualismo ni estatismo [12]. La Iglesia española mantendría serias reticencias ante algunos de esos puntos, perseverando siempre en una firme posición de vigilancia.

Una Iglesia que choca en ocasiones con el poder, recela del posible monopolio político falangista y rechaza la antirreligiosa ideología del nazismo, pero consolida con los años su influencia. Ya en noviembre de 1936 y julio de 1937 la instrucción pastoral del Cardenal Gomá y la carta colectiva del Episcopado legitiman la guerra como «verdadera Cruzada» en defensa de la religión católica. Como afirmara el Cardenal

han concebido para sus respectivos países, es incurrir en el mismo vicio que denunciamos en nuestros enemigos, los extranjerizados de toda laya (...)», «El Estado del Porvenir», en *El Estado Nacional, op. cit.*, pág. 114.

[11] «La estratagema de los enemigos de la Falange era bien sencilla; consistía en hacer resaltar la voluntad que hay en ella de un Estado fuerte; la ambición falangista hacia un Estado no indiferente; la semejanza externa de gestos y actitudes (...); y en vista de todas estas cosas aplicarle el calificativo de totalitario al estado de la Falange. Y una vez hecho esto, una vez calificada la Falange de totalitaria (calificativo que no había de desdeñar si se aplicara en el sentido integrador y enemigo de los partidos y de las clases), aplicar a la palabra totalitario el sentido concreto y filosófico del panteísmo y de la anulación de la personalidad humana», ARRESE, J. L. de, *El Estado totalitario en el pensamiento de José Antonio,* Madrid, Ediciones de la Vicesecretaría de Educación Popular, 1945, pág. 63.

[12] *Ibidem,* págs. 73-74.

Vidal i Barraquer, la actuación de la misma se hizo demasiado política; al prelado le daba pena —llegó a decir en 1940— cómo los obispos se prestaban a hacer una religión patriótica [13].

Tanto más cuanto se produce lo que se ha calificado como desnaturalización del falangismo, su «revolución pendiente»; cuando desde los años cuarenta y uno y cuarenta y dos, como ha dicho Serrano Suñer, «ya no hay más que franquismo», o, como expresara Dionisio Ridruejo se afirmaban por todas partes las posiciones conservadoras. Tal y como ha visto Tuñón de Lara «1945 marca el paso del nacional-sindicalismo al nacional-catolicismo», una operación ideológica que quiere dar paso a la doctrina de la «democracia orgánica», el «Estado social, católico y representativo» [14]. La identificación entre catolicismo y nacionalidad española será signo distintivo de esta primera etapa del franquismo; catolicismo y patria serán unidos indisolublemente por el Nuevo Estado, para quien, en consecuencia, el catolicismo es el fundamento, la esencia de España, su base articuladora, lo que, en definitiva, dará sentido a la conquista y construcción —«restauración»— del orden español y cristiano [15].

13 Los casos aislados de choques con el poder o críticas, como las de monseñor Marcelino Olaechea, arzobispo de Pamplona, y después de Valencia, o de los obispos de Calahorra (Fidel García) o Canarias (Pildain), pueden seguirse en HERMET, G., *Los católicos en la España franquista, II. Crónica de una dictadura,* Madrid, Centro de Investigaciones Sociológicas -Siglo Veintiuno de España, 1986. Todavía en 1945 puede leerse en *Ecclesia* 210 (1945), 15-16 y 21, un breve artículo de Gregorio Rodríguez de Yurre. «El espectro satánico del nacional-socialismo» repasando algunos puntos del «repertorio anticristiano del nacional-socialismo», y dedicando especial atención a su labor en el campo de la educación y las juventudes.

14 «Cultura e ideología», en *España bajo la Dictadura franquista (1939-1975),* t. X de la *Historia de España,* Barcelona, Labor, 1985, págs. 467-470.

15 Pemartín se había referido al «Catolicismo Nacional Español», un *catolicismo nacional,* integrado totalmente al desembocar España en el Siglo XVI, escribe, y que «hay que buscar como fuente y raíz de nuestra nacio-

En sus precisiones sobre la formación ideológica del franquismo, y en resumen, Cámara señala algunas de las razones para que se produjera esa constitución del catolicismo «en uno de los polos ideológicos centrales y nucleares del resto de los elementos aportados en la condensación de la elaboración ideológica resultante que prestaría legitimación al «Alzamiento» y que encarnaría después en los diversos aparatos e instituciones divulgadoras de la ideología»: el peso de la religión y la Iglesia Católica en la tradición española; el ser aquellas instancias racionalizadoras de la ideología de la clase dominante; la identificación radical y emocional de las derechas como fuerzas de defensa de la religión y la «sustancia católica» de España, ante la política secularizadora republicana; la ausencia de política alternativa común que eliminara fricciones entre aquellos sectores [16].

Era la restauración de «lo católico» como elemento definitorio de la esencia nacional, ha escrito Joaquín L. Ortega; «hasta podría hablarse de una teocratización práctica de la vida española» [17]. Acuerdo, apoyo, legitimación... la Iglesia ejercerá una amplia influencia en la enseñanza, se incorpora al aparato estatal del Nuevo Régimen.

nalidad» (...). «El Catolicismo —continúa— como elemento histórico Español, como ingrediente esencial en la formación de la nacionalidad Española, es precisamente el *concretado temporalmente* en los comienzos del siglo XVI. Todo movimiento político que se pretenda *nacionalista* ha de ser en España concretamente «Católico - Siglo XVI Español, porque en ese momento histórico se plasma nuestra nacionalidad, como condensación, como encarnación del ideal católico en nuestra Monarquía Militar», *op. cit.*, págs. 50-52.

[16] CÁMARA, G., *op. cit.*, págs. 40-42. Cfr. CANTERO, P., *La hora católica en España,* Madrid, Ed. Ruta, 1942; GONZÁLEZ ANLEO, J., *Catolicismo-Nacional: Nostalgia y crisis,* Madrid, Ed. Paulinas, 1975; ONIEVA, A. J., *Nuevos aspectos. ¡España despierta! (lo que es el nacional-catolicismo),* Valladolid, Imprenta Castellana, 1940; VARIOS, *Iglesia y sociedad en España, 1939-1975,* Madrid, Ed. Popular, 1977.

[17] *Historia de la Iglesia en España,* Madrid, B.A.C., 1984, t. V, pág. 667.

Por todo ello, y para todos, la educación cobra relieve en la operación de dominio e instrumentalización de los aparatos de hegemonía: «La vida de España, en el porvenir, habrá de ser consecuencia de la realización de nuestros ideales de educación y cultura de hoy», decía el Ministro Ibáñez Martín en 1942. Y añadía después: «Si es preciso llegar a esta transformación del pensamiento colectivo del pueblo, el espíritu de cada individuo será la primera zona de acción en esta nobilísima empresa renovadora» [18]. La educación era una misión apremiante, una política inexcusable.

2. La afirmación de un nuevo orden educativo

«Ya sé que no podemos pedir que los árboles corpulentos, que crecieron anárquicos y deformes se enderecen. Sería pedir un imposible. Podaremos las ramas malas, destruiremos las inservibles; pero a su lado sembraremos nuevos plantones que son la fuerza de nuestra juventud». Así hablaba Franco a las juventudes falangistas de Barcelona en los inicios del año 1942 [19]. En una encendida invitación al servicio y al sacrificio para cumplir el «destino histórico español» se revelan algunas de las notas que como justificación y carácter distinguen el enfoque educativo que se instaura a partir de la guerra: la *esperanza* en lo que puede suceder «cuando todos los jóvenes españoles se eduquen en unos principios de amor a Dios y de servicio a la Patria y de espíritu de solidaridad entre todos los españoles»; la *responsabilidad* histórica de esa misión; la necesidad de *poner freno* a cuanto no ha producido sino falsedad, anarquía y libertinaje; la llamada a

[18] Discurso de apertura del curso en la Universidad Central, *ABC* 8-X-1942, págs. 10-11.

[19] «Gran discurso del Caudillo a las juventudes falangistas de Barcelona», *ABC* 30-I-1942, pág. 7.

descubrir y construir nuestra autenticidad, nuestra *propia personalidad.*

En esa etapa fundacional el Régimen precisa actuar con urgencia y fuerza en el terreno educativo; así lo expresa el Ministro de Educación Nacional cuando califica la acción educadora como la «política de nuestro Movimiento»; afirmación que se corresponde con un planteamiento de búsqueda de firmeza y seguridad para una etapa histórica que no se considera como de transición, sino como «oportunidad salvadora», en la que «con inexorable rigor revolucionario» deberán fijarse e imponerse los principios eternos de España. Por dos razones la supremacía del ideal queda valorada como de extraordinaria importancia: «La vida de España en el porvenir, habrá de ser consecuencia de la realización de nuestros ideales de educación y cultura de hoy. Los problemas urgentes materiales serán efímeros en la inquietud y en la preocupación, no sólo porque desaparecerán las circunstancias que los agudizan, sino porque todas las angustias se alivian y se aminoran ante el empuje moral de quien está formado para sobrellevarlas, superarlas y vencerlas» [20].

Una preocupación educativa consecuente también, en definitiva, con lo que es presentado como exigente empeño —hecho de deber, patriotismo, sacrificio y esfuerzo— en realizar un «nuevo orden»: porque la escuela —escribe Alfonso Iniesta «debe ser algo más que simple eco retrasado de la vida que se agita imperiosa en su torno» [21]. El optimismo, la esperanza, la fidelidad y la adhesión a esos cambios debían empezar a ganarse, también con recursos pedagógicos: la educación podía ser otro «frente», una nueva «cruzada».

20 Discurso de J. Ibáñez Martín en la apertura de curso en la Universidad Central, *ABC* 8-X-1942, pág. 10.

21 INIESTA CORREDOR, A., *El orden nuevo en la educación de juventudes (Estudio de las modernas tendencias educativas),* Madrid, Magisterio Español, 1941, pág. 20.

Una educación que debía incidir con excepcional fuerza en el establecimiento y desarrollo de nuevas pautas de socialización, difundiendo e inculcando renovados principios legitimadores; de esa manera, el modelo que va diseñándose a partir de 1936 se conforma como antitético a las incipientes realizaciones republicanas, y a los ya más antiguos postulados progresistas que habían pugnado por ganar terreno en la vida nacional desde bastantes años antes. La construcción se hace desde la negación de lo que es calificado como política pedagógica antipatriótica y antirreligiosa, que trataba de apoderarse de la infancia y la juventud: «Cuando el liberalismo vino —decía Arrese, Ministro Secretario General del Partido— supo muy bien elegir la táctica, supo muy bien que si al hombre no se le coge de joven no se le coge nunca; que las revoluciones no se hacen en una hora, sino en una generación, y empezó la labor pausada, pero segura, de envenenar el sistema educativo» [22]. Generaciones que, de tal forma, «con el estigma de la inacción, del libre pensamiento, del falso respeto a la conciencia política y aun religiosa del niño, aconsejaban que debía dejarse actuar a la naturaleza de modo semejante a como en el aspecto económico los fisiócratas aconsejaban la libertad de las leyes espontáneas de la economía (...)»; un concepto liberal de hombre —se añade— antiespañol, anticristiano, antifalangista [23].

El ideario de la Institución Libre de Enseñanza y la política educativa reformista del primer bienio republicano van a ser el principal punto de atención de la pseudocrítica de los primeros momentos —acerada, desorbitada, sin ningún tipo, incluso, de piedad—, y el principal objeto de las medidas iniciales de la nueva administración educativa, todavía en los trágicos años de la contienda.

[22] Discurso en la sesión de clausura del V Consejo Nacional del S.E.U., *ABC* 17-XII-1941, pág. 8.

[23] «Alocución del Delegado Nacional del Frente de Juventudes», *ABC* 20-V-1943, pág. 8.

Las descalificaciones a la Institución son numerosas; para quienes habían hecho consigna y proyecto de la ética, la libertad y la verdad e independencia científica, las acusaciones de ahora sólo les atribuyen malicia, sectarismo y error. La obra de Suñer, *Los intelectuales y la tragedia española,* o el libro colectivo *Una poderosa fuerza secreta: la Institución Libre de Enseñanza* son muestra de un tratamiento entre exagerado e insolente: intelectuales y profesores eran presentados como «figuras execrables», con «turbias actividades» o «labor artera», al servicio del «internacionalismo antiespañol». Era necesario, en consecuencia, «extirpar», «combatir al enemigo», tomar «radicales medidas defensivas», «desintoxicar» las mentes extraviadas [24]. La I.L.E. es denunciada como la ejecutora de lo que Menéndez Pelayo había calificado como «liquidación del pasado»; ya en 1937 se dice que la táctica «consiguió arrancar del corazón de muchos maestros todo sentimiento de piedad cristiana y de amor a la gran Patria española» [25].

Cuando la revista *Ecclesia* resalta el papel del C.E.U. en la renovación del pensamiento católico y nacional, mantiene como consigna «la lucha contra la Institución Libre de Enseñanza», cuyo espíritu y sus consecuencias, se afirma, había creado a los estudiantes católicos «un ambiente de verdadera asfixia», con peligro de desviación moral o bien con imposibilidad de porvenir profesional. Para el órgano oficial del episcopado la obra fundada por Giner «llegó a adquirir tal prepotencia que nada se hacía en cuestiones de enseñanza oficial distinto de lo que quería la Institución».

De ello resultaba, por una parte, que todo sentido religioso estaba ausente de las disciplinas universitarias, si es que éstas no se mostraban abiertamente contrarias a aquel, y de

24 Cfr. SUÑER, E., *Los intelectuales y la tragedia española,* Biblioteca España Nueva, San Sebastián, 1937; *Una poderosa fuerza secreta: La Institución Libre de Enseñanza,* San Sebastián, Editorial Española, 1940.

25 Orden Circular 17-VII-1937 (B.O.E. 21-VII).

otra que las cátedras no se proveían generalmente sino con aquellos elementos que por su sectarismo se habían hecho gratos a los discípulos de Sanz del Río y de Giner»[26]. No es extraño, desde esta posición, que el Padre Enrique Herrera Oria tilde de «antirreligiosa» y «antiespañola» a la I.L.E., considere que su finalidad principal había sido «descristianizar a la juventud» por medio de la cultura o «apoderarse del alma de las escuelas» a través de la Escuela Superior del Magisterio; o que atribuyera sectarismo y ambiente antirreligioso a la Residencia de Estudiantes o al Instituto-Escuela[27].

Por otra parte, el debate político-pedagógico que la República había exaltado, es recordado, entre la denuncia y la condena, como elemento a desterrar y posición a superar. Rechazo a la escuela única, negativa más que firme al laicismo escolar; temas ya presentes significativa y decisivamente en nuestra historia educativa[28], pero que en los años 30 recobraron con fuerza la discusión y los argumentos en torno a cuestiones como la preeminencia paterna en la educación de los hijos, el monopolio educativo del Estado, la libertad docente y educativa, el verdadero sentido de los derechos del niño en cuanto al respeto de su conciencia, las prerrogativas de la Iglesia y del Estado, la confesionalidad o neutralidad escolar... La repulsa a la política radical-socialista, calificada

[26] *Ecclesia* 9 (1941), 4; Curiosamente, en la misma página la revista da cuenta de que ocho de las doce cátedras convocadas recientemente fueron ganadas por jóvenes profesores del Centro de Estudios Universitarios (Isidoro Martín, Juan Manzano, José Beltrán de Heredia, José Guallar, Antonio Ferrer, Jaime Guasp, Pedro Cortina y Juan Manuel Castro).

[27] HERRERA ORIA, E., *Historia de la Educación Española desde el Renacimiento,* Madrid, Ediciones Veritas, S.A. (1941), págs. 329, 331, 335, 337, 341, 343.

[28] Cfr. GARCÍA REGIDOR, T., *La polémica sobre la secularización de la enseñanza en España (1902-1914),* Madrid, Fundación Santa María, 1985; MAYORDOMO PÉREZ, A., *Iglesia, Estado y Educación (El debate sobre la secularización escolar en España. 1900-1913),* Valencia, Ed. Rubio Esteban, 1982.

siempre como extremadamente estatalizante y laica, va a ser frontal; la beligerancia mostrada y ejercida durante los años precedentes encontrarán inmediatamente apoyo y desarrollo en las primeras medidas legislativas promulgadas todavía —como recordaremos más adelante— en tiempo de guerra. La batalla desde la educación contra los que se consideraban errores perturbadores de nuestra identidad y nuestra convivencia era punto esencial en la constitución del nuevo orden.

En resumen, hostilidad ante el tiempo precedente, negación de sus principios, ruptura de su proyecto. El grito de guerra, en el decir de Joaquín Azpiazu, era la vuelta a la tradición entendida como «vitalización» de los principios que habían hecho «católica y grande» a España. Frente al materialismo, lo espiritual; ante el desenfreno de la libertad y la democracia, la autoridad y la disciplina; ese era el significado de la *tradición* que debía purificar y vitalizar, curar nuestro organismo social, atacado por el marxismo y el liberalismo: «desinfección espiritual» [29], en definitiva, que ofrecía a los procesos de formación un objetivo relevante y prioritario.

También por entonces, y en lo que no era sino un capítulo de su obra *Evangelio de la nueva España,* Fernández Almuzara insistía en *Razón y Fe* en la necesidad de volver al «cauce tradicional»; para ello había que comenzar «por volver a su misión, a su destino, la escuela» [30]. Porque reformar, añade, no es sólo corregir y abolir abusos, sino también «resurrección de viejas costumbres puras olvidadas o caídas en desuso por desidia o perversión de las gentes». La escuela clásica española es la que hay que ofrecer frente a la «escuela

[29] ASPIAZU, J., «Revolución y Tradición», *Razón y Fe* 113 (1938), págs. 18-32.

[30] FERNÁNDEZ ALMUZARA, E., «La escuela tradicional española», *Razón y Fe* 113 (1938), 196; allí mismo, escribe, «Ningún fermento ni alcaloide mejor que la escuela para promover la reforma del Estado. En ella ha de estar en germen y en tendencia lo que se ha de desarrollar luego con mayor amplitud y riqueza en la vida ciudadana».

fría, inerte, opaca y sin espíritu de la España que termina, instrumnento dócil de partido y de política (...)»[31].

La legislación escolar del Régimen acudirá siempre al ejemplo y al recuerdo histórico. Así la Ley de Enseñanza Media de 1938 expresaba la preocupación del «Nuevo Estado» por reafirmar «el sentido de nuestra tradición», y trataba de encontrar en el antiguo Imperio Español el origen de la tendencia a lo formativo, con la que se quiere superar ahora lo enciclopédico de los estudios medios; cultura clásica y humanista, «camino seguro —dice el texto legal— para la vuelta a la valorización del ser auténtico de España, que produjo aquella pléyade de políticos y guerreros (...) de nuestra época imperial, hacia la que retorna la vocación heroica de nuestra juventud». En 1945 el prólogo de la Ley de Educación Primaria aseguraba que no es posible la transformación educativa proyectada sin un «anudamiento y enlace con la tradición pedagógica nacional»; y consideraba a ésta como una de nuestras más preciadas aportaciones a la cultura universal. Una sólida tradición cuya pérdida se había producido desde el exotismo «de frivolidades, de racionalismos y de impiedad» que trae el Siglo de las Luces a la «radical subversión de valores» realizada por la República de 1931. También la ley ordenadora de la Universidad había manifestado, en 1943, la intención de substituir el «aniquilamiento y desespañolización» por el que nuestras instituciones superiores de enseñanza habían producido «las más monstruosas negaciones nacionales»; y se proponía hacerlo uniendo el estilo del Nuevo Estado con la «gloriosa tradición hispánica».

Pero no sólo en el pasado, sino en lo contemporáneo, encuentra el nacional-catolicismo pedagógico referentes para sus objetivos y programa. Enfoques próximos, cuando no similares, se desplegaban por aquellos años en diversos países europeos; una pedagogía —escribía Iniesta— que permaneciera

[31] *Ibidem*, pág. 197.

ciega e insensible, «sin tomar de esta época su constante lección provechosa», demostraría la incomprensión y comodidad de quienes siguieran aferrados a ella. Lección de Portugal, donde Oliveira Salazar, desde un marco constitucional que reconocía profundamente los derechos de la familia y la Iglesia en materia educativa, orientaba la enseñanza hacia el cultivo del patriotismo, la formación nacionalista, la enseñanza religiosa, el severo control del magisterio, la disciplina, o la proscripción de la coeducación. Ejemplo de Italia, cuyo Gran Consejo Fascista, había aprobado en febrero de 1939 la «Carta de la Escuela», texto que instrumentalizaba la institución escolar al servicio de la unidad nacional y de la realización de la cultura del pueblo; «inspirada en los eternos valores de la raza italiana». La escuela alemana por su parte, ponía todo su énfasis en preparar al hombre nacional-socialista y en formarle fundamentalmente en el conocimiento de la Patria; todo ello bajo la tutela de unos maestros seleccionados rigurosamente para ser «guías» del nuevo esilo. También, en fin, los propósitos de Petaín y su reorientación de la política educativa francesa son un sugerente estímulo: restauración de los valores morales desde la escuela, abolición del laicismo... [32].

No faltan, sin embargo, diferencias y discrepancias en ese empeño; algunos significativos conflictos se mantienen en el ámbito de la enseñanza, donde la Iglesia cuestiona o alerta contra lo que entiende como posibles tentaciones o ambiciones totalitarias del Estado o la Falange [33], y se resiste ante medidas como la integración de los estudiantes católicos de la C.E.C. en el S.E.U., o explicita su desacuerdo con los proyectos legislativos de ordenación de la enseñanza primaria y superior, cuya aprobación —en ambos casos— ha de retrasar-

[32] Cfr. INIESTA CORREDOR, A., *El orden nuevo en la educación..., op. cit.,* capítulos I, II, III y VII.

[33] Cfr. HERMET, G., *Los católicos en la España Franquista. II. Crónica de una dictadura,* Madrid, *op. cit.,* págs. 109-110, 123, 163-8.

se algunos años, en aras de alcanzar posiciones de equilibrio y conciliación. El problema consistía, fundamentalmente, en armonizar la tendencia a la estatalización escolar con la defensa del principio de subsidiaridad del Estado en materia educativa, en nivelar la doble presencia e influencia del ideario de la Falange y de la doctrina de la Iglesia. Difícil tarea, sin duda, cuando ha de asumirse el ambicioso proyecto político de unos y lograr desvanecer en los otros el temor ante un modelo que pudiera dejar en manos del Estado la dirección total del sistema escolar. Parece, sin duda, correcto el planteamiento interpretativo que hace Cámara Villar en el sentido de señalar —por una parte— la delimitación que se hizo de esferas de influencia entre ambos grupos: la formación cívico-política y el encuadramiento de jóvenes y educadores correspondería a la Falange; los fundamentos ideológicos del catolicismo impregnarían y controlarían la unidad y ortodoxia del pensamiento y la práctica educativa. Apunte que se completa con el reconocimiento de que en la realidad la política educativa de esos años se produce en una línea tendente a consolidar los intereses y argumentos eclesiales [34].

Ya la Ley de 1938 anticipaba posiciones; sobre ella escribía mucho después Dionisio Ridruejo: «(...) rompía el principio de neutralidad religiosa del Estado que, a mi juicio, debíamos defender los falangistas» [35].

En 1942, pronunciando una conferencia sobre «Los valores morales del Nacional-sindicalismo» las palabras de Laín Entralgo, orientaban de esa forma el tema: el sentido de la obra española de ese momento es «unir en una forma armónica» la Revolución Nacional con la idea católica del hombre y de la vida; ésa es, a su parecer, la «idea nueva»; nuestra

[34] CÁMARA VILLAR, G., *Nacional-Catolicismo y Escuela..., op. cit.*, págs. 122-125.

[35] RIDRUEJO, D., *Casi unas Memorias,* Barcelona, Planeta, 1976, págs. 195.

solución a la relación entre los deberes religiosos y políticos —dice Laín— no puede consistir más que en el enlace armónico de las dos potestades: no es que el falangista se limite a reconocer el derecho de la Iglesia a enseñar, sino que lo reclama. No cabe hostilidad —añade— en este punto [36].

Una doble acción conjunta —la del Estado y la de la sociedad— es reclamada en el campo educativo; una actuación común y concurrente en el propósito —formación religiosa y formación patriótica— es fácilmente constatable. Sobre esos puntos trataremos de añadir, a continuación, algunos datos y precisiones.

Citábamos más arriba la reiterada alusión en la época al Estado tradicional, pero los sectores católicos —también con la misma insistencia— matizarán pronto los caracteres del posible Estado totalitario para hacer ver y recordar los peligros de un totalitarismo monopolizador que, llevado a sus extremos, no permitiera la iniciativa privada en la realización del bien común [37]. La doctrina pontificia había definido firmemente el tema señalando la no oposición entre los derechos del Estado y de la Iglesia en materia de enseñanza, y la extensión y límites de los derechos del primero en este terreno: perfecta y ordenada armonía entre Iglesia y Estado en materia educativa —reconocía la *«Divini illius Magistri»,* en 1929—, derecho inalienable y primario de la familia, deber del Estado de proteger y respetar con sus leyes esos principios y derechos, obligación de promover la educación «favoreciendo y ayudando a la iniciativa y acción de la Iglesia y de las familias». Es «injusto e ilícito todo monopolio educativo o escolar», concluía la encíclica de Pío XI.

[36] Conferencia en el VI Consejo Nacional de la Sección Femenina, *ABC* 6-I-1942, pág. 10.

[37] Cfr. Azpiazu, J., «El Estado tradicional», *Razón y Fe* 113 (1938), págs. 145-159. Hay que recordar la inquietud de la Iglesia ante la situación de la misma en Alemania, expresada por Pío XI en *Mit Brennender Sorge* (1937).

Un breve artículo editorial, que recogemos casi completo, de la revista *Ecclesia,* nos sirve para reflejar fielmente la postura de la jerarquía eclesiástica:

> «Importa hacer una declaración previa, innecesaria en un Estado católico, que no resulta enteramente ociosa contra los gérmenes supervivientes del laicismo. La Iglesia no pretende una ingerencia tiránica, sino una tutela maternal. Le pertenece por derecho propio la guía de las almas y no hay terreno más delicado en esta materia que el de la enseñanza y educación de la juventud, aun en las disciplinas técnicas que no afectan directamente a la fe y a la moral. Si «por razón de pecado corresponde a la Iglesia un poder indirecto sobre la misma sociedad civil, con más motivo y por la misma causa, le atañen todos los grados y órdenes de la educación, lo mismo la escuela primaria que el liceo, la escuela especial o la Universidad, dentro claro es de un orden administrativo correspondiente al de las instituciones del Estado. Para un católico no puede haber en esto ningún peligro. Para un Estado católico no se pueden derivar de ello más que ventajas» [38].

El Fuero de los Españoles consagraría en 1945 esos principios y valores [39]. El artículo 5.º reconocía el derecho de todos los españoles a recibir educación e instrucción en el seno de

[38] «La Iglesia y la enseñanza», *Ecclesia* 27 (1942), 3. Puede consultarse para el tema: DOMENECH Y VALLS, R., *Los derechos de la Iglesia en la educación,* Madrid, Federación de Amigos de la Enseñanza, 1943.

[39] Esteban Bilbao en su discurso de presentación del Fuero ante el Pleno de las Cortes dijo sobre el espíritu del mismo: «Es la afirmación de una doctrina que nuestro venerado Pontífice (...) ha reiterado una y otra vez —ayer mismo— como el patrimonio universal e inextinguible del linaje humano. La reacción católica española que el Movimiento representa frente a la agresión antiyusnaturalista de las modernas escuelas y de los estatismos absorbentes: la jerarquización de todos los valores jurídicos, que subordinando el fin del Estado al fin de la Sociedad y el fin de la Sociedad y del Estado al fin del hombre, proclama al hombre como el sujeto primario del derecho público (...)», *ABC* 14-VII-1945, pág. 8.

su familia o en centros privados o públicos; en el capítulo segundo se afirmaba el reconocimiento y amparo estatal a la familia «como institución natural y fundamento de la sociedad, con derechos y deberes anteriores y superiores a toda Ley humana positiva» (art. 22). Cuando la Ley es defendida en las Cortes se destaca la libertad docente de la Iglesia, la del Padre y la del Estado, «tuitiva y supletoria», se dice, porque la familia es origen y fundamento de la sociedad y anterior y superior a todo derecho positivo; en razón de ello se afirma la libertad de enseñanza, «concebida no ya como un derecho, sino como una obligación del padre, bandera constante de las escuelas católicas frente al monopolio estatal característico de todos los sectarismos revolucionarios»[40]. El artículo noveno de la Ley sobre Ordenación de la Universidad fijaba el reconocimiento por parte del Estado de los derechos docentes de la Iglesia en ese nivel, «conforme a los sagrados cánones y a lo que en su día se determine mediante acuerdo entre ambas supremas potestades»; en el capítulo primero de la Ley reguladora de la educación primaria se enunciaban los derechos de la familia, la Iglesia y el Estado, calificando los de la primera como primordiales e inalienables, reconociendo el derecho de la Iglesia a la creación de escuelas primarias y del Magisterio, y expresando que corresponde al Estado la protección y fomento de la enseñanza primaria, crear y sostener las escuelas —se añade— que «aparte de la iniciativa privada y de la Iglesia, sean necesarias para la educación de todos los españoles» (arts. 2.°, 3.° y 4.°). Y es fácilmente constatable a través de las estadísticas la práctica paralización de la iniciativa pública en materia de creación de centros oficiales de enseñanza media.

Un ejemplo del desarrollo de este principio básico, inspirador de la política educativa, es el decreto de 5 de mayo de 1941 que manifiesta cómo el Nuevo Estado «no desconoce el

40 *Ibidem,* pág. 10.

valor y colaboración eficaz, que en esta hora de resurgimiento patrio le ofrece la enseñanza primaria privada», y que abre la posibilidad de subvencionar a aquellas escuelas que a partir de esa fecha sean creadas por iniciativa privada[41]; en esa línea se inscriben los sucesivos reconocimientos de la condición de «escuelas nacionales» a escuelas sostenidas por órdenes y congregaciones religiosas, como «coadyuvantes de la acción del Estado», se dice[42]. Finalmente cabe citar, como otra muestra de ese espíritu, la orden de 30-X-1948 que disponía que las escuelas nacionales creadas a partir de las que funcionaban como parroquiales fueran provistas por funcionarios del Escalafón general, nombrados por el Ministerio a propuesta de los correspondientes prelados, «continuando así funcionando bajo la acción tutelar de la Iglesia Católica (...)»[43].

Los principios que han de inspirar las enseñanzas impartidas en todos los niveles y centros escolares señalan reiteradamente dos referencias de las que luego nos ocuparemos con más detenimiento, y que impregnan con fuerza el ambiente pedagógico de la época: recristianización y renacionalización de la enseñanza, se dice. Contenido eminentemente católico y patriótico, apunta el texto preliminar de la Ley que reforma la enseñanza secundaria en 1938; así, se afirma, España podrá contar con un sistema que temple las almas de los jóvenes españoles «con aquellas virtudes de nuestros grandes

[41] Las subvenciones, a cargo de los créditos del Ministerio para centros no oficiales, equivalían al 50 % de la cantidad que el Estado destina en concepto de gastos de personal y de material a las escuelas nacionales de nueva creación; las nuevas escuelas debían establecerse en lugares cuya población lo exigiera en opinión del Ministerio, justificar que sus enseñanzas eran gratuitas y someterse a la Inspección del Estado, O. 5-V-1941, B.O.E. 18-V, arts. 1.° y 2.°.

[42] Cfr. a título de ejemplo, las Órdenes de 3-II-1943 (B.O.E. 15-II), 8-VI-1943 (B.O.E. 23-VI), o 2-XI-1944 (B.O.E. 2-XII). Ese reconocimiento era a todos los efectos «a excepción del de su provisión, que seguirá a cargo de sus respectivas Órdenes y Centros».

[43] O. 30-X-1948, B.O.E. 16-XII.

capitanes y políticos del Siglo de Oro». Aunque sea bastante amplio, es interesante recoger aquí este fragmento de la presentación del citado texto legal:

> «Formadas las jóvenes inteligencias con arreglo a estas normas, se habrá realizado para plazo no muy lejano, una total transformación en las mentalidades de la Nueva España y se habrá conseguido desterrar de nuestros medios intelectuales síntomas bien patentes de decadencia: la falta de instrucción fundamental y de formación doctrinal y moral, el mimetismo extranjerizante, la rusofilia y el afeminamiento, la deshumanización de la literatura y el arte, el fetichismo de la metáfora y el verbalismo sin contenido (...)».

Formación para la vuelta —se dice— a la valorización del «Ser auténtico» de España. El proyecto de Ley de reforma universitaria de 1939 fijaba —entre otras— como directrices de la misma la revitalización histórica de la Universidad y la formación patriótica y moral, y señalaba como fines de la institución universitaria aspectos como el desarrollo en la juventud de los «fundamentos ideales de la Hispanidad, base de la cultura auténtica española y del sentido tradicional y católico de nuestro pensamiento imperial»[44].

Ya en el inicio de su articulado la ley de 29 de julio de 1943, por su parte, encomendaba a la Universidad española educar y formar «para la vida humana, el cultivo de la ciencia y el ejercicio de la profesión al servicio de los fines espirituales y del engrandecimiento de España». Y la de 1945 hacía particular hincapié en su inspiración: el principio religioso y los intereses supremos de la Patria; la escuela debía ser «ante todo católica» y «esencialmente española». La educación tiene por objeto, como indica el artículo primero: proporcionar la cultura general obligatoria; formar la voluntad,

[44] O. 25-IV-1939 por la que se publica el proyecto de Ley de Reforma Universitaria (B.O.E. 27-IV), artículo preliminar y Base III.

la conciencia y el carácter del niño en orden al cumplimiento del deber y a su destino eterno; infundir en los alumnos la idea de servicio a la Patria, de acuerdo, claro está, con los principios del Movimiento; preparar para estudios posteriores, y contribuir a la orientación y formación profesional.

Otro importante principio orientador de la política educativa se apoya en el reconocimiento de la decisiva tarea de promoción o protección escolar, que el Fuero de los Españoles recogería en su artículo 5.° al hacer mención a que el Estado «velará para que ningún talento se malogre por falta de medios económicos». Ese aliento puede seguirse a través de la Orden de 16-XII-1938 que expresa la intención de que la cultura sea patrimonio común de todos los españoles, y de que «no quede malograda ninguna capacidad natural por falta de medios económicos»[45]; y, definitivamente, en la ley de protección escolar del año 1944 que la entiende como un deber estatal y una obligación social para conseguir que «la escasez de los medios familiares no sea obstáculo» al cumplimiento de las vocaciones intelectuales[46]. Cuando el 14 de julio de ese año el Ministro de Educación Nacional presenta a las Cortes el texto legal insiste en que el propósito estatal de

[45] La orden que firmaba Pedro Sain Rodríguez establecía la constitución de una Junta Superior de Selección y Protección Escolar y dictaba normas para la aplicación de lo dispuesto en la base octava de la Ley de 28 de septiembre de ese mismo año: formas de protección, obligaciones de los centros de recibir alumnos gratuitos, o condiciones de los candidatos a las becas. Estas condiciones son tres: aptitud para el estudio, que no podrá ser —se apunta— inferior al tipo de alumno sobresaliente, insuficiencia económica con ingresos anuales no superiores a 6.000 ptas., e imposibilidad de contar con servicios docentes gratuitos en sus lugares de residencia.

[46] El Estado organiza la protección escolar por medio de la ayuda económica directa e indirecta, la propulsión del crédito y previsión escolares, la asistencia sanitaria, o la de libros y material escolar, así como la prestada por asistencias e instrucciones complementarias (cooperativas de consumo, comedores, hogares del Frente de Juventudes, etc.). Ley de 19-VII-1944 (B.O.E. 21-VII).

exigir la justicia social en el campo escolar responde a la inspiración de la doctrina católica, a una política cristiana que no puede desdeñar las inteligencias útiles como potencial de riqueza para el país, de «economía espiritual», la más excelsa y soberana —dice Ibáñez Martín— porque es de mayor influencia en el bien común. Ahora bien, en esto se pone también una condición; allí mismo dirá el Ministro: «Queremos, por tanto, que no se desaproveche ninguna inteligencia útil, pero con la condición irrecusable de que esa inteligencia haya de servir al orden moral, haya de estar apoyada sobrenaturalmente en la máxima rectitud de la vida y de las costumbres cristianas (...)»[47].

Quizá esto último explique significaciones como la que puede apreciarse cuando se lee atentamente la convocatoria de las becas «Alejandro Salazar» del S.E.U.; las bases que regulan su provisión, tras volver a reconocer que la cultura ha de organizarse de forma que no se malogre ningún talento por falta de medios económicos, mencionan los requisitos necesarios para optar a las mismas: ser español, afiliado al S.E.U., estudiante, y carecer de recursos económicos; lo singular, sin embargo, son las circunstancias que se consideran como preferentes, entre las que figuran ser excombatiente, o excautivo, pertenecer a la División Azul, ser miembro de la Vieja Guardia, militante de Falange, etc. [48]. Un punto más de sugerencia para la lectura de este tema nos lo ofrece el general Muñoz Grande —figura importante del Régimen y en 1940 ministro secretario del Partido— cuando hablando en el Congreso Nacional del S.E.U. y señalando «el propósito de borrar la maldita lucha de clases que tanto daño causó a nuestra patria», exige el sacrificio de que atiendan a los estu-

[47] Citamos por el discurso que se recoge en la *Revista Nacional de Educación* 45 (1944), págs. 7-15; la cita en pág. 10.

[48] *Boletín del Movimiento de F.E.T. y de la J.O.N.S.* n.º 209, 20-II-1944.

dios de aquellos muchachos que perteneciendo a las familias más modestas, «posean capacidad suficiente para con su presencia honrar nuestras Universidades»; ciudadanos que serán, así, agrega, pregoneros de la hermandad y generosidad cristiana de los jóvenes camaradas del sindicato universitario [49].

La inspiración social a la que ahora aludimos es notoriamente invocada con motivo de la ley que en 1949 reforma la enseñanza media y profesional. Al presentarla ante el pleno de las Cortes el Ministro reafirma el propósito de política social que la impulsa; una doble referencia que se revela significativamente en algunos fragmentos del discurso de Ibáñez Martín. Por una parte se reitera la idea de «dar a cada inteligencia lo suyo, sin que en esta atribución jurídica intervengan privilegios de ningún género»; pero, junto a ello, no puede pasar desapercibido un planteamiento que resumiremos —por lo claro y explícito— con las propias palabras del Ministro: «Se quiere afirmar un nuevo concepto tajante, a saber, la elevación de nivel social, esto es, el cambio de la clase más modesta en clase mejor, o más concretamente dicho, el cambio en clase media, por obra de la preparación cultural». La afirmación que sigue no deja lugar a dudas sobre el carácter de ese ascenso social: «Diríamos que es la fórmula equivalente, en los dominios espirituales y en el patrimonio intelectual, a la ya consagrada del acceso de todos los trabajadores a la propiedad privada en el campo de la economía. Porque, al igual que allí, el pequeño propietario de la tierra deja por principio de ser marxista, el pequeño propietario de la cultura ha de considerarse desproletarizado también y en posesión de una más elevada categoría social» [50]. Un apunte, por lo demás, ciertamente en consonancia con el significado de determinadas reformas posteriores, ya en el más claro y sólido

[49] *ABC* 5-I-1940, págs. 8-9.

[50] Citamos por la reproducción del discurso en *ABC* 14-VII-1949, págs. 8-11, la cita en pág. 8.

enfoque del sistema de enseñanza tecnocrático: los principios de igualdad de oportunidades y de la consiguiente selección en base a aptitudes escolares refuerzan la legitimación necesaria del sistema social.

Retomemos ahora el tema anunciado del doble propósito —religioso y patriótico— que anima la acción educativa de esos años.

La cuestión de la influencia de lo católico en la particular componente ideológica del Régimen que se vino en llamar del 18 de Julio es bien conocida; es punto central y confluyente del conglomerado de intervenciones e intenciones que en él se integran. No en vano Franco había afirmado que la guerra era una Cruzada de los creyentes contra los hombres sin fe ni moral, «nuestra guerra —dice en 1937— es una guerra religiosa»[51]. Y así, entonces y después, la identificación de la Patria y el catolicismo sería un hecho relevante y múltiplemente exteriorizado, marco de grandes y pequeños acontecimientos de nuestra historia. El vínculo religioso, nuestra catolicidad, significaba todo para esta nación, su fuerza, su unidad, su espíritu, su impulso. Escribía Pemartín en *Qué es lo nuevo* que la nacionalidad española se halla fundida en su ideal católico, y que si el Estado español había de ser fascista —la fusión hegeliana de la Nación y el Estado, dice— debería ser «*necesariamente* Católico»: «No sólo que reconozca que el Catolicismo es la Religión de la mayoría de los españoles y, como tal, la proteja no que sólo reconozca, que sólo acepte, o respete, o reverencie, o proclame... Ninguno de estos verbos es suficiente. Es preciso el verbo Ser»[52]. Pero naturalmente ese «ser» suponía, desde luego, todo lo primero: reconocimiento, protección, proclamación, etc.

[51] FRANCO, F., *Palabras del Caudillo (19 abril 1937 - 7 diciembre 1942)*, Madrid, Editora Nacional, 1943, págs. 453-454.

[52] PEMARTÍN, J., *Qué es lo nuevo..., op. cit.*, págs. 77-78.

La presencia de elementos religiosos en las disposiciones rectoras de la política educativa es bien temprana, y entonces, en muchas ocasiones, con objeto de rectificar y restituir, de negar y anular algunos principios o medidas del ordenamiento escolar precedente. No es necesario repasar aquí exhaustivamente las resoluciones y preceptos que se suceden en este orden de cosas, ya desde los inicios del propio período bélico; aunque cabe recordar algunos hitos de esa política como la declaración de obligatoriedad de la enseñanza religiosa en las escuelas (O. 21-IX-1936), la regulación de esa misma enseñanza en los Institutos de Bachillerato (O. 22-IX-1936; O. 9-XII-1936; O. 7-X-1937), la restauración, también, de la obligatoriedad de la asignatura de Religión en las Escuelas Normales (O. 10-XI-1936), la vigilancia de la ortodoxia religiosa y moral de los libros (O. 4-IX-1936)...

Abolición del laicismo escolar y firme empeño en impugnar y contrarrestar el sentido y desarrollo que el moderno proceso secularizador hubiera podido alcanzar en nuestra sociedad. En el discurso con el que Ibáñez Martín defiende ante las Cortes la Ley de ordenación de la Universidad española, dice: «(...) lo verdaderamente importante hasta desde un punto de vista político, es cristianizar la enseñanza del Estado, arrancar de la docencia y de la creación científica la neutralidad ideológica, y desterrar al laicismo (...)». la revolución marxista —añade— se incubó en el transcurso de cincuenta años de laicismo docente; ahora había que «conquistar en las aulas» la mente y el corazón cristiano de las jóvenes generaciones que harían el futuro [53]. Ese constante empeño descan-

[53] Ya en 1940 afirmaría el Ministro de Educación Nacional, que acometer la renovación de la educación religiosa en la enseñanza media era un tema de la mayor importancia, ya que en ello radicaba lo más grave de nuestra crisis cultural religiosa. La ausencia de la Religión en los Institutos estatales y la desidia en los colegios privados —dice el Ministro— había originado la falta de una conciencia pedagógica cristiana manifestada en la piedad anodina y efímera de muchas juventudes (Discurso en la clausura

sa en la decidida valoración del sentido religioso de la vida en el que se apoya, a su vez, todo el espíritu y el aparato educativo; éste puede ser un buen ejemplo de ese entendimiento: «No sólo preconizamos la cultura religiosa como elemento indispensable de la formación, sino que destacamos aquella otra cualidad (...): el ambiente religioso, la piedad sólida, apoyada en las virtudes que son hoy norma moral de la Falange, tales como la obediencia, el sacrificio, la austeridad y la justicia. Cultivar la piedad es rendir culto a lo más puro y substancial del ser histórico de España, cuya mejor ejecutoria fue precisamente su actitud de milicia en la avanzada de la civilización cristiana, y sentir la catolicidad como su mejor y más universal destino»[54]. Para quienes opinaban que los virus del marxismo y del liberalismo se habían apoderado de nuestro pueblo, la tarea consistía en una auténtica «desinfección espiritual» contra el materialismo y la irreligiosidad, un quehacer presentado como tarea de excepción, que volviera al país al cauce de la tradición desde un movimiento que Joaquín Azpiazu califica en las páginas de *Razón y Fe* como de *elevación* y *profundidad*. De «elevación» porque es necesaria la cultura, «pero cultura a lo divino, basada en la fe religiosa»: «cristianizar un pueblo, sacándolo de la materia para introducirlo en la vida del espíritu». Si ésa era considerada como labor del cura, pronto el «nacional-catolicismo» la asignaría también al maestro. Y movimiento, en fin, de «profundidad» para inyectar —continuamos siguiendo a Azpiazu— esa cultura espiritual «no sólo en las venas de la vida individual, sino en lo más hondo del ser social»[55].

del Cursillo de Iniciación de Estudios Religiosos, *ABC* 13-III-1940, pág. 11). El discurso en las Cortes en *ABC* 16-VII-1943, pág. 6.

[54] Discurso del Ministro de Educación Nacional en el acto de clausura del I Consejo Nacional del S.E.P.E.M., *ABC* 28-V-1943, pág. 7.

[55] AZPIAZU, J., «Revolución y Tradición», *op. cit.*, págs. 30-31. En ese último sentido de *profundidad*, dice: «La cultura no es sólo para quien no la tiene, sino más aún para quien la tiene falseada y descristianizada, para el que creyéndose (...) cristiano en privado, no se atreve a serlo en público», pág. 31.

La enseñanza, la escuela, el maestro, son entendidos como obra, lugar y agente de apostolado en tal sentido; es ésta una idea invariable y continua en todo el discurso pedagógico de la época. «La voz de los prelados», sección de la revista *Ecclesia* nos proporciona diversas muestras de ese parecer a través de pastorales y exhortaciones del episcopado. El obispo Cardona y Riera exhorta desde Ibiza sobre la importancia de la sana y verdadera educación en tiempos de materialismo, y recuerda cómo más allá de la instrucción y la cultura general lo fundamental del proceso formativo radica en su apoyo sobre principios religiosos: «Únicamente la educación así entendida es la que forma buenos cristianos, buenos patriotas, ciudadanos sin tacha (...) que constituye a la vez el consuelo de la Iglesia y la más firme esperanza de la Patria» [56]. La educación —dice el obispo de Barcelona en «La educación cristiana de los hijos, deber primordial de los padres»— «ha de abarcar al hombre entero, no como pueda fingirlo una malsana filosofía y un racionalismo ateo, sino como él es en realidad (...) un compuesto de alma y cuerpo (...)»; una defensa de una educación integralmente cristiana, y un rechazo de los errores de quienes no reconocen «la necesidad del elemento sobrenatural para la completa educación» [57]. Y para ajustarse a la palabra de León XIII, según la cual la educación infantil y la escuela es el «campo de batalla» en donde se decide si la futura generación será o no católica, el obispo de Orense en su carta pastoral «Alerta a la escuela» afirma: «Para sanar a un pueblo se le ha de sanar, ante todas las cosas, la cabeza y el corazón, y para ello se precisa que la escuela sea íntegramente cristiana; que la religión sea en ella luz y calor (...)» [58]. Una educación

[56] «La Voz de los Prelados. Hay que educar a los niños y jóvenes en la doctrina de Cristo», *Ecclesia* 42 (1942), 19.

[57] «La Voz de los Prelados. Pastoral del obispo de Barcelona sobre la educación de los hijos», *Ecclesia* 189 (1945), 19.

[58] «La Voz de los Prelados. El Obispo de Orense da normas sobre la enseñanza de la religión en las escuelas», *Ecclesia* 203 (1945), 20.

religiosa en la que se fundamente la formación moral y de la que se desprendan las mejores virtudes, así puede resumirse el sentido y la dirección que adquiere el pertinaz mensaje de impregnar todo lo escolar de un profundo espíritu y vivencia religiosa. Para ello las orientaciones tienden a señalar como puntos centrales de la actuación docente el instruir o proporcionar conocimientos sobre las verdades de la Religión, y el incitar o impulsar a la práctica de la misma. Un ejercicio constante de apostolado —como lo llama Francisca Montilla—, llevado a cabo desde la escuela para «instaurar el reinado de Cristo»: el inspector y el maestro se convertirán en instrumentos de ese trabajo [59]. En realidad, esa línea de pensamiento y la propuesta consecuente no hace sino seguir constantemente la doctrina pontificia —como ya hemos mencionado— expuesta en profundidad en la «Divini illius Magistri» en 1929, y divulgada en España por la Asociación Nacional de Propagandistas Católicos y por *Razón y Fe;* doctrina, pues, que al insistir en la esencia de la educación cristiana la refiere al «fin sublime» para el que fue creado el hombre, y de esa forma asegura su excelencia para cooperar al perfeccionamiento humano y social, «imprime en los ánimos de la primera, la más potente y la más duradera dirección de la vida» [60]. La misma carta de Pío XI aludía igualmente a otro tema que también aquí podemos observar fácil y repetidamente, las condiciones o «ambiente» adecuado para esa educación perfecta; la familia es ese primer ambiente natural y necesario; «De modo que regularmente, la educación más eficaz y duradera es la que se recibe en la familia cristiana bien ordenada y disciplinada, tanto más eficaz, cuanto resplandezca en ella más claro y constante el buen ejemplo de los padres (...)» [61]. Ya hacíamos

[59] Cfr. MONTILLA, F., *Inspección escolar. Normas de Pedagogía Práctica,* Madrid, Ed. Escuela Española, 1942, págs. 121-135.

[60] Citamos la encíclica por AZPIAZU, J., *Direcciones pontificias,* Madrid, Rayfe, 1940, pág. 317.

[61] *Ibidem,* pág. 337.

referencia un poco más arriba a la pastoral del obispo de Barcelona recordando los deberes de los padres en este sentido y el grave daño que supone el incumplimiento de los mismos para la Iglesia y la sociedad civil; el prelado de la capital catalana señalaba cuatro puntos que deberían observarse por las familias, y que —en su opinión— estaban descuidándose: la enseñanza doméstica del catecismo; la vigilancia y corrección de los defectos; el control de las lecturas, espectáculos «y audiciones de radio»; la orientación debida para evitar los peligros «especialmente contra la pureza». Una formación, pues, en las familias, que en orden a ese plano de lo religioso debe unir la enseñanza y la práctica, la información y el ejemplo; ejemplo y aliento conjunto del padre y la madre, un matiz especial que no se le escapa al escolapio Joaquín Seguí. No está de más transcribir aquí sus palabras, que añaden —además— otra particular inclinación respecto a la diferencia de sexos: «No ha de ser solamente la madre la que sea religiosa de verdad, como parece que lo creen algunos hombres que, sin duda, no han captado lo mucho que puede en bien o en mal de los hijos la religiosidad o irreligiosidad del padre. La religiosidad de la madre es, sí, de magníficos resultados, pero la indiferencia del padre es de consecuencias detestables»[62]. Y un poco después agrega: «Un niño muy despierto decía, con un fondo de terrible lógica, que no tenía por qué preocuparse de los deberes religiosos, toda vez que su papá no les concedía la menor importancia; pero que sí debía su hermanita dedicarse a ello, porque así lo hacía su mamá»[63].

Y junto a la familia, la institución escolar es considerada agente, como tantas veces se dice, de «restauración cristiana»;

62 Seguí Carré, J., *Pensando en los dolores de España,* Barcelona, Felipe González Rojas editor, 1940, pág. 103.

63 *Idem.* Allí mismo escribe: «La pobre España dolorida podría, seguramente, acusar a muchos padres de haber sido por su indiferencia, apatía o clara disconformidad religiosa, causantes de sus dolores más acerbos».

un tema permanente como podemos y podremos observar. Incluso ya en 1947 una pastoral —muy divulgada, puesto que en pocas semanas se hicieron tres ediciones, sendas tiradas de más de 2.000 ejemplares— insiste en el tema, citando algunos obstáculos a salvar para que «se garantice la permanencia» de los altos ideales de la educación cristiana expuestos por Pío XI; las tres circunstancias a las que hace mención el obispo para conseguir una eficacia plena en esa línea resumen los planteamientos de la época en este tema: estudio serio de la religión, explicación de todas las materias con recto criterio cristiano, y vivencia de un ambiente de ese signo que se manifiesta en la piedad, pureza de costumbres, obras de apostolado, etc. [64]. Sobre todo ello deberemos volver en nuestro apretado análisis.

Con esos apuntes puede, sin duda, advertirse la profunda y amplia influencia que la impronta de lo religioso y la intervención de la Iglesia va a tener sobre el sistema educativo español; quizás sea apropiado a los efectos de este trabajo sintetizarla en tres puntos: el papel excepcional de la Iglesia como orientadora de la enseñanza, el escrupuloso respeto estatal a la doctrina eclesial en materia educativa, y la fuerza con la que la religiosidad penetra en los contenidos y el ambiente escolar.

Respecto al primer punto, la Iglesia no había cesado ni deja de repetir que, encargada por misión divina de la educación, esa acción docente ha sido y es una de sus preocupaciones y misiones preferentes. El objetivo, como señalaba el rector de la Universidad Pontificia de Comillas, no era otro en este nuevo momento para ese empeño más que acabar con la terrible y funesta desviación de racionalismo y laicismo que independizaba la cultura del orden sobrenatural y propugnaba incluso su oposición. En el marco de la conocida

64 «La voz de los Prelados. Interesante pastoral del Obispo de Astorga sobre la restauración cristiana de la enseñanza», *Ecclesia* 306 (1947), pág. 16.

querella de la Iglesia contra los errores modernos, la Iglesia «se esfuerza por volver a aquella unidad y armonía maravillosa y fecunda del saber humano»[65]. La nueva España, sus aulas y sus educadores, deberían situarse en primera línea de esa orientación. Por otra parte, y además de las referencias ya anteriormente expresadas, la legislación explicita en numerosas ocasiones la cuidadosa consideración a derechos y direcciones defendidas por el mensaje católico.

Así, en 1941, se firma un acuerdo con la Santa Sede, ratificando, entre otros, el artículo segundo del viejo Concordato de 1851 que establecía la obligatoria conformidad con la doctrina católica de la enseñanza impartida en las instituciones escolares públicas y privadas, y el derecho de la jerarquía eclesiástica a «velar sobre la pureza de la fe y de las costumbres», así como sobre la educación religiosa de la juventud.

La ley de 1943 dispone (art. 3.°) la inspiración de la Universidad en el sentido católico y el ajuste de sus enseñanzas a las del dogma y la moral católica y a las normas canónicas; reconoce a la Iglesia sus derechos en materia universitaria (art. 9.°); crea la Dirección de Formación Religiosa Universitaria (arts. 31 y 32), etc. La ley de enseñanza primaria, por otro lado, y además de reconocer y garantizar —como vimos— los derechos de la Iglesia, reitera la inspiración católica de la enseñanza, «consubstancial con la tradición escolar española» (art. 5.°), establece la aprobación previa por la jerarquía eclesiástica de los libros de uso escolar en lo que se refiere a la doctrina religiosa (art. 48.°)... El Concordato de 1953 supondría la confirmación del carácter notablemente confesional de nuestro sistema educativo y del papel de la Iglesia Católica en la inspección y vigilancia de la ortodoxia del mismo. Lo religioso será eje fundamental, vertebral, de la tarea didáctica. La enseñanza de la Religión ocuparía lugar relevante en los tra-

[65] SALAVERRI, J., «La Iglesia orientadora de la enseñanza», *Razón y Fe* 121 (1940), págs. 101, 102.

bajos escolares; pero, es más, la esencia, los principios, los valores del catolicismo nacional —que empieza a imperar como bandera y proyecto— debían ser integrados no sólo en los contenidos de todas las otras enseñanzas sino en todo lo relacionado con la vida de las instituciones educativas y sus agentes. Era, otra vez, el mensaje del Pío XI sobre la educación cristiana de la juventud, donde afirmaba que no era suficiente el solo hecho de que en la escuela se diese instrucción religiosa, sino que era preciso que toda la enseñanza y toda la organización de la escuela estuvieran «imbuidos de espíritu cristiano»[66]. En 1945 el obispo de Orense en una carta pastoral que ya hemos conocido, recordaba: «(...) es necesario que la enseñanza toda esté como saturada de religión y cristiandad, que la religión lo embeba y lo anime todo, constituya el ambiente de la escuela...; cualquiera que sea la asignatura que enseñe el maestro ha de explicarla a la luz de la religión católica, única que esclarece los problemas de la vida terrena y ultraterrena»[67].

La Jefatura del Servicio Nacional de Primera Enseñanza publicaba una famosa circular el 5 de marzo de 1938 (B.O.E. 8-III), para fijar la idea de que la Religión no es tan sólo una asignatura más en la escuela, sino que es indispensable «lograr que el ambiente escolar esté en su totalidad influido y dirigido por la doctrina del Crucificado»; allí se insta a que en las lecturas comentadas, en la enseñanza de todas las materias se aproveche cualquier tema para deducir consecuencias de tipo moral y religioso; allí se dispone la asistencia obligatoria y corporativa de niños y maestros a la Misa parroquial de las fiestas de precepto, o la lectura y explicación frecuente —ineludible los sábados— del Evangelio, o la realización diaria en los cuadernos de trabajo de un tema religioso, pa-

[66] «Divini illius Magistri», en AZPIAZU, J., *Direcciones...*, *op. cit.*, pág. 340.

[67] *Ecclesia* 189 (1945), pág. 19.

triótico o cívico. Romualdo de Toledo confiaba —en ese mismo lugar— en que la doctrina social de la *Rerum Novarum* y la *Quadragesimo Anno* debía servir para inculcar en los pequeños la idea de amor y confraternidad social, «hasta hacer desaparecer el ciego odio materialista». Ya en una fecha anterior (Circular de 9-IV-1937, B.O.E. 10-IV) se regulaba —en el contexto de la creación de ese ambiente religioso— la devoción a la Virgen María» o la instauración de la conocida salutación «Ave María Purísima»[68]. En 1939 se instituye la conmemoración de la Exaltación de Santa Cruz en las escuelas públicas y privadas; fiesta que es también de la Exaltación de la Escuela Cristiana, fiesta religiosa con responso por los mártires y reposición del Crucifijo: «En la España, país de Crucifijos, no podría faltar nunca, al recobrarse la auténtica substancia histórica de nuestro ser nacional, la Santa Enseña del Redentor, presidiendo como luz verdadera (...) la nueva educación de la niñez y de la juventud, para que la sabiduría y la ciencia sólo puedan ser resplandor de la luz eterna, espejo sin mancha de la majestad de Dios e imagen de su bondad»[69]. Después, todas las escuelas quedaban colocadas bajo la advocación de Jesús, «Maestro y modelo de educación», según el artículo 16 de la Ley de 1945, que disponía celebrar anualmente ese patronazgo con una fiesta religiosa. Otras muchas conmemoraciones religiosas, solemnizadas en clase, llenaban el calendario lectivo de la primera

[68] La circular que firmaba en esta ocasión el Vicepresidente de la Comisión de Cultura y Enseñanza justificaba así las medidas: «En el rico patrimonio de tradiciones populares, vital y auténtica manifestación del genio nacional, figura con marcado relieve (...) la devoción española a la Virgen María (...). La Escuela faltaría a su misión esencialmente formativa si no recogiera esos latidos, que por ser del espíritu popular lo son de la Cultura, incorporándolos a la tarea pedagógica para imprimirle elevación en los conceptos y fragancia de juvenil alegría en el estilo, características de la Escuela de la España que renace, frente al laicismo y cursi pedantería de la escuela marxista que hemos padecido».

[69] O. 27-VII-1939 (B.O.E. 1-VIII).

enseñanza [70]. Una enseñanza, insistimos, extraordinariamente comprometida con la formación de buenos católicos y con el cumplimiento de su ideal. El pedagogo Víctor García Hoz indicaba a los maestros en *Escuela Española* que el fin principal de la enseñanza religiosa no residía en el saber sino «en convertir el saber religioso en vida», en vida religiosa que equivale a vida sobrenatural, es decir, en «santidad», en «persistencia de la vida sobrenatural por encima de la vida puramente humana», y hacía una llamada a que la escuela aspirase a conducir a todos a esa «salvación eterna» [71].

Respecto a la presencia de los sacerdotes en la escuela deberemos recordar, en primer término, cómo en 1939 se concedía preferencia para regentar escuelas en núcleos de escasa población a los sacerdotes adscritos a esas colectividades rurales; estos «Sacerdotes encargados de la Enseñanza primaria» podía ejercer esa función en escuelas unitarias de varones que carecieran de titular, si estaban enclavadas en pueblos menores de 500 habitantes, y situados —sin comunicación directa— como mínimo a una distancia de tres kilómetros de la capitalidad municipal [72].

La medida no deja de ser significativa aún cuando el primer motivo declarado para justificarla sea el de tratar de so-

[70] El almanaque escolar de la provincia de Valencia —sirva como ejemplo— aprobado por la Dirección General de Primera Enseñanza para 1941 (B.O.P.V. 24-I-1941) señala, entre otras, las siguientes: 1 de febrero, la Purificación de Nuestra Señora; 27 de febrero, Miércoles de Ceniza; 7 de marzo, Santo Tomás de Aquino; 3 de mayo, Invención de la Santa Cruz; 10 de mayo, Nuestra Señora de los Desamparados; 24 de Junio, San Juan Bautista; 7 de octubre, Nuestra Señora del Rosario; 25 de octubre, Vigilia de Cristo Rey... También durante el curso deberían celebrarse aquellas fiestas que coincidían con el período de vacaciones estivales: Santiago Apóstol, Santa Ana, San Ignacio de Loyola, Nuestra Señora de la Asunción, Natividad de la Virgen, etc.

[71] GARCÍA HOZ, V., «La Santidad en la Escuela», *Escuela Española* 72 (1942), pág. 579.

[72] O. 15-VI-1939 (B.O.E. 7-VII).

lucionar provisionalmente «el tránsito fugaz» de los maestros que eran destinados a este tipo de poblaciones.

Pero son otros muchos los puntos que dan noticia y testimonio de esa relación e intervención del clero en las actividades educativas: como miembros de las Juntas de Primera Enseñanza pueden visitar los centros cuando lo deseen, para observar su funcionamiento y estado (O. 19-VI-1939, B.O.E. n.º 178); se reclama una comunicación constante con los maestros; se les sitúa como verdaderos directores o animadores espirituales de la escuela... El obispo de Orihuela establecía, por ejemplo, en 1941 una precisa normativa en un decreto sobre la inspección religiosa en las escuelas públicas y privadas de su diócesis, señalando que el amparo que los poderes públicos dan ahora al ejercicio de la misión de la Iglesia no es «motivo para dormirnos en el sueño de nuestra inacción, pues en aquella etapa precedente de persecución religiosa (...) la infección doctrinal fue demasiado profunda para que no esté reclamando ahora una acción vigorosa constante y metódica que garantice la verdadera recristianización de la patria española (...)» [73]. La posición, por otra parte, se fundamenta en algo que se expresa así, claramente, en otro lugar: «El sacerdote es el educador por antonomasia». La formación de las inteligencias, los corazones y las voluntades es una misión que debe realizar «de una manera especialísima» con los niños; el obispo de Solsona, que es quien así escribe, insiste en mandar a los sacerdotes que den importancia extraordinaria a esa labor de formación, que se preocupen intensamente por ella, y que aumenten sus actuaciones en este campo: catecismo parroquial, visitas a las escuelas para dar allí ellos mismos la formación religiosa «y para vigilar la educación que dan los señores maestros en el aspecto moral y religioso», cuidado en el cumplimiento del precepto de asis-

[73] «La Voz de los Prelados», Ecclesia 20 (1941), pág. 27.

tencia corporativa a la misa dominical, son los medios fundamentales reseñados [74].

También en la enseñanza media y universitaria se vive esa influencia. No es preciso, ni podemos, extendernos mucho más en este aspecto, pero cabe recordar medidas que atienden a signos externos como la instauración del Crucifijo en las aulas y dependencias de los centros (O. 30-III-1939); o la Orden Ministerial de 31 de octubre de 1940 dictando, entre otras, normas para la educación religiosa en los institutos; normas que asignan a los profesores de Religión el papel de «Directores espirituales» del alumnado (organizando prácticas cotidianas de piedad, celebración de fiestas religiosas y ejercicios espirituales). En la Universidad —como vimos— se creó la Dirección de Formación Religiosa Universitaria a la que se encomendaba la dirección de todos los cursos de cultura superior religiosa —que debían ser obligatorios y evaluables—, la asesoría del S.E.U., y la dirección y organización de las prácticas religiosas, instituciones piadosas y templos de carácter universitario. El decreto que desarrolla esas prescripciones [75] des-

[74] «Voz de nuestros Prelados. Exhortación del Obispo de Solsona sobre la atención que deben prestar los sacerdotes a la formación de los niños», *Ecclesia* 375 (1948), pág. 9.

[75] D. 26-I-1944 (B.O.E. 8-II). El Decreto establece en sus artículos 3.° y 4.° que la enseñanza religiosa —obligatoria— se dará los cuatro primeros cursos de cada carrera, con lecciones de una hora semanal durante el primer cuatrimestre de cada uno de ellos. Aún reconociendo el «alarde de ortodoxia» y el «audacísimo conato de regeneración católica de nuestra juventud» que el decreto supone, el jesuita P. Guerrero hace una observación final, que conviene anotar, pues le parecen poco el tiempo asignado a esas enseñanzas: «(...) y es de tener que por notables que sean la habilidad del profesor y la preparación de los alumnos (...) la exigüidad del tiempo obligue, bien a la total omisión de temas indispensables para el fin pretendido, bien a un ruín desarrollo que no permita saborearlos (...)»; por ello, hace una sutil advertencia, cuya significación no podemos desapercibir como sugerencia de la posible y práctica inefectividad de tales medidas: «Por este camino podríamos parar, contra las nobles esperanzas de la Iglesia y del Estado, en *fórmulas hermosas, más que en realidades fructíferas*» (El subrayado es

taca la exigencia de instrucción religiosa que comporta la cultura superior; según se dice esos conocimientos «han de ser sólido y perdurable cimiento de su educación moral», y formar a los universitarios «a tono con las tradiciones seculares más arraigadas». Sin ello —llega a añadirse— «ni siquiera les sería dado entender nuestra literatura clásica». Comentando por aquellas fechas ese carácter indispensable de la formación religiosa universitaria escribía el Padre Eustaquio Guerrero: «En cuanto creyente, debe adquirir una elevada cultura religiosa para tutelar su fe en los peligros a que la expone una gran cultura profana, cuando no acompaña a ésta una sagrada, del mismo o superior nivel» [76]. En la base, pues, hay que observar, de nuevo en este momento, un viejo tema en nuestra Historia: el temor al considerado como grave peligro del conflicto y falta de armonía entre la razón y la fe.

Si uno de los puntos de la doctrina joseantoniana hacía referencia a la misión del Estado de «conseguir un espíritu nacional fuerte y unido» que instalara en la juventud «la alegría y el orgullo de la Patria», la educación tendrá como uno de sus objetivos fundamentales modelar ese «espíritu nacional», en una escuela —como dice la tantas veces citada circular de 5 de marzo de 1938— «fundida» con el «movimiento de resurrección patriótica» por el que se atraviesa. Eso suponía, según ese texto, acabar con el desdén o desprecio por nuestra Historia —su apología, en cambio—, terminar con cualquier agresión a lo español —valorarlo excelentemente en todo caso—; cultivar, en suma el patriotismo en la enseñanza de la Historia, por medio de los cantos e himnos pa-

nuestro). E incluso hace una propuesta particular: «Fuera de que si se aprovecha bien el tiempo, nada supone quitar unas horas a las demás disciplinas en favor de la religión. Si los profesores son puntuales, si pedagogos, si celosos de aprovechamiento de sus discípulos (...) no harán menos haciendo en cincuenta y cinco clases que en sesenta podrían hacer. Den, pues, algunos esas cinco al profesor de Religión»; págs. 341-342, del artículo citado en la nota siguiente.

[76] GUERRERO, E., «La formación religiosa en la Universidad», *Razón y Fe* 555 (1944), pág. 333.

trióticos, biografía de nuestros héroes y santos... «Una Escuela donde no se aprende a amar a España, no tiene razón de existir», dice la circular del Servicio Nacional de Educación Primaria. Ella es el lugar, en consecuencia, para una educación cívica que impulse y encauce el entusiasmo, «la impaciencia de la ciudadanía». Exaltación de las ideas, y divulgación y extensión a todos de las mismas; esto es lo que ordena el escrito de Romualdo de Toledo al que venimos refiriéndonos: «Quede desterrado de las luchas sociales el terror, y que una clara hermandad reine entre todos los españoles. Estas ideas, en las zonas campesinas, debe el maestro extenderlas a los padres, aprovechando para ello una de las sesiones de clase de adultos, si las hay, o en caso contrario, ábrase la escuela una noche, y en actos sencillos exáltese el Movimiento Nacional (...); expónganse temas sociales, agrícolas, etc., que conquisten en un ambiente de fraternidad cristiana el alma de nuestros labriegos». Empeño constante y adoctrinador en hacer ver las «razones» —causas y necesidad— de la «cruzada» y la «victoria», en propagarlas a través de los cursillos de orientación del Magisterio (O. 27-VI-1939), o de las conferencias patrióticas de las Fiestas de la Victoria (O. 12-V-1939).

La filosofía del Bachillerato instaurado en 1938 ya realzaba el contenido eminentemente patriótico del mismo, así como la revalorización de lo español, que debía conseguirse mediante la enseñanza de la Historia, o el canto popular patriótico, por ejemplo. La ley de 1943 organizaba la Universidad española «en armonía con los ideales del Estado nacionalsindicalista», ordenando el ajuste de sus enseñanzas y tareas educativas a los puntos programáticos del Movimiento (art. 4), y obligaba a los estudiantes a asistir a las lecciones de formación política (art. 70). Por su parte, la Ley de educación primaria reconocía, ya en su preámbulo, que al ser la escuela «esencialmente española» se inspiraba en la doctrina del Movimiento que supeditaba la función docente a los supremos intereses de la Patria; y le otorgaba la misión de «conseguir un espíritu nacional fuerte y unido», según reza el artículo 6.°, que sigue así: «e instalar en el alma de las futuras generaciones la alegría y el orgullo de la Patria, de acuerdo con las normas del Movimiento y sus Organismos».

Escuela absolutamente española, como escribe Seguí; mirando al ayer y pensando en el mañana, la nación no puede permitirse ninguna debilidad en ese aspecto: «La escuela antiespañola o fríamente española (...) debe ser cerrada a cal y canto y proscrita sin compasión ni contemplaciones» [77]. Educación patriótica, escribe también, que ha de recibirse anticipada y complementariamente en el seno de la familia, hogares españoles «saturados de ferviente patriotismo», y en los que no puede caber, según el escolapio, la menor tibieza en ese sentido; dirigiéndose a los padres de familia afirma que se conspira contra la patria, también «cuando se procede respecto de sus intereses con indiferencia, con abstencionismos estudiados, con inhibiciones culpables» [78]. La exigencia en esa línea o propósito es más que firme, rotunda. Y basada en el repetido recuerdo histórico a todo y todos los que infiltraron en la vida española unas posiciones y corrientes que produjeron «la anestesia letal del patriotismo». La expresión es de Agustín Serrano de Haro, quien al retomar el tema de la presencia de *España* en la escuela insiste en lo mucho que puede hacer el maestro en ese tema del patriotismo; en hacer «descubrir» la propia Patria y su idea, pero no «como una cosa vaga y flotante» [79].

Conocer y analizar las posibilidades del momento, la restauración iniciada, la contribución que cada cual deberá hacer... «para incorporarse con el corazón rendido a un Movimiento (...)» [80]. Esa es la tarea de una auténtica formación patriótica.

La ley de 6 de diciembre de 1940 encomendaba al Frente de Juventudes la Educación Política en el espíritu y Doctrina

[77] SEGUÍ CARRÉ, J., *Pensando en los dolores de España, op. cit.*, pág. 134.

[78] *Ibidem*, pág. 108.

[79] SERRANO DE HARO, A., *La escuela rural*, Madrid, Escuela Española, 1941, págs. 121-125.

[80] *Ibidem*, pág. 127.

de F.E.T. y de la J.O.N.S.; la Orden de 16 de octubre de 1941 establecía en todos los centros de primera y segunda enseñanza las disciplinas de Educación Política, Física y Deportiva a cargo de intructores designados por el Frente de Juventudes [81]; el decreto de 29 de marzo de 1944 justificaba la formación política de los universitarios, para fomentar su conciencia de servicio, y como irrenunciable elemento de la integridad educativa de la alta institución de enseñanza [82]. No obstante, cabe recordar simplemente aquí el análisis que Sáez Marín hace al hilo del informe del propio Delegado Nacional —José Antonio Elola— en el Consejo de 1942, aludiendo a que a pesar del espíritu de la ordenación del 16 de octubre de 1941, la realidad de su aplicación no fue consolidada; Sáez escribe: «Los centros (...) practicaron, de hecho, una cierta resistencia pasiva ante lo que consideraron, si no intrusión, sí al menos, distorsión o acumulación de molestias en su régimen interno. Las asignaturas quedaron relegadas a zonas residuales en el horario (...)», introduciéndolas, añade, «en un acelerado proceso de degradación (...)» [83].

Con el paso de los años, bastantes testimonios orales, incluso, podrían asegurarlo; parece claro que fue profundizándose esa decadencia, al menos como asignatura; quizás no tanto en forma de una cierta persistencia en el ambiente.

81 Ese mismo decreto (B.O.E. 18-X), y en el mismo artículo 2.°, añade: «(...) en tanto no sean hechas las designaciones correspondientes, los directores de Centros de enseñanza y los Maestros (...) deberán llevar a efecto tal misión con personal y elementos propios si bien ajustándose estrictamente a las normas y programas (...)».

82 El decreto (B.O.E. 10-IV-1944) la reconocía como de asistencia obligatoria y regulaba sus enseñanzas: Esencia de lo español; lo antiespañol en la Historia; la realidad social, económica y política de España; la empresa del Movimiento Nacional; la nueva organización social; Misión de España en el mundo, etc. Las lecciones se darían durante una hora a la semana el primer cuatrimestre de los cursos 1.°, 2.° y 3.°.

83 SÁEZ MARÍN, J., *El Frente de Juventudes. Política de juventud en la España de la postguerra (1937-1960)*, Madrid, Siglo XXI, 1988, pág. 126.

Precisamente en ese aspecto de impregnación del ambiente y el trabajo escolar —aunque de nuevo nos referimos a los años más próximos al fin de la contienda— la citada circular de la Junta provincial valenciana nos da noticia de conmemoraciones escolares en la línea de la educación patriótica y del Movimiento: la toma de Barcelona (26 de enero), la reconquista de Teruel (21 de febrero), la promulgación del Fuero del Trabajo y la ofensiva de Aragón (9 de marzo), los Mártires de la Tradición (10 de marzo), la Unificación de F.E.T. y de las J.O.N.S. (19 de abril), y otras muchas[84].

Resulta ya evidente, después de repasar algunos de estos puntos, la identificación y apropiación partidista que de lo patriótico y lo cívico se pretende hacer desde la educación, y ello se manifiesta cada vez que se mencionan y enfatizan los sentimientos ante la Patria, los derechos y los deberes —sobre todo— de los *auténticos* españoles, la misión, en definitiva, de los *buenos* ciudadanos. Lo que en realidad se va descubriendo es algo que claramente se ha visto reflejado en el concepto *Patria* que aparece en los libros de texto escolares de esa época: la pretensión del poder —como ha observado Clementina García Crespo en su interesante estudio— de «poseer en exclusiva el verdadero sentido de PATRIA y lo que es una actitud auténtica hacia España»; y, en consecuencia, la contundente y repetida consideración de que es una «negación de España» o una muestra de ser anti-español cuanto no concuerde o se oponga a aquella pretendida autencidad[85].

[84] La nómina es extraordinariamente extensa; citaremos, pues, sólo algunas más: el 15 de abril, la llegada al Mediterráneo; el 12 de julio, la conmemoración del asesinato de Calvo Sotelo; el 18 de noviembre, el reconocimiento de España por Alemania e Italia; ... así, como otras muchas cuyas fechas coincidían con el período de vacaciones de verano: Alzamiento Nacional, Batalla de Brunete, Toma de Irún, etc.

[85] García Crespo, C., *Léxico e ideología en los libros de lectura de la escuela primaria (1940-1975),* Salamanca, Ediciones Universidad de Salamanca, Instituto de Ciencias de la Educación, 1983, págs. 108-110.

Podemos hablar, en consecuencia, de una clara instrumentalización del aparato educativo al servicio de la unidad de criterios, de una firme actitud de control de cuanto pueda suceder en los procesos del mundo escolar, y de una cierta atribución a los organismos del Movimiento —sobre todo en los años iniciales del Régimen— de determinadas presencias e influencias en distintos aspectos de la ordenación escolar. En nuestro intento de sistematizar el análisis de puntos centrales del discurso y la realidad educativa de la época dedicaremos a continuación, unas breves líneas a algunas cuestiones de esos temas.

El título II del Fuero de los Españoles —en el artículo 33 exactamente— disponía que el ejercicio de los derechos ciudadanos que allí se reconocían no podría atentar a la unidad espiritual, nacional y social de España; y en su discurso a las Cortes, Esteban Bilbao recordaba y precisaba las tres unidades esenciales de la vida nacional: unidad espiritual, «más firme cuando descansa sobre la unidad religiosa»; unidad del espíritu nacional, frente a los separatismos; unidad social, frente a la lucha de clases, «negación sistemática de aquella solidaridad, sin la cual no serían posibles ni la paz pública, ni el progreso económico, ni sobre todo aquella justicia social». Afirmad estas tres unidades —añade— y tendréis una nación; pero «negadlas, negad cualquiera de ellas, y la nación despedazada y rota, acabará por caer víctima de los bárbaros de dentro (...)» [86]. Para Ibáñez Martín la unidad de doctrina era el «gran secreto del poderío y de la continuidad del Estado», pues un pueblo «de voluntad dispersa es como decir una nación que se suicida». Unir voluntades en un único ideal; y para ello el pensamiento del Ministro de Educación se resume en la fórmula de «grabar indeleblemente» en el espíritu del español su responsabilidad ante la hora presente de la Patria; así se hará «posible y permanente la uni-

86 *Op. cit.*, pág. 9.

dad de la acción»[87]. Una idea de unidad que aparece en los textos coincidente o confundida en general, con uniformidad, y unanimidad, como esfuerzo de solidaridad, posibilidad y porvenir, como garantía de españolidad. Ello supone prevenir desde la enseñanza cualquier elemento o acción que pudiera conducir a la disidencia; y, por lo tanto, prohibir y perseguir, también, la discrepancia dentro del propio sistema educativo: «(...) que la escuela y la cátedra no se conviertan en otros tantos instrumentos de rebelión», es una necesidad imperiosa para defender los fundamentos del orden social, la unidad tangible de la Patria[88]. La desafección al espíritu y la empresa del Movimiento no será posible desde y en la educación, en la que, repetimos, se pondrá interés especial en vigilar cualquier posible perturbación.

Ya la circular de 23 de febrero de 1939 instaba a los Inspectores a «*vigilar y comprobar*» el más exacto cumplimiento de las orientaciones que sobre educación religiosa y exaltación patriótica se habían dado en marzo de 1938. Y recordemos finalmente, que algunos años después, se consideraban como faltas «muy graves» cometidas por el Magisterio aquellos actos y misiones que evidenciasen propósito de faltar, entre otros puntos, «al servicio debido a Dios y a la Patria, así como a la obligada cooperación con la familia, la Iglesia, las Instituciones del Estado y del Movimiento (...)»[89].

Y no pueden tampoco pasar desapercibidos detalles como el de que los Rectores de las Universidades deben ser militantes de F.E.T. y de las J.O.N.S. (art. 40, Ley 29-VI-1943); o que el Servicio Español del Profesorado de Enseñanza Superior de esa misma Falange Española Tradicionalista y de las

[87] Discurso del Ministro en la apertura de curso en la Universidad Central, *ABC* 8-X-1942, pág. 10.

[88] Discurso de don Esteban Bilbao, *op. cit.*, pág. 10.

[89] Artículo 197 del Estatuto del Magisterio Nacional Primario, Decreto 24-X-1947 (B.O.E. 17-I-1948).

J.O.N.S. tiene encomendado «difundir» el espíritu político del Movimiento entre el profesorado universitario (art. 33); o el encuadramiento de los estudiantes de enseñanza superior en el Sindicato Español Universitario, entre cuyas competencias figura el «infundir (...) el espíritu de la Falange» en los mismos (art. 34); o, para finalizar y no prolongar en exceso los ejemplos, la presencia en tribunales de oposiciones al Magisterio de vocales propuestos por el Frente de Juventudes, la exigencia como requisito para opositar al Magisterio primario de acreditar encontrarse en posesión del título de Instructor elemental del Frente de Juventudes o de Escuela del Hogar de la Sección Femenina (art. 20, Decreto 24-X-1947)... Pero sobre esa cuestión, en referencia a los maestros nacionales, tendremos ocasión de nuevo de citar algunas otras consideraciones.

Unidad, conformidad, y su vigilancia; adhesión o militancia; y siempre servicio: educación como servicio, como forma y recurso para cooperar en la construcción del porvenir de la Patria; en una hora que se reconoce difícil pero se presenta como repleta de posibilidades definitivas en el discurso de todos los dirigentes. Sobre todo en los primeros momentos de una mayor y más evidente señal falangista. El resumido catecismo del «Flecha» de la primera organización juvenil de 1937 procura interiorizar en los jóvenes principios como que «Nadie es pequeño en el deber de la Patria», o que «La vida es milicia», o que cada día se ha de encauzar una meta más alta, superándose en el servicio de España... [90]; y la repetidamente citada circular de marzo de 1938 también exhortaba a que el niño percibiera que la vida es milicia: sacrificio, disciplina, lucha, austeridad. El valor del acto de servicio es continuamente exaltado, y como apunta el Ministro de Educación Nacional en el discurso de clausura del Consejo Nacio-

[90] «Los doce puntos del Flecha», o «Los doce puntos de la OJ», cit. por SÁEZ MARÍN, J., *op. cit.*, pág. 43.

nal del S.E.P.E.M., es nobilísima «la empresa común de engrandecer a España por el servicio de la cultura», pues, «(...) la verdadera trascendencia de la Revolución que la Patria necesita tiene un alto sentido espiritual, y por lo tanto se la sirve privilegiadamente en el campo de la educación»[91]. Todo hombre —podemos continuar escuchando al Ministro Ibáñez Martín, ahora en la apertura del curso universitario de 1942— es desde su puesto de trabajo o de estudio «un colaborador anónimo de la gran política nacional», y así adquiere la juventud la grave responsabilidad de «servir los supremos intereses del estado, sin el más mínimo desfallecimiento»[92]. El mismo Ministro calificaría a la Universidad como formadora de hombres íntegros, completos, dispuestos a «servir con abnegación y sacrificio los ideales supremos de la Patria», y como orientadora e iluminadora de la vida social y cultural[93].

Una idea que, además, entendemos guarda relación con el deseo y la confianza en la proyección social de la tarea educadora, desde la misión dirigente y responsable de los universitarios —sobre lo que volveremos— o desde la acción social de la escuela. La potencialidad de la misma sobre las amplias capas de la población rural de nuevo es presentada como el gran medio de regeneración social, aunque eso sí, desde un enfoque más próximo al de aquellos que históricamente acentuaron siempre el aspecto de la *regeneración moral,* la «elevación interior» de nuestros ciudadanos[94]. Francisca Montilla hablará de una escuela «desbordante de vida», que se introduce «en el corazón de los mayores para hacerles donación de normas educativas, de notas culturales, de chis-

91 *ABC* 28-V-1943, pág. 6.

92 *ABC* 8-X-1942, pág. 10.

93 Discurso en las Cortes, *ABC* 16 de julio de 1943, págs. 5-6.

94 Cfr. MAYORDOMO PÉREZ, A., *Educación y «cuestión obrera» en la España contemporánea,* Valencia, Nau Llibres, 1981.

pazos fosforecentes de ideal»[95]; y es que —como recuerda Serrano de Haro— esa escuela «es *toda la civilización* en el pueblo»[96].

En esa perspectiva, y fuera del ámbito escolar, es preciso no olvidar la actuación e influencia de otras instituciones formativas socializadoras, que cualitativamente tienen una notable importancia. El «Patronato de Cultura Popular»[97] inicia tras la guerra su labor sustitutoria del republicano de Misiones Pedagógicas; en las plazas de los pueblos de España, las «Misiones Culturales», creadas por el Departamento de Cultura Nacional de la Delegación de Educación de F.E.T. y de la J.O.N.S., unen, desde 1942, la distracción y la formación política: teatro, cine, recitales, formación en los postulados básicos de la Falange[98]; en 1945, la Ley de enseñanza primaria institucionaliza las «Misiones Pedagógicas» para —según dice el artículo 32— extender la cultura en los medios rurales: bibliotecas circulantes, conferencias, teatro, cine educativo..., medios «que contribuyan a mejorar la vida rural». Sin entrar en la valoración exacta de lo realizado, para cuya precisión todavía necesitamos una profunda investigación, es fácil observar rasgos —ya en su definición— de un «optimismo pedagógico» en la relación de cuestiones sociales y pedagógicas que, desde luego, no es nuevo en nuestra His-

[95] MONTILLA, F., *Inspección escolar..., op. cit.,* págs. 112-113.

[96] SERRANO DE HARO, A., *La escuela rural, op. cit.,* pág. 15.

[97] Cfr. O. 19-VI-1939 (B.O.E. 5-VI), O. 12-VII-1940 (B.O.E. 30-VII), O. 3-IX-1940 (B.O.E. 5-IX). Conviene recordar también la existencia previa de algunos proyectos de extensión cultural que, en realidad, no se hicieron efectivos como la «Organización Hispana Circumbalador», o la «Universidad Nacional Obrera», cfr. FERNÁNDEZ SORIA, J. M., *op. cit.,* págs. 221-225.

[98] Una circular (26-III-1942) del entonces Secretario Nacional, Jesús Rubio, pone a disposición de escuelas, distritos del Frente de Juventudes, Hogares de Auxilio Social, etc., «cuantos elementos integran el citado Departamento: teatro guiñol, teatro clásico español, cine educativo, biblioteca, canciones y bailes regionales (...)», en *Escuela Española* 48 (1942), pág. 255.

toria. Esa credulidad o cualidad de creer con excesiva facilidad en la oportunidad y efectividad social de determinadas actuaciones educativas, se constata en la crónica, llena de sencillez y candor, que la *Revista Española de Pedagogía*[99] hace de la primera Misión pedagógica en el medio rural llevada a cabo por el Instituto «San José de Calasanz» en Robledillo de la Jara (Madrid): y se pone —dice— en contacto directo con los habitantes de pueblos «donde la vida transcurre monótona» para llevarles «el regalo de unas horas de auténtica espiritualidad, de verdadera elevación»: para los niños, oración del cura, evocación de la figura de San José de Calasanz, narración de un cuento de Concha Espina, proyección de «Blancanieves», canciones; exposición de labores regionales para mujeres y niñas; entrega de una biblioteca de 200 volúmenes a la escuela. Ese es, en definitiva, el programa, y éste un retrato que no resistimos recoger aquí:

> «Después de un breve descanso para cenar empieza, al aire libre, en la noche estrellada, la Misión para los adultos (...). Cesan todos los murmullos cuando se alza, ardiente, la voz del Sr. Juez que, en inspirado pregón, llega al corazón del auditorio. Romances seculares, canciones de España y de Hispanoamérica, poesías selectas son escuchadas con máxima atención (...). Las caras rugosas de estos sencillos labriegos no pueden ser más expresivas: denotan que en las almas se han abierto ocultos veneros de amor patria y de ternura.
>
> La gramola y el aparato de cine, que ofrecen interesantes documentales, llaman poderosamente la atención; son muchos los oyentes que se levantan y, lentamente evitando todo ruido, se aproximan a aquellas máquinas misteriosas para contemplarlas cuidadosamente»[100].

[99] «Misiones pedagógicas en el medio rural», *Revista Española de Pedagogía* 25 (1949), págs. 137-140.

[100] *Ibidem,* pág. 139. La alusión al Sr. Juez, corresponde con un apellido; es el Jefe de Misiones Rurales del Instituto «San José de Calasanz».

Los elementos del contenido y la descripción de la estampa aclaran significativamente el sentido y vivencia de ese tipo de experiencias que pretenden ser medios de educación popular.

Tal vez, el caso de la acción educativa sobre la mujer merezca, aunque también necesariamente de forma muy breve, una particular atención. Las «cátedras ambulantes» de la Sección Femenina buscaban conseguir estímulos para «una elevación de vida, tanto espiritual como cultural y social», e inciden en el doble plano de las enseñanzas para el hogar y la divulgación sanitaria social[101]. Pero, en general, y más allá de este instrumento concreto, hay que recordar el interés pedagógico que la dimensión educadora de la mujer ofrece a la época y al clima social existente. Porque ella va a ser considerada —lo que no deja de ser una persistencia histórica—, como agente fundamental para preservar y afianzar un determinado modelo familiar acorde con los valores imperantes; y en consecuencia, va a representar un medio muy a tener en cuenta con el objeto de que pueda llegar a ser garantía, dentro de esa agencia básica socializadora que es la familia, de un proceso de socialización en el ámbito doméstico acorde con el nuevo orden perseguido. La misión femenina se entiende como «calar en la sensibilidad» de la familia y el hombre; salvaguardar el intento de «disociar el conglomerado familiar» y «penetrar en todas las conciencias»; «formar a

[101] El general Muñoz Grande, Ministro Secretario del Partido, dice en 1940 en el acto inaugural del IV Consejo Nacional de la Sección Femenina, que considera muy interesante el trabajo de «poner remedio lo más pronto posible a la honda perturbación que en el Cuerpo Nacional ha causado la muerte de cerca de un millón de sus mejores hijos (...); es indispensable restablecer prontamente las pérdidas sufridas, dedicándose con el mayor interés a cuanto se refiera a la madre y al niño. Una propaganda bien organizada (...), en que por medio de manuales, folletos, conferencias y «radio» se divulguen aquellos mínimos conocimientos que la mujer en período de gestación deba conocer (...), bastará para que disminuya considerablemente esa temible mortalidad infantil que padecemos (...)», *ABC* 11-I-1940, pág. 7.

los hombres»[102]. En el IX Consejo Nacional de la Sección Femenina la propia Delegada Nacional señala el hogar como fin concreto de la mujer falangista; allí se templan y modelan las energías del marido y se forman los futuros ciudadanos[103]. Se afirma la labor educadora de la mujer, «insustituible» —se dice en la clausura— por su influjo en la vida nacional[104]. Y es que como el propio «Caudillo» comenta a los asesores religiosos de la Sección Femenina la coherencia familiar, la educación moral de los hijos, la formación efectiva de los futuros ciudadanos dependen de esa «mujer cristiana española», reformadora espiritual, así, de la Patria: la mujer es esencial en y desde el hogar español[105].

3. La concepción pedagógica y el perfil del magisterio

Todos los rasgos de esa propuesta educativa se contextualizan e instrumentalizan en medio y a través de una particular concepción pedagógica, que será —también— en este «orden nuevo» opuesta a las innovaciones de la orientación anterior a la que se trata de combatir. En el «Curso de orientaciones nacionales de Enseñanza Primaria», que tiene lugar en la capital navarra en 1938, Romualdo de Toledo hablaba ya con total claridad de cambiar todo un pensamiento filosófico por otro, de «sustituir una pedagogía por otra pedagogía»[106]. Una doctrina pedagógica relacionada con la filosofía de la vida que impulsaba el momento histórico, y que se identifi-

[102] Conferencia de José María Alfaro acerca de las mujeres de la Falange en la reconstrucción moral de España, *ABC* 16-I-1940, pág. 9.

[103] *ABC* 23-I-1945, pág. 11.

[104] *ABC* 30-I-1945, pág. 13.

[104] Cfr. *ABC* 12-IX-1945, pág. 2, y 13-IX-1945, pág. 9.

[106] *Curso de Orientaciones Nacionales de la Enseñanza Primaria celebrado en Pamplona del 1 al 30 de junio de 1938, Segundo Año Triunfal*, Burgos, Hijos de Santiago Rodríguez, vol. I, pág. 25.

caba con todo lo que —como hemos visto— era considerado signo de lo auténticamente español: cimentada en la verdad del pensamiento católico y apoyada en la más genuina y «excelsa» tradición hispana. Ahí estarán sus ideales, motivos y fundamentos, porque «nuestra pedagogía tiene un sentido más espiritual, más hondo, porque nuestra pedagogía es la pedagogía cristiana»[107]. «La Pedagogía española —en opinión, de nuevo, de Romualdo de Toledo— cargada de Patriotismo y Fe, electricidad y pasión, (...) se halla impresa y diluida en las obras y tratados de nuestros grandes ascéticos, de nuestros místicos insuperables, de nuestros teólogos únicos, de nuestros pensadores extraordinarios»; es una «Pedagogía caliente» que sólo puede ser escrita por quien lleva en sí «patriotismo desbordante, palabras y luz tocados en la doctrina y en el costado del Maestro de los Maestros: el Hombre Dios»[108].

Tradición pedagógica que hace decir al Ministro, cuando habla en San Sebastián a los pedagogos españoles y extranjeros reunidos en la sesión final del I Congreso Internacional de Pedagogía, que España «no tiene que improvisar ni métodos ni terminología pedagógica, ni mirar hacia afuera para asimilar procedimientos educativos»; una extraordinaria aportación hispánica a la definición de los fines y los medios de la educación era resaltada, a continuación, por Ibáñez Martín, quien, en ese contexto, sintetizaba el «concepto filosófico de pedagogía» —elevado en cristiano, añade, a la categoría teológica— como método y arte de conformar a todo el hombre, de modo que alcance el fin total para el que ha sido creado, a saber, el fin humano de la convivencia social y el sobrenatural del gozo en Dios»[109].

107 Discurso del Secretario Nacional del S.E.M. en la inauguración de su primer Consejo, *ABC* 2-II-1943, pág. 17.

108 Epílogo, escrito por Romualdo de Toledo, a la obra *Vázquez de Mella y la educación nacional,* Madrid, Junta de Homenaje a Mella, 1950, págs. 251-252.

109 *Revista Española de Pedagogía* 27 (1949), pág. 450.

Y tradición pedagógica que hay que recuperar, restaurar, reconquistando la línea esencial y genuina de nuestra Historia, falseada, entorpecida o eliminada con empeño desde el «derrumbamiento de la educación imperial», en el decir del jesuita Enrique Herrera Oria. Si seguimos la lectura histórica de este autor, la argumentación es clara y simple: una conjura internacional comienza en el siglo XVIII, alentada por los judíos y la masonería, para destruir la acción formativa de la Iglesia y crear en las juventudes una «mentalidad revolucionaria e inquieta»; los principios y el espíritu liberal airean el monopolio estatal en materia escolar y la libertad de cátedra..., y de ahí se sigue la persecución contra la iniciativa docente de la Iglesia, la actitud antirreligiosa disfrazada de neutralidad... Ahí estaba la esencia de los errores que habían equivocado el rumbo para nuestra Historia, y traicionando la verdadera identidad española provocaron la decadencia de nuestro pensamiento y praxis pedagógica.

El propio Ministro señalaba en la citada ocasión el «abolengo pedagógico español» desde Séneca a los más recientes ejemplos como Manjón, Siurot o Poveda: ejemplo de moralismo y espiritualidad en el filósofo cordobés; lección práctica de Quintiliano; pedagogía cristiana en Isidoro de Sevilla; y Lulio, y Alfonso X el Sabio..., y Nebrija, y San Ignacio, y Palmireno... En ese recuerdo histórico figuran, allí mismo y siempre, dos figuras de excepción: Vives y Calasanz. Para Fernández Almuzara nadie ha sabido darnos mejor que el humanista valenciano la imagen exacta —dice— de lo que era nuestra educación en su mejor momento, y, por lo tanto, el modelo que hay que prolongar: escuela como templo o vía para el conocimiento y el amor a Dios, maestros a manera de sacerdotes que tienen en la bondad y pureza de costumbres su principal virtud, educación desarrollada en torno al sentimiento religioso como eje de su labor, enseñanza centrada en el estudio del niño [110]. Un verda-

110 FERNÁNDEZ ALMUZARA, E., «La escuela tradicional española», *op. cit.*

dero gigante en el orden pedagógico, le llama Romualdo de Toledo, quien resalta la pedagogía de Vives, la orientación hacia una tarea de progresión perfectiva de la vida hacia lo eterno, la preeminencia que concede a la virtud sobre todo saber y enseñanza, su pensamiento cristiano que compagina con innovadoras propuestas ante su rechazo a la decadencia de los estudios [111]. Por otra parte, la figura del santo aragonés, que según Ibáñez Martín se anticipa a toda la tendencia filantropista del humanismo social y crea la escuela popular, es reiteradamente ensalzada; principalmente con ocasión de la conmemoración oficial del tercer centenario de su muerte [112].

La orientación pedagógica para la llamada «restauración» de la escuela católica española se encuentra, igualmente, en el ideario ofrecido por autores más recientes, algunos de cuyos planteamientos sirven de fundamento y modelo para la línea de pensamiento y acción educativa ahora defendida. La figura de Manjón presentaba una buena directriz para ello. Por ejemplo, su concepto de educación como intento de formación de hombres perfectos en su doble condición y destino, *espiritual* y corporal, temporal y *eterno;* una educación que ha de formar primordialmente para «fines altos y nobles», y que ha de armonizar «sin desequilibrios ni contradicciones» las fuerzas físicas y espirituales. Una educación en la que —según el fundador de las Escuelas del Ave María— importa sobre todo dirigir hacia el bien, disciplinar la voluntad, «inspirar el amor a la virtud», ser religiosa —en definitiva— para poder ser integral [113].

111 «Conferencia pronunciada por el Excmo. Sr. D. Romualdo de Toledo, Director General de Enseñanza Primaria en la VI Semana de Misiones Pedagógicas celebrada en Pamplona durante los días 10 al 16 de abril de 1944», en *Revista Española de Pedagogía* 6-7 (1944), págs. 217-231.

112 Decreto 5-III-1948, B.O.E. 11-VI.

113 Cfr. sobre todo el *Tratado de la educación,* y el *Discurso leído en solemne apertura del curso académico de 1897 a 1898 en la Universidad Literaria de Granada,* ambos en *Obras selectas,* Granada, Patronato de las Escuelas del Ave María, 1945-1956, vols. IV y IX.

El Reglamento de aquellas escuelas anticipaba algunas ideas que hemos tenido y tendremos ocasión de observar en el modelo pedagógico que presenta el «nacional-catolicismo». Así, cuando recalca el derecho del padre a educar a sus hijos, y por lo tanto, a elegir escuela y maestro en contra del monopolio escolar, al que califica como «muerte o anemia de la enseñanza; o cuando establece que a los niños españoles se les ha de educar «en español», es decir, «en el conocimiento y amor de España», y en «cristiano», para lo cual —y entre otros medios— se apunta que se deben relacionar las verdades religiosas y morales con las restantes enseñanzas. Y en esta línea aún podemos señalar una referencia más: Manjón exhorta al maestro a que cuide no disentir en las ideas fundamentales de la educación, con las instituciones tradicionales de la sociedad y con los fines providenciales de la Patria y la Religión» [114].

Educación moral y religiosa había pedido también otro notable pedagogo, el Padre Ruiz Amado, para quien el objetivo de la educación no es otro que la personalidad moral, «convertir la Ley moral en norma constante» de vida [115].

Junto al estímulo de ideas como las anotadas, la Pedagogía de postguerra venera el ejemplo de los que son considerados mártires de la pedagogía católica: Rufino Blanco, Pedro Poveda, Isidro Almazán. Una orientación pedagógica enlazada con los afanes que desde 1930 mantenía la «Federación de Amigos de la Enseñanza» en defensa de la escuela católica y del arraigo de una línea pedagógica de esa misma inspira-

[114] Cfr. *Hojas evangélicas,* en *op. cit.,* vol. II. En 1940 el Ministerio de Educación Nacional dispuso la celebración del Cincuentenario de las Escuelas del Ave María (O. 14-III-1940, B.O.E. 4-IV); y en 1944 se constituyó la Junta Nacional del Homenaje a Manjón, con el acuerdo de editar las obras del mismo, de obligatoria adquisición en todas las escuelas (O. 22-V-1944, B.O.E. 26-V).

[115] RUIZ AMADO, R., *La educación moral,* Barcelona, Gustavo Gili, 1912.

ción; o con la «cruzada pedagógica» iniciada en 1933 —precisamente con ese título de «Cruzados de la Enseñanza»— para «restaurar la enseñanza del pueblo de Cristo». Una pedagogía que —como ya hemos visto— iba a realizar esa aspiración, o la que resumía la Asamblea Nacional de las Asociaciones Católicas de Padres de Familia en 1934: la «reconquista de la enseñanza», una obra —decía entonces el primado Gomá— «esencialmente cristiana», y «eminentemente patriótica». Una influencia religiosa en lo pedagógico que es entendida siempre como necesidad cultural y como irrenunciable resorte moral para el Estado. Una pedagogía con firme finalidad moral, apoyada en la Religión, generaría orden social, vigoroso y verdadero patriotismo. Perdida la fe religiosa —había afirmado años antes Menéndez Pelayo— el patriotismo español apenas si tiene raíz y consistencia.

Se ensalza con frecuencia la verdad de la pedagogía católica frente a los errores doctrinales, que en la época se califican siempre como ilusiones malsanas, propias de espíritus estrechos: «Desechemos las falacias del naturalismo pedagógico, raíz de todos los males que hemos padecido durante un siglo», llega a afirmar Ibáñez Martín [116], que propugna una renovación de la «pedagogía liberal, exótica y revolucionaria». El «Seminario de Filosofía cristiana de la educación», iniciado durante el curso 1942-1943 dentro de las actividades del Instituto «San José de Calasanz», «en el orden de la fundamentación de la ciencia pedagógica», estudiaba, por ejemplo, las relaciones entre la Pedagogía y la Teología; la crónica del mismo nos transcribe su clara finalidad, apoyada en una concreta realidad —la Sección de Pedagogía de la Universidad Central «se movió durante los tiempos de la República en un ambiente hostil a toda preocupación religiosa positi-

116 Discurso del Ministro de Educación Nacional en la clausura del cursillo de iniciación de estudios religiosos, organizado por F.E.T. y de las J.O.N.S., *ABC* 13-III-1940, pág. 11.

va»— y en una tarea: «(...) siendo misión del Instituto preparar adecuadamente los nuevos valores que brotan en el campo de la Pedagogía, hace falta orientarlos en una dirección que esté de acuerdo, por un lado, con la más sana corriente científica y, por otro, con lo más hondo de nuestra tradición educativa [117]. Los principios que guían esa acción estaban indicados en la famosa encíclica de Pío XI que —como sabemos— situaba la postura de la Iglesia ante temas como el racionalismo académico, el estatismo de la enseñanza, etc. Recordemos aquí cómo la doctrina pontificia había señalado cuestiones como la necesidad de la educación cristiana para fortalecer la voluntad con verdades sobrenaturales, rechazando la falsedad del naturalismo pedagógico y de las corrientes pedagógicas que apelaban a una «autonomía y libertad ilimitadas» del niño; necesidad de una escuela católica y ataque a la escuela «neutra» o «laica», que al excluir la Religión, no hace sino convertirse en irreligiosa. Recordemos, si acaso, que se trata de rechazar la política republicana en torno a la *libertad de conciencia* del niño, que suprimía la enseñanza religiosa para liberar la educación de cualquier influencia dogmática, favorecer la formación de un concepto científico de la vida y el mundo, o procurar la inserción del niño en la realidad sin los condicionantes de los prejuicios teológicos [118]. Ello en el «postulado hipócrita» del respeto a la conciencia del niño, según diría Romualdo de Toledo [119]. Allí mismo el Pontífice especificaba la necesidad, además, de que toda la enseñanza, en todas las disciplinas, estuviera imbuida del espíritu cristiano, más allá de la mera instrucción religiosa: la verdadera educación cristiana forma al hombre

117 «Los Seminarios del Instituto San José de Calazanz», *Revista Española de Pedagogía* 2 (1943), págs. 281-285.

118 O.C. 11-XI-1937 (Gaceta 19-XI).

119 Discurso, en el Ministerio de Educación Nacional, *Curso de Orientaciones Nacionales..., op. cit.*, vol. I, pág. 23.

que piensa y obra siempre según la razón iluminada por el ejemplo y la doctrina del Maestro divino.

Así, el discurso pedagógico del momento, expresado en artículos y libros de texto, considera e indica como peligros y perjuicios para la educación los movimientos o corrientes que defienden la coeducación, la escuela única, el individualismo, el nacionalismo extremado y falso, el utilitarismo en el campo ético y moral, la excesiva o exclusiva dedicación a las ciencias de la naturaleza como eje básico de la enseñanza, o la pretensión de centrar el estudio pedagógico en la Pedagogía experimental en detrimento de aspectos tan esenciales como el fin mismo de la educación.

Tal vez nos pueda servir para compendiar algunas ideas básicas en la pedagogía de esos años, la exposición concisa de algunos temas que pueden leer los alumnos normalistas en una conocida y muy difundida por entonces obra o tratado de Pedagogía General [120]; he aquí una breve selección de nociones y planteamientos que pueden sintetizar importantes aspectos de la educación y la Pedagogía, acordes con los signos y el espíritu de aquellos años, y transmitidos de esta forma a los futuros maestros:

Necesidad de la educación: «La condición indispensable para gozar algo de la felicidad es la virtud. Y la virtud reclama una seria y bien orientada educación. Rodeado de peligros, débil por naturaleza, el niño sucumbiría fácilmente a los ataques del espíritu del mal si la educación no le prestase fuerzas para salir victorioso (...)» (pág. 14).

«La autoridad del *jefe,* la sumisión de los súbditos, la concordia entre unos y otros, base de la sociedad, sólo puede conseguirse por medio de una educación moral y religiosa (...)» (pág. 15).

120 SOLANA, E., *Pedagogía General.* Corregida y puesta al día bajo la dirección de A. Solana, Madrid, Editorial Escuela Española, 1943.

Principios de la educación: «La educación completa e integral desenvuelve al hombre todo entero (...). No solamente desenvuelve con la mayor armonía todas las facultades, sino que sabe mantener el debido equilibrio entre el cuerpo y el alma» (pág. 19).

«También ha de ser la educación, social, nacional y patriótica, porque el hombre ha nacido para vivir en sociedad, y ha de adaptarse a las condiciones del pueblo de que forma parte y en el que ha de cumplir los deberes de ciudadano» (pág. 24).

Pedagogía como ciencia: «*La Pedagogía es ciencia* en cuanto que se funda en principios evidentes y en verdades relacionadas con aquellos principios. Estos principios están tomados de la revelación divina o se fundan en las luces que suministra la razón humana.

Son principios revelados los siguientes:

a) El hombre ha sido creado por Dios.
b) El hombre consta de un cuerpo material y de un alma espiritual.
c) El hombre salió perfecto de las manos del Creador; pero perdió el estado de inocencia por el pecado original.
d) El hombre no puede conocer su último fin con la sola luz de la razón.
e) No puede alcanzar su ulterior destino con sus solas fuerzas.
f) Existen verdades de orden superior a la razón humana que son las verdades reveladas, de las que no se puede prescindir en la educación del hombre» (págs. 52-53).

Educación y amor a la Patria: «En el patriotismo se incluye también el amor a las instituciones y leyes de la Patria, la veneración por un pasado glorioso, la esperanza de un porvenir ilustre. El estudio concienzudo de la historia patria, comparado con los progresos realizados (...) analizando las causas que elevaron a nuestra nación a puesto envidiable y los motivos por que decayó (...). Lecturas apropiadas en que se describían los más preclaros hechos históricos con elevado y entusiasta estilo (...)» (pág. 157).

Educación moral: «La educación moral es la obra por excelencia del maestro; es la educación que no se logra con el estudio, que no se enseña con los libros, sino que se deduce de los principios religiosos, de la bondad de los actos humanos, de la misma conducta del educador. La cuestión más interesante de la escuela no está en enseñar a leer y escribir, sino en formar hombres de bien, hombres vigorosos, inteligentes y honrados (...) (pág. 263).

Educación religiosa: «Pero más importante que todas es la educación religiosa, la cual, además de darnos conocimiento de Dios y del culto que le es debido, nos instruye acerca de la naturaleza de nuestra alma y de nuestros deberes para alcanzar el superior destino que la misma religión nos enseña» (pág. 340).

En torno a esas propuestas, modelos y concepciones se articulan un conjunto de disposiciones, acciones y realidades que conforman la singular organización escolar del franquismo de postguerra. El capítulo segundo de la Ley de enseñanza primaria indica los caracteres de la educación de ese nivel, y además de citar los conocidos temas de la inspiración católica de la enseñanza y el esfuerzo por crear un fuerte y unido «espíritu nacional», señala otras cuestiones: el cultivo especial de la lengua nacional, como instrumento imprescindible [121]; el complemento de la formación de la voluntad con una educación intelectual, adaptada —«sin olvidar la tradición pedagógica española»— a las normas de la moderna pedagogía en su metodología y organización; la educación física de los es-

[121] Una Orden de 15-II-1944 (B.O.E. 4-III) establecía, para velar por *la pureza del lenguaje en todas las regiones de España,* que todos los maestros debían conocer las normas dictadas por la Real Academia, resolviendo que tuvieran en sus centros *El lenguaje en la Escuela,* publicación de aquella Academia.

colares para formar una juventud «fuerte, sana y disciplinada»; la orientación para una formación superior o para la vida profesional, «para la vida del hogar, artesanía e industrias domésticas» en el caso de la educación primaria femenina. Una enseñanza en la que «por razones de orden moral y de eficacia pedagógica» (art. 14) se prescribe la separación de sexos y la «formación peculiar» de niños y niñas.

Niños y niñas de España, a los que la ley concede derechos educativos (art. 54) como a una «institución escolar sana, alegre, infantil», a una «cultura mínima» y en caso de idoneidad intelectual al «amparo eficaz para estudios superiores», a una formación que le capacite para la vida humana, a ser eximido de todo trabajo durante la edad escolar...

Precisamente en «conocer» al niño radica para Agustín Serrano de Haro uno de los grandes problemas a los que ha de enfrentarse el trabajo pedagógico del maestro, ya que la posibilidad y la eficacia de éste dependen de la observación y conocimiento que se tenga de cada niño. El citado inspector constata que los maestros españoles no aplican para ello los «tests», camino —dice— apuntado por todos los tratadistas de la Pedagogía; una situación que resuelve con una sencilla fórmula y propuesta: el maestro debe anotar en una cuartilla, al objeto de diagnosticar y pronosticar, cuantas observaciones directas y naturales vaya haciendo en las clases, en el juego..., «sin tecnicismos ni preocupaciones accesorias». Así irá confeccionando un retrato o ficha de cada cual que vaya descubriendo estímulos con éxitos o con fracaso, vicios del ambiente, aptitudes especiales, etc., y por lo tanto acomodará a todo ello sus enseñanzas [122]. Como en tantas ocasiones el

[122] SERRANO DE HARO, A., *Los cimientos de la obra escolar. Pedagogía práctica en el primer grado,* Madrid, Ed. Escuela Española, 1944, págs. 17-20. Allí afirma: «(...) el Maestro español, sea por lo que fuere, no aplica los 'tests', o no se le han explicado suficientemente, o no cree en ellos, o no se le han ofrecido los que él necesita, o, agobiado por el trabajo de la Escuela y por el que tiene que realizar fuera de la escuela, no tiene tiempo

panorama pedagógico de los años de postguerra nos muestra aquí cómo el empeño y el énfasis está puesto en la idealidad, la esencia, las superiores finalidades o principios, y cómo se descuida o se insiste menos en la carencia o pobreza de los medios e instrumentos. El discurso, la producción de estudios pedagógicos está más llena de declaraciones, consignas, metas, alientos —quizás—, valoraciones grandilocuentes y abstractas. Podemos fijar la atención, por ejemplo, y en esta perspectiva en la que ahora estamos, en las cualidades del niño español señaladas por Onieva: viveza, inestabilidad, generosidad, curiosidad, propensión a la hazaña, sociabilidad. Niños más vivos y sagaces que los del Norte europeo, más difíciles de tratar porque son más inestables y de temperamento muy dinámico, de generosidad exaltada que responde a «sus sentimientos raciales», entusiastas de la hazaña gustan de los proyectos difíciles... Por eso el autor rechaza la llamada «pedagogía del mínimo esfuerzo», y advierte: «Cuando nos hablen, pues, de la vieja máxima 'enseñar deleitando', aceptémosla, con una reserva mental, y es: que el deleite lo encuentra cada uno allí donde pone su ilusión, y que la ilusión de los niños españoles no se apoya en las faenas triviales, sino en el áspero rigor del esfuerzo máximo»[123]. Negación de una pedagogía blanda o suave, alusión al «hombre caído de su estado originario» como sujeto de la educación; rechazo, pues, de la teoría de Rousseau sobre la bondad natural del niño y de la similar afirmación kantiana de que no hay en las disposiciones naturales de los hombres ningún principio de mal, sólo gérmenes para el bien. Ataque a todo lo que pueda ser calificado como una concepción estrictamente biológica de la infancia y sobrevalore las posibilidades educadoras

de estudiar y aplicar técnicas más o menos enrevesadas, con las que no está familiarizado tradicionalmente».

123 Onieva, A. J., *La nueva escuela española (Realización práctica)*, Valladolid, Librería Santarén, 1939, pág. 57.

espontáneas de la propia naturaleza. Textos como el de Ezequiel Solana están llenos de advertencias para los futuros educadores: «El niño muestra marcada inclinación a satisfacer sus apetitos, el vicio se presenta halagador y le atrae desde sus primeros pasos». «Como los niños apenas saben discernir el bien del mal, y éste suele aparecer más agradable, sería fácil que el niño se extraviase (...)». «Los niños, como los hombres, cegados por sus afectos y pasiones, suelen hallar máximas cómodas que les permitan justificar sus acciones torcidas (...)».

El catedrático de Pedagogía y director del Instituto «San José de Calasanz», Víctor García Hoz, busca en los clásicos ascéticos españoles de los siglos XVI y XVII el contenido pedagógico aplicable a la educación de la juventud del momento, y presenta la que llama paradoja de la lucha ascética: la lucha del hombre consigo mismo, con sus tendencias desordenadas, produce la verdadera paz del espíritu; la pedagogía ascética que sugiere es «la Pedagogía del dominio de sí mismo, cuya manifestación es la armonía de las tendencias del hombre ordenadas al bien» [124]: poner orden en el caos de las tendencias, escribe también García Hoz, «reconquistando al hombre su calidad de humano» [125]. Al ocuparse del valor de la lucha ascética para la educación y la formación de la personalidad reitera la consideración de esa trama central de la vida humana que es la oposición entre la carne y el espíritu; el deseo de convertir la vida en vida cristiana ante el problema de elegir entre aquellos dos criterios; la perpetua contradicción y lucha en el camino de aspirar a la perfección, cargada siempre de valores pedagógicos; la necesaria colaboración voluntaria. La educación es presentada en relación con un concepto de la vida no naturalista y no materialista, vida inte-

[124] GARCÍA HOZ, V., *Pedagogía de la lucha ascética* (1941), Madrid, Rialp, 1963, 4.ª ed., pág. 486.
[125] *Ibidem*, pág. 426.

rior, esencial y profunda dice García Hoz, en otro lugar: aludiendo también a la «profunda razón pedagógica de la mortificación que va matando poco a poco las tendencias desordenadas y ensanchando, por lo mismo, las posibilidades del espíritu» [126].

En ese clima, el autor insta a una Pedagogía que sepa aprovechar las «tendencias combativas para reforzar las actividades educativas del sujeto»: «La existencia de obstáculos es un hecho y es ridícula la posición del que pretende desconocerlos. El "instruir deleitando", el aprender "insensiblemente", "sin esfuerzo", son otros tantos engaños (...). La pedagogía de la lucha tiene su fundamento en el impulso: son sus actos centrales el esfuerzo y el combate, y aspiran constantemente a la victoria (...)» [127].

Y en referencia próxima a esa línea ha de señalarse la importancia y el valor concedido a la disciplina, impregnada de «una santa y saludable aspereza», escribe Onieva; disciplina educativa, convertida en acto de servicio, en el decir del citado autor. Debemos educar con vigor, añade, para obtener «cuerpos duros, mentes claras y caracteres robustos», pues en su opinión: «A los anteriores métodos lúdicos, al principio económico del mínimo esfuerzo, a las puras tareas placenteras, deben suceder otros modos pedagógicos propios de nuestro tiempo» [128].

[126] GARCÍA HOZ, V., «La educación y la vida», *Escuela Española* 352 (1948), pág. 91.

[127] *Ibidem,* págs. 40-41.

[128] ONIEVA, A. J., *La nueva escuela española..., op. cit.,* págs. 328-329. He aquí otra significativa afirmación del autor: «(...) me parecería bien así mismo que el niño recrease la norma, es decir, concibiera por sí la necesidad de un orden, una jerarquía, una disciplina, un principio, pero en cambio, en cuanto a la efectividad, la disciplina no hay que razonarla; el niño debe ser disciplinado porque sí, porque es un servicio que hay que prestar para bien de todos; porque el que sabe y puede y debe, la exige, y los subordinados no tienen que preocuparse más que de someterse (...)» (págs. 327-328).

Se trata siempre de un trabajo formativo en el que cobran mayor relieve las dimensiones de la voluntad, el carácter, la personalidad: «Haz niños buenos y sabios —aconseja al maestro Agustín Serrano de Haro—, pero prefiere siempre a los conocimientos, la bondad, y a la ciencia, la virtud»[129]. Para el citado autor una escuela *ejemplar,* no tiene nada de particular: «Los chiquillos leían: y *leían bien.* Escribían: y no ponían «pajaro» por «pájaro» (...) y sabían hacer el resumen de una lección, redactar una carta, un telegrama, un recibo. Ilustraban sus cuadernos con dibujos sencillos (...). Tenían cultura, una cultura que no era de niños «relamidos» y precoces, sino la cultura del muchacho católico y español, que conoce —¡porque tiene que conocer!— a su Dios y a su patria, que va disponiendo sus manos y su corazón, su cuerpo y su alma para poderse incorporar a la falange de los hombres que trabajan y que piensan con un criterio y una idea»[130]. Ésa es una directriz básica, que no exige, en consecuencia, «alardes vanos de Pedagogía científica, ni cosas raras que ponen a cabilar al más despabilado y que están ordinariamente fuera del alcance de un Maestro (...)»[131].

No obstante, ya a finales de los años cuarenta es posible atisbar algún pequeño pero significativo cambio de orientación. A comienzos de la década (O.M. 312-X-1940) la regulación del régimen interno de los Institutos de Enseñanza Media insistía especialmente en aspectos como el ambiente religioso de los mismos, o el fervor patriótico que los debe presidir como auténtica necesidad educativa; pero cuando a propósito del integralismo educativo se refiere a la educación para el trabajo, lo hace considerándolo «como elemento pedagógico necesario para la formación del carácter y de la

129 «La fuente de agua viva», *Escuela Española* 54 (1942), pág. 337.

130 SERRANO DE HARO, A., «El nervio de la cuestión», *Escuela Española* 56 (1942), pág. 369.

131 *Ibidem.*

inteligencia y como conocimiento útil para la vida humana», y, desde luego, no más allá, ni en la teoría, de una iniciación en los trabajos manuales útiles. En cambio, la ley de enseñanza media y profesional de 1949 comienza —peculiarmente— a romper ese desequilibrio entre los contenidos humanísticos y los de tipo científico-técnico, y apunta una tendencia hacia una enseñanza más realista, en relación con las circunstancias y condiciones económicas y la necesidad de poner en conexión el aprendizaje y las tareas productivas. No entraremos en la evolución y resultados reales del llamado «bachillerato laboral», que orientaba su acción a iniciar a los jóvenes en las prácticas de la moderna técnica profesional (Ley 16-VII-1949, B.O.E. 17-VII), pero es preciso no pasar por alto el sentido de explicaciones, como las que ahora hace el mismo Ibáñez Martín: «(...) una enseñanza técnica bien organizada ha de abarcar sobre el perfeccionamiento del obrero manual, la formación de los conductores de equipo, los cuales precisan una mente elaborada, en función de una cierta capacidad directiva y una receptividad asimiladora del progreso que les llega de la esfera superior, por parte de los hombres dedicados a concretar las aplicaciones técnicas que brotan de la investigación científica» [132]. Con todo, las preci-

[132] Discurso del Ministro al Pleno de las Cortes en defensa de la Ley de bases de las enseñanzas media y profesional, *ABC* 14-VII-1949, pág. 10. Es interesante recordar aquí, una referencia en conexión con este hecho: la Orden de 23 de febrero de 1940 (B.O.E. 27-II), promulgada por el Ministerio de Industria y Comercio, y que regulaba el establecimiento por las empresas de escuelas de aprendizaje en las industrias, aludía al propósito de «restaurar y engrandecer a la industria nacional» como motivo para vigorizar la producción «elevando el rango técnico» del personal; en el artículo 6.°, la citada orden dispone que las empresas que tengan establecidas escuelas primarias para los hijos de sus obreros «procurarán coordinar esta enseñanza con la de aprendizaje, inculcando a los niños en el Colegio los conocimientos elementales de Ciencias Físicas, Químicas o Naturales de más inmediata aplicación a la tecnología de las profesiones manuales ocupadas en aquella industria».

siones para dejar bien claro el valor no sólo de la mejora técnico-profesional, sino de «una mentalidad superior íntegramente humana», son evidentes: «Es que —dice el Ministro— la mejora profesional por sí sola adolece de falta de armonía y trabazón humana y corre el riesgo de encerrarse en una monovisión mecánica» [133]; ni el pragmatismo de la técnica neutra norteamericana, ni el igualitarismo ruso, sirven como ejemplo. La tendencia es aquí la armonía entre «las aspiraciones integrales y humanas» y la especialización técnica. Liberación de los humildes, se dice, pero sin «epidemia de señoritismo»: desarrollo para ello de la conciencia de la responsabilidad y del sentido de colaboración con el bien común, tanto como de la cultura y la mejora profesional. Este es, en definitiva, el enfoque del objetivo en palabras de Ibáñez Martín: aumentar la «eficiencia dinámica» de los trabajadores, en beneficio de ellos mismos y de las otras clases sociales, y hacerlo por medio de una enseñanza en la que no sólo se busque su capacitación técnica, sino que les depierte la «conciencia de su dignidad humana»; eso sí, «sin rebeldías estériles, y con la aspiración de elevarse a sí mismos, incluso mejorando de categoría social, mediante la conquista de la verdad, de la belleza y del bien» [134]. Una orientación de las conexiones entre promoción social y pedagógica muy próxima todavía a algunos propósitos y enfoques de aquel regeneracionismo moral que enfatizaba la «interioridad», la elevación interior; asociada —si acaso— a un esfuerzo de racionalización productiva [135].

Considerando su papel como un agente o intermediario en el desarrollo de los elementos del modelo que vamos señalando, una observación atenta de la figura del maestro, en su perfil y realidades, nos ayudará finalmente a comprender

[133] *Ibidem,* pág. 9.

[134] *Idem.*

[135] Cfr. MAYORDOMO PÉREZ, A., *Educación y «cuestión obrera» en la España contemporánea,* Valencia, Nau Llibres, 1981.

el tipo de propuesta pedagógica que estudiamos. Maestros de enseñanza primaria, «maestros nacionales», que son definidos por la ley de 1945 (art. 56) como los principales cooperadores en la educación de la niñez, y a quienes se pide un servicio con «fidelidad a la verdad y al bien», cooperar con la familia, y respetar y colaborar con la Iglesia y las autoridades (art. 57). El Maestro, establece dicho ordenamiento legal, ha de tener vocación clara, ejemplar conducta en lo moral y social, y la competente preparación y titulación profesional. Todo educador de los niños españoles —había escrito el Padre Seguí Carré— debía reunir cultura intelectual, voluntad firme y ejercitada, sensibilidad educada y exquisita, patriotismo ferviente y religiosidad profunda [136]. Mientras que Eduardo Bernal indicaba como sus principales cualidades el amor a la profesión y a los niños, la firmeza de carácter, la bondad, la vigilancia continua, el cumplimiento fiel del deber y la entrega en el trabajo [137].

También en este orden de cosas, el ideario de la época plantea la necesidad de una restauración del auténtico sentido de las mismas: el magisterio había sido «envenenado» y, en primer término, urgía una «justa» depuración que acabara con la influencia ejercida sobre los enseñantes por «ideología e instituciones disolventes». Una tarea a la que se concedía una importancia notable para la reconstitución del país y la reorganización del sistema escolar, y que, ya desde 1936, se presentaba como punitiva y preventiva al tiempo. Depuración de responsabilidades políticas que —como apunta el preámbulo de la Ley de 1939— sirva para liquidar las culpas de ese orden contraídas por quienes apoyaron o cooperaron con «la subversión roja». Acción sancionadora que allí mismo se califica, por otra parte, como constructiva, ya que: «La

136 *Pensando en los dolores de España, op. cit.*, pág. 100.

137 BERNAL, E., *Orientaciones escolares,* Madrid, Ed. Escuela Española, 1945, págs. 12-15.

magnitud intencional y las consecuencias materiales de los agravios inferidos a España son tales, que impiden que el castigo y la separación alcancen unas dimensiones proporcionadas, pues éstas repugnarían al hondo sentido de nuestra Revolución Nacional, que no quiere ni penar con crueldad, ni llevar a la miseria a los hogares»[138]. Las causas suficientes para imponer sanciones al personal docente —con «carácter enunciativo y no limitativo», dice la disposición que regula el tema— van desde los hechos penados por los tribunales militares, a la pasividad ante la posible cooperación al triunfo del Movimiento, y las acciones que implicaran una «significación antipatriótica y contraria al Movimiento Nacional»[139].

Rechazo, impugnación, también aquí, a posiciones anteriores; el Ministro Secretario del Movimiento hablaba de desterrar el concepto peyorativo del maestro funcionario, puro enseñante, que hacía de la instrucción su tarea casi única, co-

138 Ley de 9 de febrero de 1939 (B.O.E. 13-II). Otras medidas ya fueron tomadas con anterioridad; tal es el caso, como ejemplo, de las disposiciones que obligan a los Alcaldes a poner en conocimiento de los Rectorados universitarios «toda manifestación de debilidad y orientación opuesta a la sana y patriótica actitud del Ejército y pueblo español», instándoles a informar sobre si la conducta observada por los maestros (...) ha sido la conveniente (...) o si por el contrario han mostrado aquellos en el ejercicio de su cargo, ideario perturbador de las conciencias patrióticas, así en el aspecto patriótico como en el moral» (arts. 2.° y 6.° de la O. 19-VIII-1936, B.O.E. 21-VIII). También conviene recordar, entre otras disposiciones, la O. 28-VIII-1936 (B.O.E. 30-VIII) que ordena a Gobernadores civiles y alcaldes anviar a los Rectores informe personal sobre los antecedentes y conducta política y moral del profesorado de enseñanza secundaria y superior; y la circular sin fecha publicada en el B.O.E. 19-IX-1936 para cumplimentar lo dispuesto en la O. 19-VIII, o el D. 8-XI-1936, creando las Comisiones depuradoras provinciales del personal de la enseñanza.

139 O. 18-III-1939 (B.O.E. 23-III). Las sanciones que se imponen son: traslado forzoso con prohibición de solicitar cargos vacantes durante un período de uno a cinco años; la suspensión de empleo y sueldo de un mes a dos años; la postergación desde uno a cinco años; la inhabilitación para el desempeño de cargos directivos o de confianza; y la separación definitiva del servicio.

mo consecuencia del liberalismo y de la concepción positiva de la vida. La proclamada restauración de la jerarquía de los valores demandaba más educadores que instructores, más que amuebladores de cerebros, forjadores de conciencias [140].

Un particular perfil del magisterio convocado al servicio de una responsabilidad histórica para la Patria y el Régimen, un «apostolado espiritual» —como dice Ibáñez Martín— que busca educar a los niños para que aprendan a amar y servir a Dios y a su patria [141]. Magisterio joven, forjador de las nuevas juventudes como responsabilidad inexcusable, en el decir del jefe nacional del Servicio Español del Magisterio, Gutiérrez del Castillo; en la tarea de cooperar en la conquista de España —y no sólo, apunta, en reivindicación de soluciones materiales— reside la dignidad y categoría moral del nuevo magisterio: «Hay que ir a las aldeas y a los pueblos de España a atraerlos y a conquistarlos para la España de Franco. Tenéis que apasionar y educar en estos ideales de Religión y de Patria las juventudes españolas» [142]. «Apostolado» y «milicia» es el doble honor y misión que al Magisterio corresponde, en una tarea considerada como noble y abnegada, inspirada en ideales más sublimes que «el materialismo hueco de la Instrucción marxista» [143]. Misión de combatientes y misión de sacerdotes, como dice a los maestros Jiménez Caballero. Misión es la palabra que según él les atañe; milicia, concebir y hacer concebir la vida como una milicia: «conducir con sentido misional y juvenil a nuestra muchachada» [144].

140 Discurso en la recepción a los jefes provinciales del S.E.M., *ABC* 27-I-1945, pág. 11.

141 Discurso de clausura del Primer Consejo Nacional del S.E.M., en *Revista Española de Pedagogía* 2 (1943), pág. 311.

142 Discurso de clausura de la Semana de Perfeccionamiento del Magisterio, *ABC* 22-V-1944, pág. 28.

143 «Una nueva era en el Magisterio Primario», *Revista Nacional de Educación* 8 (1941), pág. 107-109.

144 JIMÉNEZ CABALLERO, E., «Política», en *Curso de Orientaciones Nacionales..., op. cit.*, vol. II, pág. 418.

Así, el profesorado, como pretende el S.E.M., tiene asignada la contribución, desde su misión educativa, a la difusión de los ideales nacionalsindicalistas, al arraigo del estilo y disciplina de la Falange. Una misión revolucionaria, llega a decirse, «aportación peculiar a la Revolución Nacional»[145]. Era necesario resaltar ese sentido y signo de su función en los años de la postguerra.

Al mismo tiempo, el maestro es considerado como apóstol del Evangelio, en perfecta cooperación y armonía con el párroco[146]; él puede ser misionero en las zonas rurales, catequista, semillero de «Acción Católica»[147]; «apóstoles de la luz y del bien», llama a los maestros españoles el obispo de Madrid-Alcalá, monseñor Eijo Garay, cuya misión —añade— es la más parecida a la del sacerdocio[148]. Él ha de hacer de lo religioso —como vimos— la base de su acción docente y social. La primera «Reunión Nacional de Educación» organizada por el Consejo Superior de Hombres de Acción Católica hace hincapié en esos temas, ya sea presentando la figura del

[145] «El profesorado minoría de la Revolución», *ABC* 27-V-1943, pág. 9.

[146] A propósito de este tema escribe, por ejemplo, A. Serrano de Haro: «Sólo el Cura y el Maestro, pobres los dos, con sueldos que desdeñan los trajinantes y los doctores, sin ostentación y sin brillo, en nombre de Dios y de España y de lo que literalmente significa civilización cristiana (...) toman la senda escondida y anónima y se van al yermo duro a convertir los zarzales estériles en encendida llamarada de rosas.

¡Trabajen juntos y así trabajarán mejor! Formen un haz solo, apretado y consistente, con las altas empresas del apostolado del bien (...).

Y sea la unión de sus corazones y de sus ideales y trabajos un estímulo y un ejemplo de lo que debe ser España», en *La escuela rural, op. cit.*, pág. 190.

[147] García Hoz, que firma en esa ocasión como miembro del Consejo Superior de Hombres de Acción Católica, escribe que ésta es la forma más concreta para que el magisterio extienda socialmente su influencia, y la misión más elevada que puede cumplir, «Los maestros y la Acción Católica», *Escuela Española* 43 (1942), págs. 161-162.

[148] Discurso en el primer Consejo Nacional de S.E.M., recogido en *Escuela Española* 360 (1948), pág. 219.

«asesor técnico seglar», una especie de consiliario provisional que puede ser preferentemente el maestro, o bien instando al cumplimiento por parte de los maestros del papel espiritual y apostólico de su función educativa; recalcando las grandes posibilidades de acción católica en la escuela por medio de la colaboración del maestro, formando verdaderos semilleros de «aspirantado»[149].

Maestros de la nueva España, generales de la paz, según les llama el propio Generalísimo, que han de intentar resolver en su quehacer seis problemas esenciales: imprimir un sentido y directriz católico y nacionalsindicalista a todas las actividades escolares; orientar a los niños en ese estilo, con tal intensidad que esa formación católica y nacional-sindicalista perdure en ellos durante toda su vida; dar a conocer nuestros genuinos valores, acentuando la personalidad hispánica y el orgullo de ser españoles; hacer asumir a los niños el significado de nuestro destino imperial y la confianza en la misión histórica de España; buscar el total desarrollo espiritual, intelectual y físico de los escolares; y conocer adecuadamente a los alumnos explotando todas sus posibilidades[150].

Ese modelo pedagógico, como hemos escrito en otro lugar[151], exigía cambios, también, en el perfil de los educadores; y las consecuencias de la guerra —muerte, exilio, depuración— suponían una urgente necesidad de formación y selección del profesorado. El cuerpo docente de la enseñanza primaria se verá regulado por una orientación en la que destacan la deficiencia cultural y pedagógica de su preparación y la excepcionalidad, favoritismo y control político en

149 *Escuela Española* 360 (1948), pág. 219.

150 «Escuela Azul», *Revista Nacional de Educación* 3 (1941), págs. 111-112.

151 MAYORDOMO, A., «El Magisterio primario en la política educativa de la postguerra, (1939-1945)», en el libro colectivo *La educación en la España contemporánea. Cuestiones históricas,* Madrid, Sociedad Española de Pedagogía, 1985, págs. 262-271.

los modos de selección. Recordemos ahora algunos aspectos de estos importantes temas.

La formación de los maestros del Nuevo Estado se ordenaba por un «plan provisional» hasta 1945, y desde entonces por lo dispuesto en la Ley de Educación Primaria [152]. Pero desde esta perspectiva de nuestro trabajo nos interesa fundamentalmente hacer notar una caracterización de los temas relacionados con el magisterio que podemos sintetizar en tres puntos: la constante e influyente presencia de la dimensión religiosa en su capacitación; el control mantenido por la Administración y otras instancias sociales en defensa o garantía del cumplimiento de los principios y conducta moral y política ajustada al orden establecido; finalmente, los beneficios o privilegios concedidos en este ámbito a determinados servicios o adhesiones.

En lo que concierne a la primera referencia es fácil advertir la importancia que en la preparación inicial del magisterio tiene la enseñanza de la religión y su metodología; el propio Ibáñez Martín había señalado que para crear en los niños un espíritu profundamente católico y español era preciso primero forjar este carácter en el ánimo del maestro... «¿Cómo podrá forjar el alma de un niño un maestro que no sepa re-

152 Existe además, una forma de reconversión o acceso de bachilleres como titulados para el Magisterio (D. 10-II-1940, B.O.E. 17-II), que ponía de nuevo en vigor el artículo 28 del R.D. 30-VIII-1914, posibilitando a los bachilleres la obtención del título de maestro de enseñanza primaria. La Orden de 7-II-1940 (B.O.E. 22-II) especificaba las asignaturas a aprobar: Religión e Historia Sagrada, Música, Prácticas de Enseñanza, Religión y Moral, Pedagogía, Historia de la Pedagogía, Labores y Economía (para Maestras) y Caligrafía (si no la habían cursado en los estudios de enseñanza media). El plan provisional (O. 24-IX-1942, O. 27-XI-1943, O. 4-X-1944, O. 16-X-1944, O. 27-X-1948) regula unos estudios de tres años de formación cultural y uno de formación profesional, a los que se accede mediante un examen previo si se tienen cumplidos los doce años de edad. La Ley de 1945 elevaba la edad y el nivel de estudios para el ingreso en las Normales, exigiendo la edad de 14 años y el primer ciclo de la enseñanza media.

zar? He aquí el problema fundamental de la educación española»[153]. Y no podemos pasar por alto determinados hechos como que el diploma del Instituto de Cultura Religiosa Superior constituía, según una disposición de 15 de enero de 1943 dictada por la Dirección General de Enseñanza Primaria, un mérito en la carrera profesional del profesorado primario; o la relevancia que en la renovación pedagógica del mismo —a través de las Semanas de Misiones Pedagógicas— se concedió al desarrollo de temas religiosos: metodología de la Religión, colaboración del maestro con el sacerdote, el maestro y la Acción Católica en las parroquias rurales, el apostolado y la vida interior del maestro, San José de Calasanz como patrón y modelo, la formación religiosa del niño y el catecismo en la escuela...; o incluso la celebración de numerosas «Semanas» de Formación Misionera para el Magisterio, en Oviedo, Tarragona, Salamanca, Valencia, Bilbao, Santander o Valladolid...

Por otra parte, como decíamos, resulta significativo observar el carácter de la Formación y Educación Patriótica en los estudios en la Normal, o de Educación Política en los cursos para la obtención de los certificados de Instructores elementales; o la exigencia del informe de las autoridades respecto a la conducta moral y política y de adhesión al Movimiento Nacional, para los que se acogen al llamado «plan bachiller», o para los que concurren a la convocatoria de oposiciones en 1941; triple certificación de buena conducta expedida por el párroco, el alcalde y el comandante de puesto de la Guardia Civil. Una medida que, ciertamente, no fue pasajera: el Reglamento de Escuelas del Magisterio de 1950 (O. 7-VII-1950. B.O.E. 7-VIII) exigía, para el ingreso, acreditar buena conducta moral y patriótica. Y podemos recordar también que la obtención definitiva del título de Instructores/as ele-

153 En el Primer Consejo Nacional del S.E.M., *Escuela Española* 91 (1943), pág. 98.

mentales del Frente de Juventudes, obligatorios para los opositores aprobados antes de conseguir la propiedad de la escuela adjudicada, se produce «siempre que el aspirante haya dado pruebas de conducta ejemplar, aptitud y fidelidad en el cumplimiento de las normas y consignas que dicte el Frente de Juventudes para realizar la misión que le compete» [154]. Reiterada intención de inspirar en el Magisterio el espíritu del Nuevo Estado y la misión que en él les corresponde, que ya había sido propiciada desde los primeros momentos: en 1939 se convocaron unos cursillos con el fin de darles a conocer la cultura religiosa, la signifiación de la Cruzada, nuestros valores más representativos en el campo de la Pedagogía, etc. Cursos declarados como obligatorios para los maestros rehabilitados provisionalmente, depurados e interinos [155]. Ya en 1950 el citado Reglamento de las Escuelas del Magisterio disponía en su artículo 17.5 la obligación de estar encuadrados, los alumnos y las alumnas, en la Sección de Enseñanza del Frente de Juventudes o de escolares de la Sección Femenina.

Y, como señalábamos, una última anotación. Ya en 1938 se había establecido una política de beneficios a favor del Cuerpo de Mutilados de Guerra por la Patria, que posibilitaba que los maestros mutilados ingresaran en el escalafón general del Magisterio tras seguir unos cursillos de perfeccionamiento de quince días [156]. En 1940, una Ley de 26 de ene-

[154] O. 14-VIII-1942 (B.O.E. 15-VIII).

[155] O. 27-VI-1939 (B.O.E. 7-VII). Por el anuncio de esos cursos en la prensa valenciana podemos seguir los temas con más detalle: «Los precursores: Balmes, Donoso Cortés»; «El Maestro y el concepto de hombre»; «La ciencia, la Filosofía, la Teología»; «Unidad política y religiosa de España. De la descatolización de la escuela a la destrucción de España (...)»; «Manjón y Poveda, ejemplos de la función del maestro y de la formación de los maestros»; «Maestra y cristianismo. El maestro cristiano forma discípulos de Cristo (...)»; «La España de hoy. La guerra. El demonio y el ángel. El honor militar. El César y Dios», etc., en *Levante* 2-IX-1939, pág. 3 y 3-IX-1939, pág. 3.

[156] O. 13-XII-1938 (B.O.E. 16-XII), y O. 27-I-1940 (B.O.E. 14-II).

ro, convoca un concurso para proveer, en propiedad, 4.000 plazas de maestros nacionales; concurso singular en su carácter —aunque no único, ya que esa oportunidad se ofreció de nuevo en 1941— al que podían concurrir los oficiales provisionales, de complemento y honoríficos, que poseyeran el título de maestro, bachiller o certificado de estudios equivalentes y siete meses, al menos, de servicio activo en el frente de batalla. Concurso que se resuelve, además, por un mecanismo curioso y sorprendente: los aspirantes son clasificados por el Ministerio del Ejército en orden correlativo según los méritos que ese departamento cree oportunos; y son seleccionados de esa forma —los mejor situados— por el Ministerio de Educación, con la posibilidad de recabar los informes adecuados de los organismos correspondientes del Estado y del Movimiento Nacional; todo ello siempre «de acuerdo con el espíritu que informa la escuela de la nueva España». Si el acceso al cuerpo se hace por oposición, la convocatoria de 17-X-1940 (B.O.E. 30-X) restringe la participación en las mismas a quienes, además del título académico, «acrediten su adhesión absoluta al Nuevo Estado», y sean, además de militantes de Falange, oficiales provisionales o de complemento, o ex-combatientes, o ex-cautivos, o miembros de la extinguida Corporación del Magisterio o de los Cruzados de la Enseñanza, o huérfanos de guerra, o hijos de asesinados, o bien miembros del S.E.M. con cinco años de servicios interinos en escuelas o entidades de sentido católico y nacional. Sólo en 1945 la convocatoria está abierta a «todos los españoles», aunque continúe siendo necesaria la acreditación de la adhesión al Movimiento.

El trato preferente para determinados colectivos se aprecia igualmente en la consideración que se tiene de los méritos de guerra. En ese sentido cabe señalar que en 1940 la adjudicación provisional de escuelas a maestros del grado profesional, cursillistas y alumnos-maestros en curso de prácticas se hace en razón de este orden de preferencia: a) caballeros mutilados por la Patria; b) oficiales provisionales o de complemento que hayan alcanzado, al menos, la medalla de campaña; c) los demás ex-combatientes que hayan conseguido igual galardón; d) ex-cautivos por la «causa nacional» con más de tres meses de prisión; huérfanos u otras personas con dependencia económica de «las víctimas nacionales de la guerra y de los asesinados por los facciosos». Tras todos ellos se clasificaban los restantes maestros no comprendidos en alguno de aquellos grupos [157]. Como méritos y servicios para la calificación de los maestros peticionarios en el concurso general de traslados cuentan los de tipo militar (posesión de la laureada individual, de la medalla militar individual, o haber sido voluntario de la División Azul), y los contraídos en favor del Movimiento en razón de ocupar distintos cargos, haber sufrido prisión «durante el dominio rojo», ser viuda o huérfano de asesinado o muerto en campaña, o tener un hijo muerto o asesinado por los «rojos», etc. [158].

Cerraremos esta aproximación a los rasgos del maestro de la época con un fragmento de la exposición inicial del decreto que aprueba el Reglamento de las Escuelas del Magisterio, que puede sintetizar el tipo de docente que se configura por aquellos años: «Todo el nuevo sistema docente se apoya en la clara idea, casi tópica en los viejos tratadistas españoles de que el Maestro debe ser, ante todo un ministro de la verdad, que es vida en Dios y que de Dios sale y a los Maestros viene (...). Esta misión vital del Maestro, de servir al hombre, como obra divina predilecta, perfeccionándolo con la educación para acercarlo a Dios y hacerlo útil a su Patria, constituye a aquel en nervio y eje de la nueva escuela española».

[157] O. 13-VI-1940 (B.O.E. 22-VI).

[158] O. 2-IV-1941, O. 30-III-1943 (B.O.E. 6-IV). O. 28-IV-1943 (B.O.E. 2-V).

4. A PROPÓSITO DE UNOS TEXTOS. APROXIMACIÓN A LOS DOCUMENTOS DE LA ÉPOCA

El panorama que hasta aquí hemos expuesto sintéticamente nos permite señalar con claridad unas líneas de definición en las que es posible agrupar características o rasgos esenciales configurativos del modelo pedagógico imperante: se trata de conseguir una restauración católica y nacional de nuestro sistema educativo, de acordarlo con los principios religioso-políticos que marcan la misión del Régimen, de practicar una auténtica «pedagogía española» en la que el ideal es lo más importante, y de contar con un cuerpo docente fiel, sobre todo, a los principios directores de la nueva escuela.

1. La antología de páginas pedagógicas que recogemos en esta obra se abre con un primer núcleo en el que presentamos algunos textos que tratan de mostrar propósitos y caracteres fundamentales de la orientación pedagógica de esos años de postguerra. Escritos y discursos de Pemartín, López Ibor, Escrivá, Sáinz Rodríguez, Isidoro Martín, el general Franco, y el Ministro Ibáñez Martín, transmiten expresivamente rasgos esenciales de una nueva política educativa, bien sea como proyecto o anticipo, como reflejo de iniciativas preliminares, como consigna, bandera o propuesta, o ya como justificación explicativa de medidas instituidas. En conexión con lo expuesto en la primera parte del trabajo los textos aquí recogidos, en esta inicial referencia, pueden resumir en cinco planteamientos otros tantos descriptores del modelo estudiado: la afirmación de una obra política que es ante todo *restauración;* el *rechazo* o repulsa de una *heterodoxia* considerada *negadora del espíritu español;* el diseño y aliento de un *nuevo modelo o entendimiento de cultura* y de sus consecuencias y exigencias; la fundamentación en lo *religioso-patriótico* del sistema educativo nacional; y la utilización de la acción formativa como un *instrumento de servicio* o compromiso con la misión histórica del país.

La tarea histórica de los españoles se presenta ahora desde la llamada a la reconstrucción nacional, en un complicado conjunto de instauraciones y rectificaciones porque se trata de avanzar, pero recuperando; es necesario desarrollar toda nuestra energía, sobre todo para la regeneración moral, pero reintegrándonos en el rango y nobleza de nuestra antigua historia (Pemartín). La política nacional se emprende como restauración, resurgimiento, fijación de normas y sistema, hacia una mejora no puramente material, sino interior: buscar la supremacía del espíritu, cimentar el progreso en la vida del espíritu (Franco). Devolver autenticidad a nuestra historia, salvar y rescatar nuestra grandeza exige dar un contenido espiritual a la «revolución» emprendida, actuar en «la esfera inmanente de cada individuo» —dirá Ibáñez Martín, en otra ocasión—, unir las voluntades, formar y construir un verdadero y solidario «espíritu nacional». Idea y empresa que tal vez hace recordar la expresión de Renan, cuando en *Qu'est-ce qu'une nation?* respondía que «une grande solidarité», una comunión de memoria y propósito.

Así pues, y para esa propuesta, las virtudes radican en la conciencia individual; de ahí la importancia de la educación, y de ordenarla en ese contexto de «restauración espiritual» (Ibáñez Martín). Posiciones que, quizás, ocultan o disimulan viejas estrategias interesadas en el fomento social desde procedimientos educativos, con particulares afanes moralizadores; y que, al enfatizar el plano de la idealidad, buscan, fundamentalmente, modular la percepción individual y social de las más que penosas y difíciles circunstancias de la realidad, buscando —de nuevo— en lo educativo un recurso para «armonizar» los conflictos de lo social.

Los textos nos dejan ver, además, el rechazo absoluto de toda aquella heterodoxia negadora del espíritu nacional, y la consiguiente necesidad de superarla. El espíritu de la política educativa ha de ser el de la vieja y genuina tradición pedagógica frente a las «desviaciones ideológicas» y la apostasía de la anterior legislación, en las que se encuentran pecados tan graves como el atentado contra la conciencia del niño, la semilla corrosiva de la disgregación familiar, la rebelión, en fin, contra Dios y contra la Patria (Ibáñez Martín). Firmeza, contundencia, perseverancia en esa empresa son recomendadas continuamente: el gran pecado ha sido no haber evitado la propagación de ideologías racionalistas, exóticas y anticatólicas; la tolerancia ha sido un mal (Pemartín). Por lo tanto, la rigidez más absoluta e inconmovible es ahora lo necesario en la defensa de los principios educativos y el control del talante y las prácticas escolares.

Lo puramente instructivo no es, pues, lo más importante. El discurso del nacional-catolicismo insiste tanto en el cuidado de la voluntad como en el cultivo de la inteligencia, y no más en el conocimiento y la verdad científica que en los deberes para la Religión y la Patria que ese conocer conlleva. Interesa formar al hombre no sólo en lo que respecta a sus facultades mentales sino sobre todo «en su contextura moral» (Franco). Las páginas que presentamos reiteran esa idea; cuando nos hacen llegar la visión de una Universidad no unilateral sino integral, formadora, generadora de hombres sabios, pero rectos y con caridad cristiana (Isidoro Martín); o cuando nos hablan de escuadras de vanguardia formadas desde la concepción auténtica del hombre español, del alumbramiento de un nuevo hombre desde la doctrina y el estilo de un humanismo hispano (López Ibor). La cultura verdadera conllevará una concepción del destino sobrenatural del hombre, producirá una elevación más allá de lo puramente terreno (Isidoro Martín). Lo que es tanto como cuestionar totalmente la supremacía de la ciencia: en España la escala de valores será aquella que tenga valor de eternidad (López Ibor).

Podemos constatar igualmente la constante afirmación del carácter esencial de la enseñanza: el más puro sentido cristiano en todas sus manifestaciones, su condición esencialmente católica. Enseñanza de la religión en todos los niveles educativos; prohibición de todo cuanto fuera contrario a la ortodoxia católica (Ibáñez Martín, Pemartín). Enseñanza religiosa que —junto a la de tipo patriótico— es profilaxis y prevención, recurso para la unidad en los fines, eje central en la construcción de la comunidad de espíritu histórico-religioso (Pemartín). Para ello se recurre a los «antitópicos de la Revolución Nacional» (Sáinz Rodríguez): la idea contraria al respeto absoluto a la libertad de conciencia es eje de la filosofía de la educación patriótica. Frente al liberalismo y naturalismo rousseauniano, la persona, no el individuo como simple unidad biológica; frente a la patria como hecho natural, la patria entendida como unidad moral; frente a la postura laicista, prioridad al sentido espiritual y católico de la cultura y la educación; frente al concepto liberal de la enseñanza, el precepto de «no enseñar lo que se quiera», justificando una rigurosa intervención del Estado para asegurar la verdadera unidad de la conciencia nacional.

Se trasluce, también, en los escritos y discursos de este primer apartado de consideraciones generales una cuestión que luego seguiremos con más concreción; un claro reconocimiento y una afirmación insistente: no al monopolio escolar. Desde el reconocimiento de la originalidad de una doctrina propia de España, en el contexto de los estados totalitarios, se contempla repetidamente la obligación de conjugar la autoridad estatal con las normas de la tradición católica (Sáinz Rodríguez); de no permitir el anquilosamiento de la enseñanza, provocado por un estatismo absorbente y esterilizante, y, en consecuencia, buscar una legítima competencia entre la enseñanza oficial y la privada, con una común ideología; un camino que debía llevar de la colaboración a la compenetración íntima (Pemartín). Y cuando en 1945 se ordena la enseñanza primaria, se califica la ley como «primordialmente católica» porque el Régimen lo es; advirtiéndose que esa declaración fundamental de principios ha de servir de lección a quienes rebuscan signos equívocos en la ideología del Estado; un Estado que se esfuerza en plasmar en leyes y obras el sentido católico de la vida —se dice— y a quien repugna tanto el agnosticismo liberal como el estatismo opresor (Ibáñez Martín). Reconoceremos, sin duda, en los textos incluidos las claves de un conflictivo tema.

La educación «como instrumento de la grandeza nacional» (Ibáñez Martín) es otro de los temas importantes; en todo caso se alude a esa proyección social de la tarea cultural, científica y educativa. Así, el trabajo científico es exaltado como deber social, al servicio del Estado y del bienestar material (Franco) [159]; y la enseñanza básica, con un sentido finalista de misión y destino; como forja del buen ciudadano, formadora de un espíritu nacional en la idea y el amor a la Patria que obliga a una actitud colectiva unitaria en el pensamiento y en la voluntad (Ibáñez Martín). En la misma perspectiva podemos encontrar alusiones que, con toda firmeza, instan al intelectual a no ser espectador, a no situarse en la perniciosa posición de la contemplación especulativa y a convertirse en la fuerza renovador del espíritu, «envuelto en la corriente de vida de su pueblo» (López Ibor); y tenemos ocasión de leer encendidas críticas a la desconexión de la clase estudiantil con el mundo del trabajo, en un deseo falangista de convertir a los universitarios en el «amanecer» de España: la jerarquía de la inteligencia (Escrivá). Tarea en la que no se

159 En otra ocasión, insistirá Franco en el tema con estas palabras: «La ciencia que no sirva los intereses supremos del Estado, la ciencia que no sienta como finalidad inmediata impulsar la grandeza y prosperidad de la Patria, no es ciencia digna de tal nombre. El régimen español no traba ni dificulta la legítima libertad científica, pero quiere y exige que la actividad investigadora se subordine y ajuste a las necesidades espirituales y materiales de la nación. En vuestras manos está la investigación económica, el progreso de la técnica, el empuje y la vitalidad de la agricultura (...) todo dentro de un panorama sociológico ajustado a las inmortales ideas cristianas (...)», «Discurso de S.E. el Jefe del Estado al inaugurar los 16 nuevos edificios del Consejo de Investigaciones Científicas», *Revista Nacional de Educación* 65 (1946), pág. 15.

oculta el proselitismo a desarrollar en el campo del trabajo; se ha de inculcar la fe revolucionaria y acabar con las «conciencias adormecidas por las falsas promesas», aquellas que habían hecho el liberalismo económico y el socialismo (Escrivá). La preocupación por aquel enlace con lo social no deja, pues, de presentarse, con toca claridad, como un afán que tiene en la conquista del adepto o incondicional la finalidad principal de su declarado empuje combativo; y que persigue, por ello, la meta de incidir, otra vez, en la misión de desterrar viejos errores o engaños: tal vez las «ideas subversivas» y las «horribles perpectivas revolucionarias» de las que hablara Severino Aznar en 1919, o la explotación de la ignorancia y buena fe popular por aquellos a los que Concepción Arenal llamaba «simplificadores teóricos» en 1892; la falacia y utopía peligrosa —los «radicalismos epilépticos»— de las que Melquiades Álvarez hablaba en Valencia en el año 1902. Cuando la acción educadora ha querido mostrarse como promoción y solidaridad parece identificarse con el acto de recuperar, preservar, reclutar.

2. El segundo núcleo de textos que en esta obra recogemos nos hace llegar los mensajes o las voces de la Falange y el sector eclesiástico, enfatizando unos el papel del Estado —aunque no falte la evidente muestra de afección a lo religioso—, y reclamando insistentemente los otros —aún desde una exquisita prudencia— el cumplimiento absoluto de los derechos y doctrina de la Iglesia. Las palabras de Laín y Maillo nos sitúan fundamentalmente ante el tema del Estado y la educación política, que ha de ser para aquél objeto de una dedicación prioritaria. Laín manifiesta que el nacionalsindicalismo debe aceptar el sentido vitalizador del ensayo orteguiano *Biología y Pedagogía,* en el que el filósofo se había ocupado de analizar la imagen o el concepto vital de la vida como ímpetu primario y creador, fuerza motora inicial para las tareas culturales; deseo germinal o vida ascendente que la

Pedagogía debía buscar fomentando el «tono vital primigenio de nuestra personalidad». Se refiere Laín Entralgo a la tarea de «formar entusiasmando», es decir, de devenir hombre con una semilla de ilusión por el bien, la verdad o la belleza, para que la participación afectiva en el mundo sea viva. Ahora bien, frente a Ortega señala con precisión algunas cuestiones: el sentido de la vida no es meramente deportivo-festival, sino el religioso-militar, servicio militante, *milicia;* no hay que educar el entusiasmo sólo en base al mito, sino con la *creencia;* la vitalidad no se prepara tan sólo con el sentimiento, sino con *valores,* con una educación ética, con una referencia a la calidad moral; no hay que fomentar ese valor primigenio sin prejuicios, sino con *certezas,* desde *convicciones iniciales;* hay que añadir a lo vital-entusiasmador lo real- *normativo.* La educación del niño se presenta, en definitiva, como cauce y apoyo del sentido militante ante la vida y el mundo, y con un motivo básico, las *creencias* en la Patria y en Dios. Pero tal vez conviene añadir aquí otras ideas expresadas por Don Pedro Laín en otra ocasión, y que nos permiten profundizar en algunos de esos puntos; así, cuando habla de una educación superadora de tres antinomias: las que existen entre individuo y Estado, entre entusiasmo y disciplina, entre educación pública y educación religiosa. Frente a esas direcciones contrapuestas preconiza una tendencia que trate de educar al hombre como un ser eterno, que cumple un destino histórico propio y común; aboga por un enfoque de la acción docente que consiga unir, en los jóvenes alumnos, la fe que determina el entusiasmo, y la disciplina que le da eficacia en una vida concebida como milicia; reclama una compatibilidad y armonía necesaria entre educación patriótica y educación religiosa como condición de una educación integral: «Ahí está uno de nuestros objetivos. La misión que a los Maestros corresponde en el gran destino universal de España —a los maestros falangistas— tal vez sea la ineludible de dar al mundo una fórmula de educación que resuelva estas dos exigencias de nuestro tiempo: una educación política, porque somos hombres que vivimos en una Patria y dentro de un Estado; y una educación religiosa, porque creemos que somos capaces de condenación o de salvación». De todo ello se deducen las tres cuestiones fundamentales de la escuela falangista: vincular el porvenir individual al destino comunitario, integrar el entusiasmo en una ordenación disciplinada, reunir en un modelo educativo la doble exigencia de formación política y religiosa [160]. Desde una perspectiva muy próxima Adolfo Maíllo muestra en su escrito el empeño político-educativo en crear una nueva «sustancia espiritual»; eso es tanto como imprimir en los miembros de la nación una nueva *actitud mental* y *cordial* ante los problemas políticos e históricos, tratando de construir, desde una verdadera fusión de lo político y lo educativo, una ansiada «volkegemeinschaft» o comunidad nacional de vida y destino. De esa forma nos hace llegar, con toda claridad, su planteamiento de una educación popular que ha de ser eminentemente política, creadora —leemos otra vez— de «entusiasmos nuevos para vivir una vida ascendente y promisora». El estilo o talante del falangismo; todos identificados en las metas, todos solidarios. Y todo ello como misión del Partido, en una acción formativa no estricta y exclusivamente escolar: se ha de hacer a través de otros organismos —«Educación y Descanso», la Secretaría de Educación Popular, el Frente de Juventudes—, en una actuación que utilice las vías educadoras y las tácticas de masas o propaganda educativa (prensa, radio, cine, ...). En esta línea nos encontramos de nuevo con una posición que pone el acento en el cultivo y formación del patriotismo; un patriotismo que quiere a la vez no caer en la «falta de fe en lo español», del liberalismo y socialismo, ni en el «pan-

160 Conferencia de Laín Entralgo en el primer Consejo Nacional del Servicio Español del Magisterio, *ABC* 3-II-1943, pág. 10; *Revista Española de Pedagogía* 2 (1943), págs. 301-307.

glosismo esterilizador», o patriotismo retórico y vacío de la derecha. Valoración estimativa de lo español, conocimiento de los medios para restaurar la grandeza patria... son las tareas pedagógicas fundamentales para Maíllo. Un patriotismo activo, pues, para lo que la educación deberá no sólo afirmar el concepto de Patria y el sentimiento o emoción de la comunidad nacional, sino integrar una componente volitiva. Con todo ello —y es preciso no pasar por alto esta fase— afirma Maíllo que la resultante final será «que las masas, en virtud de la propaganda educativa insistente efectuada sobre ellas, se dispongan después a aceptar, convencidas, una estructura política en la que ellas apenas tengan otra misión que la de apoyar y robustecer las líneas de fuerza emanadas de las minorías dirigentes».

La importancia concedida a la educación política guarda conexión con el tema central del ensayo de Gavilanes sobre una pedagogía nacionalsindicalista. Para aquél la hegemonía educativa del Estado intenta suprimir en el sistema escolar fines extraños a la política estatal; el autor piensa en una acción que trata de «infiltrar» en las nuevas generaciones las normas nacional-sindicalistas, por un lado como defensa del Estado, y por otro, para la formación de los futuros cuadros dirigentes. El Estado, pues, debe ocupar, en su opinión, un lugar excepcional en la educación política de la juventud: una educación que elimine la indiferencia ante la empresa colectiva de la Patria, que fomente el arraigo del sentido de obediencia y de disciplina, que forme el espíritu de sacrificio. El planteamiento de Gavilanes, que, como podemos leer, él mismo califica de «audaz y peligroso» encuentra su inmediata denuncia en un breve artículo editorial de *Ecclesia,* «Errores sobre Pedagogía», que no hace sino recordar la doctrina de Pío XI; doctrina que también podemos ver resumida en otro artículo, «La educación de la juventud»; a) reafirmación de que los derechos educativos de la familia y la Iglesia son anteriores a los del Estado, b) rechazo de todo monopolio escolar por parte del Estado y declaración de que la misión propia de aquel es sólo la educación ciudadana o patriótica y la protección de los derechos y la obra pedagógica de la familia y de la Iglesia, c) absoluta necesidad para todos los fieles de una educación cristiana.

El artículo editorial de la *Revista Nacional de Educación* constituye la rectificación oficial al atrevimiento del Administrador Nacional de Educación y Consejero del S.E.U., Gerardo Gavilanes; en él tenemos ocasión de seguir la declaración oficial que pretende afirmar rotundamente que el espíritu religioso es básico en la construcción del sistema educativo español. El texto es un claro reconocimiento de tres cuestiones extraordinariamente importantes: por una parte la necesidad de *armonizar* la participación de las sociedades totales —familia e Iglesia— en la esfera educativa; desde otra perspectiva la exigencia de *reconciliar* al individuo, en su plena dimensión humana, con el interés colectivo nacional; finalmente el *reconocer,* una vez más, los derechos de la familia y la suprema jerarquía de la Iglesia en orden a la educación. Resulta clara la pretensión del artículo de aclarar firmemente las posturas ante las posibles reticencias, dudas o equívocos: rechazar el supuesto panteismo estatal, al que ya hicimos mención, asegurando la no anulación del individuo en los estados totalitarios; y confirmar, además, el sentido religioso que inspirará la Legislación escolar.

En el marco de esa problemática, la constante insistencia de la Iglesia puede examinarse en los tres textos finales, publicados todos, ya en los inicios de los cincuenta, en la revista *Ecclesia.* Pese a todas las observaciones que en este ámbito hemos podido atisbar hasta ahora, es significativo constatar cómo continúa hablándose de necesidad de concordia, de equilibrio, de convivencia entre la enseñanza oficial y la libre, cómo se sigue advirtiendo de la existencia de un cierto monopolio atenuado por parte del Estado o de desigualdad de trato; o cómo, en fin, se opone a la declarada libertad de enseñanza la existencia de importantes, incluso, servidumbres académicas o económicas, hasta el punto de reclamar como criterio fundamental del Estado el de fomentar la enseñanza libre hasta que «no sea necesaria la oficial ni exista sino a título de suplencia» (Casado).

La idea de que la ordenación escolar es una materia mixta, la de que debe reconocerse la perfección de la sociedad eclesial, y la de que en ese campo no se puede legislar sin ponerse de acuerdo con la Iglesia, son temas fundamentales en la búsqueda de consolidación jurídica que la Iglesia emprende en torno, principalmente, a la promulgación de la Ley de ordenación de la enseñanza media de 1953 [161].

Finalmente, los artículos de Guerrero y Morcillo nos muestran dos visiones en torno a la enseñanza religiosa; el uno sobre su necesidad, el otro acerca de su carácter en el nivel de la enseñanza secundaria. Vemos allí referencias a la exigencia de estudiar la Religión que se plantea a todo hombre culto debido a los interrogantes que obligadamente plantea la cuestión religiosa a la razón humana; o la demanda de que se facilite el estudio serio de esos temas a quienes se dedican al trabajo intelectual, incluyéndolo desde el Instituto a la Universidad. En esa línea se considera como reprobable y absurdo el silencio absoluto que en este tema preconizan los defensores de la escuela neutra; sin una completa y objetiva instrucción religiosa nadie puede comprender el problema religioso, ni menos solucionarlo. Además, se dice, toda cultura debe incluir, para ser completa, la ciencia de lo espiritual: el hecho mismo de la Religión católica es digno e

[161] Si la Ley de Bases de 1938 no reconocía explícitamente los derechos de la Iglesia, e incluía implícitamente los centros escolares religiosos en el grupo de centros particulares, la Ley de 1953 (Ley 26-II-1953, B.O.E. 27-II) «reconoce y garantiza los derechos docentes de la Iglesia, conforme al Derecho canónico y a lo que concuerde entre ambas potestades» (art. 4.°), y distingue entre centros de la Iglesia y privados dentro de los de carácter no oficial (art. 17.°).

imprescindible objeto de estudio «como ideal de una condición humana más perfecta» (Guerrero). Y, naturalmente, en consonancia con lo que ya vimos, se pide en esa educación religiosa no sólo instruir con fines culturales sino formar hombres de fe, de moral y de virtud cristiana, una religiosidad práctica e inspiradora de toda la conducta (Morcillo).

3. Los textos incluidos en el apartado «La escuela por dentro» intentan reflejar cómo quieren la actividad escolar notables pedagogos de la época, mostrar la propuesta que hacen para la acción didáctica. La conferencia de Talayero, director del «Hogar José Antonio» —centro piloto o modelo— mantenido por la Falange en Zaragoza, aunque por poco tiempo, se centra en la idea de que todas las cuestiones pedagógicas tienen como referencia un fundamento filosófico, y en la necesidad de re-crear una nueva pedagogía encuadrada en una nueva cultura; sólo así será posible integrar la escuela en la vida, lograr que la escuela tenga un rendimiento eficaz para la vida. Su aportación al Curso de Orientaciones Nacionales subraya con fuerza la tarea de luchar contra los tópicos que en el magisterio español ha introducido la llamada pedagogía extranjera y extranjerizante; es un no rotundo a lo que denomina «pedagogía biológica» —es decir, centrado en la simple evolución del instinto— y a la «pedagogía del deleite» o del mínimo esfuerzo. La pura realización de las tendencias biológicas es, en su opinión, destructora de la vida; son necesarias normas morales, valores, a los que supeditar el desarrollo de la naturaleza humana. En consonancia con el estilo de entrega, de austeridad, de sacrificio, que en la época se pregona, propone una «pedagogía del dolor», pedagogía del sacrificio y del esfuerzo, en relación con un sentido ascético y militar de la vida. El «mitad monjes, mitad soldados» encuentra aquí una de sus plasmaciones. La educación, la escuela, el magisterio, el trabajo escolar, son, fundamentalmente, servicio, deber, cooperación con la misión salvadora de la España triunfal.

Ese es el espíritu que en lo escolar han de facilitar la educación religiosa y la formación patriótica, ejes fundamentales —como repetidamente hemos podido observar— del quehacer educativo. Una educación religiosa considerada como de la mayor importancia tanto por razones internas de los propios contenidos, como por los condicionantes de la realidad histórica. La enseñanza religiosa es conceptuada, por una parte, como esencial, entendida desde la base de la declaración del valor absoluto y de la trascendencia universal de la Religión, así como en atención a sus posibilidades formadoras y suscitadoras de interés: en el Evangelio «se abisma la mente del filósofo» y «se recrea la fantasía del párvulo» (Serrano de Haro). Por otro lado, se señala la coincidencia en nuestra Historia de los períodos de esplendor con los de máximo florecimiento de la Religión católica entre nosotros; así como la importancia de efectuar una acción desde una incidencia especial en ese ámbito formativo, que compense el intento, realizado los años anteriores, de arrebatar a los niños la fe e inculcarles el desprecio hacia las verdades del Catolicismo (Onieva). Oposición frontal, pues, a la escuela neutra —basada en el principio del escepticismo y en el de la incredulidad— y a la escuela laica con su falso respeto a la conciencia del niño.

Las recomendaciones didácticas en este campo insisten siempre en una enseñanza religiosa que no debe impartirse con frialdad, como una mera disciplina más, sino como algo vivo y vivificante: que se entienda, que mantenga una viva tensión emocional, que actúe sobre la conducta, según pide Serrano de Haro. Enseñanza dada de modo «jugoso, elevado, ascendente, vibrante», en el decir de Onieva; con un deseo, anota el mismo autor, de aprovechar todas las ocasiones para conseguir una «pasión perennemente encendida» que despierte la voluntad para el bien.

Religiosidad y enseñanza religiosa viva, emocional, actuante; un mensaje que se repite también en el caso de la educación patriótica. Esa formación, según el discurso de la época, debe dar una idea clara y cabal de la Patria, pero sobre todo emocional; ha de conseguirse no sólo el saber, sino el sentir, hacer que los alumnos se *dispongan* para saber y hacer en torno a la idea y su compromiso con la Patria (Serrano de Haro). Por eso es tan importante para Onieva el ejemplo del maestro, porque se trata de sacudir el ánimo de los niños y jóvenes, porque se busca mantener tenso el ideal patriótico con una actitud principalmente emocional: consagrar a la Patria un altar en el corazón, dirá en uno de los fragmentos de los textos que recogemos. El patriotismo es para él un sentimiento contrario al desprecio de lo español, un amor *constructivo* a lo nuestro, «darse sin tasa, con sacrificio del bien propio». Y por ello, también, para hacer ver y alentar la exigencia de dedicación a la recuperación nacional, se insta a aprovechar todas las posibilidaes del ejemplo de nuestra Historia: exaltar los grandes momentos de la misma —informando y simplemente pasando sobre las etapas de decadencia— desde una revisión de los textos históricos que sirva para «extirpar inmisericorde los que dieron abrigo a una tendencia descendente, derrotista, calumniosa o meramente escéptica (...)» (Onieva) [162].

Desde esa perspectiva se entiende igualmente el carácter y relevancia de la educación social. El texto que Onieva escribe sobre esa temática nos deja ver el papel del padre —que, en clara evidencia de discriminación sexista con la mujer es presentado como el educador en este campo dentro de la familia—, y el papel del maestro —aliento y ejemplo— en la inculcación del *respeto a la autoridad,* y a las instituciones del Régimen, o en la formación para el *dominio de los caprichos egoístas* ante la familia o la nación o en la tarea de habituarse a la *obediencia* jubilosa... crear, en suma, el *sen-*

[162] Cfr. VALLS MONTÉS, R., *La interpretación de la Historia de España..., op. cit.*

timiento de unidad nacional. Y una vez más se aludirá a un aprendizaje hecho con «emoción», frente a un aprendizaje «en frío»; formar, en este campo, es «incrustar» en la mente y en el corazón la idea de «servicio». Idea que se opone al viejo concepto de libertad, consistente —se dice— en el derecho de rebelarse contra el Estado; argumentos que plantean la formación cívica más bien como promotora de sumisión.

Resulta difícil imaginar, así, el cumplimiento generalizado del programa que para la escuela rural preconiza Serrano de Haro. Según él, sin perjuicio de su carácter educativo general, debía adecuarse a las circunstancias y al ambiente social, orientar el trabajo hacia la capacitación propia de los futuros campesinos, salvándolos de una cultura general e intelectualista, divorciada del medio: experimentación de su propia realidad natural en Ciencias de la Naturaleza; problemas específicos y aplicados en matemáticas; estudio de la peculiar realidad social en Ciencias Sociales; dominio real del idioma y afición a la lectura; principios de la economía rural; aprovechar las prácticas agrícolas de la región. Con todo la Patria y la Religión ocupan lugar excepcional, junto a los aspectos más estrictamente instructivos [163].

Esos son, en realidad, los empeños y tareas fundamentales para la escuela española de la postguerra. Una escuela, repetimos, en la que el «espíritu» lo es todo; lo esencial es su misión histórica en la hora de la victoria, en la reconstitución del Estado según el orden nuevo. Un enfoque que se repite también, por ejemplo, cuando se trata sobre nuevos métodos: «Lo esencial es eterno. Y lo esencial en la Enseñanza —escribe

[163] En otro lugar reconocerá el propio Inspector Serrano de Haro: «Tenemos una fuerte e incoercible predisposición ancestral e innata al INTELECTUALISMO. Digan lo que quieran los libros, lo cierto es que la gran procupación de la Escuela y la gran recomendación de los padres y la piedra de toque del control del trabajo escolar es que los niños *sepan cosas* (...)», en *El Diario del Maestro y el Diario del Niño. Normas prácticas para llevarlos con eficacia y sencillez,* Madrid, Ed. Escuela Española, pág. 11.

Serrano de Haro— es lo que de su espíritu pone en ella cada Maestro». Hablando en el primer Consejo Nacional del S.E.M. el Director de Enseñanza Media, Luis Ortiz, planteaba unas bases para la renovación de la escuela española, afirmando que no era una nueva metodología lo que propugnaba, sino «una adaptación de espíritus y de corazones». «Es el espíritu del maestro —decía— el que tiene que hacer la transformación radical de la Escuela española», prescindiendo, añade, de todos los modelos exitentes, incluso los metodológicos [164].

4. Interesa primordialmente ese ámbito del espíritu porque, como puede constatarse en los textos que tratan sobre la figura del maestro, el magisterio español está convocado a una tarea esencial para el destino de la Patria, y descubrir por parte de éste esa particular misión, es punto de avance esencial para el progreso de la acción educativa. Es una tarea de construcción religioso-patriótica en la que se pide principalmente situar a los futuros ciudadanos en la línea de adhesión y compromiso con el nuevo orden. Así, unas veces se concretará esa solicitud en demandas a los maestros para que *intensifiquen la acción patriótica* (modelar a los niños «en el culto a la Patria» y «a todo lo español»), que les inculquen *hábitos de disciplina* (la primera de las virtudes militares), y que *fomenten* en los alumnos el *amor al Ejército* (Osle). En otras ocasiones se les exigirán cualidades conformadas con los reiterados ideales de religiosidad y patriotismo: el maestro español no puede ser más que cristiano, ha de sentirse español y hacerlo sentir, y ha de ser de carácter firme y sostenido, es decir, actuar sin partidismos políticos, sólo atento al «servicio» del Estado y al «interés nacional» (Onieva). Una concepción que quiere sea antitética del enfoque que, según la misma, había adoptado la política liberal y sectaria desde el Siglo XIX; un proyecto que quiere sacar a

164 *Revista Española de Pedagogía* 2 (1943), pág. 300.

los maestros y maestras de la ignorancia y el servilismo en que los colocara —según Onieva— la «vieja y mala política española» y acabar con la acción de «envenenamiento infantil» a la que les había entregado la II República.

Magisterio español al que se concede —insistimos— una delicadísima y trascendental función, una doble obligación y empeño, compromiso civil y religioso a la vez. El maestro nacional-sindicalista es convocado a realizar una tarea calificada como revolucionaria y creadora: troquelar al niño de hoy, hacerle un hombre recio, viril, pujante disciplinado, que pueda ser sujeto de la acción combativa a la que llama Falange... hombres de corazón puro, juicio claro, voluntad firme, cuerpo sano y fuerte, en los que el maestro deberá combatir las tendencias individuales y anarquizantes y prepararlos en/para la obediencia, la vida social, el respeto a la jerarquía, el sentimiento de unidad. Para todo ello el magisterio nacional deberá asumir la importancia de su propia actitud personal, el valor de su propio ejemplo, y poner el quehacer educativo al servicio de la realidad y los intereses del pueblo —Dios, España y el nacional-sindicalismo—. Ese es el mensaje-propuesta de la Falange (Revista Nacional de Educación). El que el Ministro Ibáñez Martín dirige al S.E.M. es coincidente: quiere maestros, la Patria precisa maestros que sean «seres generosos», que ayuden —sobre todo— a difundir los ideales supremos, las ideas inmortales de la causa, la verdad de Dios y de España, dirá. Profesionales que sirvan con *desinterés,* con *fidelidad,* con *abnegación.* Y que lo hagan como una obra de «apostolado espiritual y religioso», desde una vocación a la que se adjetiva como docente y misionera; su «desvelo supremo» ha de ser «forjar el alma de la juventud», «despertar la fe» en los niños, desde su doble condición y cualidad de católicos y falangistas; hacer —en suma— que *aprendan* y se *adiestren* en el amar y servir a España (Ibáñez Martín). Ahí radica lo importante y la importancia de su labor: no serán, por ello, «funcionarios desarraigados» ni «eternos irredentos de un indiferentismo estatal», sino soldados de una fe gloriosa, predilectos de una vanguardia, defensores de España desde el «frente pedagógico». Es la consigna y el aliento del Ministro de Educación Nacional a los camaradas del S.E.M. Llamada, en definitiva, a que los maestros sean soldados en la paz de la causa nacional.

Junto a todo ello los textos que se presentan en esta parte de la selección nos permiten anotar algunos planteamientos en torno al sentido de la formación docente en las Escuelas Normales; se insiste, por ejemplo, en la conveniencia de cambiar su carácter enciclopédico por otro esencialmente formativo —algo que, ciertamente quedará muy lejos en la realidad—, y en la importancia de contar con una instrucción religiosa muy rigurosa, más bien con una educación espiritual que comprenda y aliente las buenas costumbres, la piedad y las prácticas religiosas (Herrera Oria). El maestro será, en fin, el «caballero cristiano por excelencia», y por lo tanto, será necesario imprimirle un carácter profundamente cristiano y profundamente español, dice Ibáñez Martín. Desde esa orientación se hará posible una ciencia y una técnica pedagógica nueva —como señala la Revista de Educación—, de contenido español y sentido revolucionario. Una pedagogía nueva —contraria a las «pedanterías» y «barbarismos» de la I.L.E.— que habría de ser *católica, tradicional* y *revolucionaria,* siguiendo el ejemplo histórico y el estilo de la Falange[165].

A través de estos escritos, podemos comprobar, pues, cómo aquellas características del Régimen a las que sintéticamente hicimos mención al principio, tiene su fiel traducción

165 Dionisio Ridruejo, decía en otro lugar: «(...) junto a nuestro ser de revolucionarios tenemos que tener valerosa y alegramente el orgullo de ser tradicionalistas (...). Tradicionalistas para salvar de entre la polvareda de la Historia, de entre el brillo glorioso de las mejores hazañas, para salvar lo único que tenemos y por lo que han muerto de verdad los hombres de España: la esperanza de poder volver a ser alguna vez», en «Revolución y Tradición», *Curso de Orientaciones Nacionales..., op. cit.,* vol. II, pág. 327.

en el terreno educativo. Así, nos hemos encontrado con una declarada instrumentalización de la política educativa, un fuerte control del aparato educativo, con un sistema escolar que acentúa la importancia y relieve de la formación patriótica y religiosa y hace del profesorado un cuerpo seleccionado al servicio indiscutible de la nueva «pedagogía española». En definitiva, un sistema coercitivo magnifica la dimensión educativa que regula, conforma y hace homogénea toda la respuesta social. La educación cobra importancia, de ese modo, en la triple y necesaria labor para el Régimen de exaltar el nuevo orden, justificarlo y propagar e inculcar sus valores y objetivos, consiguiendo con todo el equilibrio de la adaptación al nuevo «destino» colectivo del orden social y cultural en constitución; es en períodos como éste cuando se revela, en toda su magnitud, ese papel de la educación en la consolidación de las normas —la estabilidad normativa de Parsons—, o en las funciones de adaptación e integración social. El propio «clima social» como educador, y la propia autocensura social estimularán, incidirán y corroborarán, sin duda, el cumplimiento de ese papel y tipo de educación, en una sociedad en la que se reclama una adhesión inquebrantable y evidente, manifiesta siempre. La socialización política es, pues, tarea fundamental en el modelo y la política educativa de la postguerra española, cuando proporciona conocimientos, o intenta motivar actitudes cuyo referente u objetivo es la política; y ello, aunque la educación política mantenida no pueda, en rigor, ser calificada como tal ya que se circunscribe en una pura «integración» y no admite referentes de transformación, cambio o crítica, por ejemplo, referentes de auténtica formación política en los individuos que la reciben.

Por lo tanto, como puede advertirse también en lo tratado en este trabajo, los contenidos —manifiestos o latentes— de la enseñanza están fuertemente condicionados por ese enfoque: la selección de los mismos, la organización de las materias, los objetivos de las lecciones... lo normativo es siempre esencial, casi unidireccional, constante en la clara labor de adoctrinamiento. Así pues, en ese camino y búsqueda de identidad o identificación-uniformidad social, el lugar o nivel de la integridad y autonomía personal del educando es una cuestión más que preocupante.

El discurso pedagógico de la época refleja bien —además— esa dirección de todos los totalitarismos que promete redención, que tranquiliza con el mensaje de una nueva y definitiva transformación de la humanidad; revolución «espiritual» que enfatiza el decisivo y radical papel de la educación y de algunos de sus caracteres; y se toma con fuerza la concepción de la enseñanza como un apostolado: el maestro —modelo— presentado en esta obra es ejemplo de ese planteamiento ideal de la educación y de la vocación de educador; encubriendo con ello la significación social y política de esa orientación educativa. Un modelo pedagógico que supone —escuela del silencio frente a la de la ciudadanía, como ha escrito el profesor Antón Costa— un alto en el camino en la dinámica histórica de una pedagogía de progreso; un paréntesis en nuestra Historia, importante por su peculiaridad, y decisivo por sus consecuencias.

ALEJANDRO MAYORDOMO
Catedrático de Historia de la Educación
Universidad de Valencia

II
DOCUMENTACIÓN. SELECCIÓN DE TEXTOS

1. RESTAURAR LA ENSEÑANZA. EDUCACIÓN NACIONAL Y CATÓLICA

PEMARTÍN, J., *Qué es «lo nuevo». Consideraciones sobre el momento español actual,* Tip. Álvarez y Zambrano, 1937, Sevilla. Cap. IX, págs. 161-215.

LA INSTRUCCIÓN PÚBLICA

CAPÍTULO IX

(UNIDAD)

I. LO GENERAL

Un buen planteamiento de premisas

Que se nos permita envanecernos ligeramente de nuevo. Como al principio del pasado capítulo VI, hemos de ver otra vez con satisfacción que de premisas bien planteadas resultan conclusiones de transparente y cristalina exactitud.

Nuestras premisas nos muestran a la Nación Española ante todo, como un ser histórico-ético de sustancialidad Católica, del más puro y fiel Catolicismo (capítulo IV). Y a la Nación y al futuro Estado españoles como debiendo compenetrarse en un Fascismo integral (capítulo V) que será «el alma del alma» [1], «la religión de la Religión». Estos antecedentes nos hacen evidente la necesidad obvia de declarar la Religión Católica, Religión Oficial del Nuevo Estado (capítulo VI). De aquí se deduce, en fin, con lógica incontrovertible, que la Enseñanza, que es en realidad la transmisión, «la tra-

[1] MUSSOLINI, *La Doctrina fascista,* Florencia, pág., 20.

dición»[2] del alma de la «Nación-Estado» a las nuevas nacientes generaciones, *ha de ser en la nueva España esencialmente Católica.* Este es el primer Principio fundamental de este capítulo.

Concreción de este Principio

Este Principio fundamental ha de concretarse y realizarse de dos maneras: una *positiva* y otra *negativa.* La *positiva* ha de consistir en la Enseñanza misma de la Religión Católica, que ha de extenderse a todas las etapas de la Enseñanza en general: desde la Enseñanza primaria, por Párrocos y Maestros, pasando por la Enseñanza secundaria en la que ha de haber cursos de Religión obligatorios, hasta la Enseñanza Universitaria, con sus Estudios superiores de Religión y Facultades de Teología.

Y *la parte negativa,* que ha de consistir en una prohibición total y definitiva de enseñar nada contrario a la Ortodoxia Católica; prohibición cuya eficacia ha de realizarse principalmente a través de un seleccionado y competente Cuerpo de Inspectores de Enseñanza, en todos sus grados y modos, dependientes directamente de un Consejo Superior de Cultura y de Enseñanza, de facultades amplísimas y definitivas, en el que la Delegación de la Iglesia ha de ocupar puesto principal. Y paralelamente a esta acción —positiva y negativa— respecto de la Enseñanza Religiosa, se ha de desarrollar idéntica labor de proselitismo y profilaxis respecto de la Enseñanza Patriótica, de la Enseñanza de la Historia de España. Esta ha de ser la *segunda religión* de los Españoles, sin miedo alguno a idolatrías, puesto que por designio altísimo de Dios, en nuestra España, la religión de la Patria se identifica con la religión de la Religión. Todo lo que en estos

[2] Como es bien sabido, en un sentido etimológico y profundo, tradición es transmisión entre las sucesivas generaciones.

y sucesivos párrafos indicamos respecto de la Religión se ha de aplicar, pues, a la Historia y al culto de la Patria.

Este Principio es *básico* y *fundamental* en nuestra concepción de la futura Enseñanza Española. Conseguido esto, todo lo demás nos parece secundario. El Fascismo es, en efecto, una concepción ética y totalitaria, y tiene —y sobre todo en España ha de tener— un fundamento espiritual. Es indispensable, en lo espiritual, poner los medios más eficaces para volver a constituir la unidad religiosa, moral e histórica de España, para «reimpregnar» a España en esa substancialidad que comenzó a disgregarse, a desmoronarse desde el comienzo de nuestro siglo XVIII. Y cuya disolución progresiva ha sido la causa de que media España se convierta hoy en horrible pueblo de salvajes que nos deshonra y avergüenza a los ojos de la humanidad.

Si queremos volver a reintegrarnos en el rango y nobleza de nuestra antigua historia, si, huyendo del abismo a donde hemos caído, queremos volver a la altura de lo que fuimos, hemos de emprender con toda energía, antes que todo y sobre todo, el camino de nuestra regeneración moral. De nada servirán las formaciones, las organizaciones, los brazos en alto, la disciplina de la militarización civil, más o menos coactiva y aparatosa, característica exterior del Régimen Fascista que preconizamos, si no se ha llegado al mismo tiempo a una fuerte disciplina *interior,* a una comunidad religioso-espiritual, basada en lo que tienen de más íntimo y común los españoles —tal vez inconsciente en muchos de ellos— en lo que forma lo mejor de nuestro carácter. En nuestro profundo ser moral basado en el espíritu religioso forjado y amasado calladamente en nuestros hogares por generaciones de madres y de mujeres admirables y dejado desmoronarse y debilitarse por la vana agitación de los hombres, en nuestra superficial, mimética, exótica, miserable vida pública e intelectual de estos pasados siglos...

Hay, pues, que reconstituir con toda urgencia, *con voluntad de hierro,* la comunidad de espíritu histórico-religioso español. En esta obra, la acción de la Enseñanza es el eje central. Si no se considera así, y así se le encauza con toda energía en el sentido que indicamos, todo lo demás que se haga será inútil y el Estado Nuevo fracasará. Quede así terminantemente consignado.

Unidad de esencia y libertad de medios

Habrá personas a quienes parecerán estos Principios demasiado rígidos, demasiado estrictos «para un ambiente moderno». Parecerán tal vez demasiado «atrasados», tal vez se pronuncie a este respecto la manoseada palabra «inquisitorial»... Para éstos no está escrito este libro. Pero a pesar de su incomprensión radical, que hace inútil todo argumento, les haremos notar que todo Fascismo supone una Ideología central, base y fundamento espiritual del conjunto; y que para la propaganda y el desarrollo de esta Ideología se emplean en todas partes procedimientos mucho más estrictos, mucho más enérgicos, mucho más inquisitoriales que los que arriba preconizamos. Sino que a aquellas personas lo que les parece bien para lo que viene de fuera de España, ya no les parece bien para *lo español*.

No sólo no se nos podrá, sin embargo, acusar de rigidez «inquisitorial», sino por el contrario tal vez, además, al conocer nuestras ideas ulteriores, se nos acuse también, paradójicamente, de *liberales*. Porque si bien *para lo esencial,* para la unidad intelectual y moral, reclamamos los Principios espirituales más estrictos por parte del Estado, para lo que consideramos como secundario, es decir, para los «medios», para los «procedimientos», para los «instrumentos», propugnamos una gran libertad. Libertad de Enseñanza, dentro de un régimen rígidamente Fascista. He aquí lo que escandalizará a muchos. Lo que muchos no comprenderán o pretenderán no comprender. Y sin embargo, esas son las líneas esenciales de nuestra concepción de la Enseñanza Española, en el Nuevo

Estado, que creemos muy justificadas. Porque creemos que así se unirán del modo más fructífero posible *la fuerte unidad en los fines esenciales* y la *fructífera libertad en los medios o instrumentos accidentales.* Así es cómo un verdadero Fascismo rendirá su máximo fruto, porque conseguirá la unidad robusta de espíritu, evitando al mismo tiempo el anquilosamiento de un «Estatismo» absorbente y esterilizante.

Pero para hacer comprender bien este nuestro pensamiento fundamental [3] necesitamos recurrir de nuevo a unos conceptos abstractos y generales, que han de facilitar considerablemente nuestra tarea constructiva ulterior.

Son esos conceptos los de «Fascismo intensivo» y «Fascismo extensivo».

Fascismo intensivo y extensivo

En otro libro hemos dado una amplia idea de la *Intensidad* y la *Extensidad,* considerando a estas nociones como Super-Categorías cósmicas. Sin detenernos indebidamente sobre ellas —pues resultaría fuera de lugar— a ellas hemos de recurrir, por su extrema utilidad fundamental para la exposición de lo que sigue [4].

Aunque la Intensidad y la Extensidad son nociones que se deducen principalmente de la consideración de lo Cósmico, de lo Orgánico, son ciertamente de aplicación legítima a lo Histórico-Social que siempre, por uno de sus lados, se apoya en lo biológico-orgánico, aunque por otro se funde en lo espiritual.

Sin entrar, pues, en una investigación completa y fuera de lugar de lo Intenso y lo Extenso, diremos que en estos

[3] Este ha de ser precisamente el fundamento de nuestra concepción «*interna de un muy original y ejemplar Fascismo español*» y ha de servir de base a todos los siguientes Capítulos finales.

[4] Véase en nuestro libro *Introducción a una Filosofía de lo Temporal.* Sevilla 1937. Capítulos V al VIII.

conceptos tenemos como las dos caras, los dos componentes de todo lo Cosmológico, en esa explicitación progresiva, en esa manifestación cósmica total, que pudiera llamarse la *colaboración finalista de la materia en la liberación del espíritu*.

Lo *Intensivo* para nosotros, es lo cualitativo, lo concentrado, lo sintético, lo temporal, lo histórico; lo *Extensivo,* a la inversa, es lo cuantitativo, lo distendido, lo numérico, lo analítico, lo espacial, lo momentáneo. Lo Intenso está cerca de la energía, de la acción, de la calidad, del espíritu; lo Extenso es la potencia, lo pasivo, la masa, lo material.

Y este dualismo parece escindir en dos grandes vertientes, o mejor dicho, dividir en *dos sentidos,* la vertiente insondable de lo humano: el sentido que se eleva hacia lo intenso de lo temporal, de lo energético, de lo concentrado hacia la cumbre del espíritu; y el que desciende hacia lo potencial, cuantitativo y espacial que se resuelve en materia extensiva sin duración...

El mismo dualismo, hemos dicho, caracteriza el perfil evolutivo de las grandes Culturas. Se inician éstas por un alborear religioso, sintético, intenso, historicista, de sangre y de poder; pero llegadas a la cumbre de la civilización, al comenzar la pendiente de la decadencia, con el racionalismo, el espíritu sintético se dispersa en relaciones analíticas, la Ciencia sustituye a la Fe, y lo Religioso *absoluto* es reemplazado cada vez más por lo espacial y *relativo* de lo Jurídico.

Parecido dualismo señalamos ya en los Fascismos (capítulo V, Nación y Estado). Representan éstos, dijimos, un *punto* de inversión: una rama de la curva evolutiva mira hacia lo espacial y decadente del hegelianismo socialista con el que tiene, por decirlo así, una zona de contacto. Pero la fuerza histórica temporalista intensiva «inflexiona» la curva en sentido tradicional cristiano, da enérgicamente contra-vapor en el camino de la catástrofe revolucionaria, *invierte* el curso del destino histórico al borde del abismo comunista; comunismo que es la última consecuencia de la espacialización racionalista, numérica, puramente cuantitativa, de las masas, en la última estapa de la decadencia...

Como consecuencia de este *dualismo* —parte *racionalista* y parte *historicista* de todo Fascismo— resulta la necesidad de intensificar todo lo posible su tendencia histórica ejerciendo en concreto una acción positiva y negativa, que más adelante detallaremos.

«Nación-personificación» y «Nación-relación»

Para mejor puntualizar —de modo general— los párrafos anteriores, hemos de volver, ahondando un poco, sobre los conceptos de Nación y Estado, de los que tratamos en el capítulo V.

Que existe una diferencia entre Nación y Estado, es algo generalmente admitido que no se puede negar. El Fascismo, o sea, la compenetración íntima del Estado con la Nación, no impide que sean algo *distinto;* sólo lo *distinto* puede *unirse.* Ahora bien, esa unión puede hacerse de dos modos: o *por nacionalización del Estado* o por *estatificación de la Nación.* Nosotros optamos resueltamente por el primer método. Y ello por tres matices: como espiritualistas, como católicos y como españoles.

En primer término como espiritualistas porque consideramos —hemos dicho— a la Nación [5] como algo de *fundamento espiritual.* Ahora bien, nosotros creemos que —según nos muestra profundamente Max Scheler— «todo espíritu es esencialmente personal» [6]. De acuerdo con esta honda convicción, nuestra orientación política es esencialmente «personalista». Es la revalorización de la «persona humana» —y no su

[5] Y también naturalmente, al Estado, que es «una especial ordenación jurídica» de aquélla. Véase STAMLER, *Filosofía del Derecho.* Libro IV, pág. 136.

[6] MAX SCHELER, «*De Formalismus in der Ethik und die materiales Wertethik*», págs. 404-405.

desaparición en una organización extensiva estatal— la que ha de revalorizar a la vez a la Nación; y al Estado, forma jurídica de aquélla.

Nuestra política es, pues, de personas y no de masas —«carlyliana» y no «rousseaniana»— de héroes y no de mediocridades; de desigualdad valorativa y no de igualitarismo nivelador.

Y por eso entendemos que una invasión general y extensiva de esa cosa abstracta que es el Estado, disolvente de la personalidad en la irresponsabilidad burocrática —sobre todo en nuestro país— paralizante de la iniciativa personal (invasión extensiva del Estado que es la parte cuantitativa de los Fascismos), es un mal hasta cierto punto *inevitable;* que hay que considerar *como inevitable* (en una Nación de esta época de decadencia), pero *como mal.* Y por consiguiente, que hay que neutralizar por la virtud contraria: por toda la *libertad creadora,* por toda la *iniciativa personal* libre, por toda la amplitud de libertad *instrumental posible.* Amplitud tanto más holgada cuanto más estrictos sean *los Principios del Fascismo intensivo* que propugnamos.

La Nación es, fundamentalmente, en función de su expresión espiritual, un conjunto de energía psíquica que se manifiesta a través de las *personas*[7]. Hay, pues, que dar su mayor valorización a la «Nación-personificación» y disminuir en lo posible la extensión indebida y paralizante de la que llamaríamos «Nación-relación» o sea el Estado. Porque éste es la *parte o modo* de la Nación que se refiere, no al *conjunto*[8] *de perso-*

[7] Como la energía eléctrica hertziana difusa en el éter se concreta y se manifiesta a través de las lámparas de los receptores de Radio; para explicar nuestra idea por un ejemplo.

[8] Lo llamamos conjunto y no simple suma, porque las personas no se pueden sumar, sino integrar, en organismos superiores, al modo de las integrales matemáticas, cuya *integración* «o sumación integral» (que es lo correlativo de la Nación) depende de la forma del *elemento diferencial* correlativo de la persona.

nas integrales sino *al orden jurídico de sus relaciones* recíprocas. He aquí, pues, que de nuevo encontramos a través de este análisis las dos caras de todo ser creado. El *ser parcialmente absoluto* y el *relativo,* lo *intenso* y lo *extenso; la persona,* que es concentración *intensa* y la *relación* que es *extensión* espacial.

En síntesis, si la Nación ha de fundamentarse en algo espiritual, para que esta intensidad espiritual de la Nación llegue a su máximum, hay que tender a una «personificación», a una revalorización integral del elemento «persona» en la Nación. Porque, acaece que el *espíritu* se manifiesta precisamente a través de esos «máxima de concentración intensiva» que son las personas.

Sobre estas firmes consideraciones ontológicas se apoya nuestra convicción de que hay que orientar al Fascismo español hacia el *Fascismo intensivo,* limitando, en lo posible, al *Fascismo extensivo,* o hipertrofia bureaucrático-estatal.

Trascendencia e Inmanencia de la función personal

Se comprenderá aún más fácilmente lo que antecede notando que la *función personal,* o sea, el cometido o papel de la persona en la «Nación-Estado», es a la vez *trascendente e inmanente.* Por un lado la función de la persona humana transciende de sí misma y se integra en el conjunto de personalidades que se llama una Nación, y cuya ordenación jurídica específica es el Estado. Por otra parte, la función de la persona es inmanente y *tiene su fin en sí misma.* El reconocimiento de este *doble* carácter de «la función personal» es un punto central importantísimo en toda la ideología de este Ensayo. Por un lado, la persona ha de estar sometida al bien común, a la idea nacional, al servicio de la Patria; por otra parte, la persona tiene en sí misma su finalidad propia, con derechos inmanentes. El problema de esta *dualidad* no puede ser ignorado; por otra parte, *tampoco puede ser re-*

suelto, creemos, de *modo absoluto,* en abstracto. Pero su *planteamiento* es ya, hasta cierto punto, un principio de orientación hacia su resolución; que ha de hacerse *en concreto, con arreglo a las modalidades especiales psicológico-sociales* de la Nación. Por eso hemos querido plantearlo desde este capítulo, que es el primero en que se considera *la estructura interna* del Fascismo español. Y creemos encontrar una solución en la noción de *Fascismo intensivo,* en la que se da todo su valor a la *función inmanente* de la persona pero *integrada en la trascendencia de un ideal total Nacional.*

La Iglesia reconoce fundamentalmente esta doble función personal, puesto que *en el orden político* prescribe la *sumisión de la persona al bien común:* pero *en el orden moral* antepone a todo, incluso a ese bien común social, la salvación del alma, *su principal empresa,* que es empresa *esencialmente personal.* Es la *persona la que se salva* y no la Sociedad o la Nación, las que con respecto a la salvación, toman un carácter no principal sino instrumental; mientras que la *persona,* respecto de la salvación reviste esencialmente el carácter de principal.

Por eso la Iglesia ha sostenido siempre la existencia de deberes y derechos de la persona, inalienables, anteriores y superiores a los del Estado, que han provocado a veces fricciones entre la Iglesia y un estatismo Fascista demasiado absorbente [9]. Cierto es que aquí en España con el Fascismo intensivo esencialmente Católico, que propugnamos, estas fricciones se anularían por completo. Pero hemos querido citar esta Doctrina, que podemos llamar «personalista», de defensa de los derechos primarios esenciales de la persona, como confirmación evidente de los Principios que sustentamos y que emanan, para nosotros los Católicos, de la más alta autoridad.

[9] Son los que han originado las fricciones, que esperamos se han de atenuar cada vez más, de la Iglesia con el nazismo Alemán, por ejemplo, sobre los derechos de los padres sobre los hijos, de la enseñanza religiosa, de la eugenesia, etc.

La Ciencia más moderna confirma, por otra parte también, rotundamente, nuestras opiniones. En el admirable libro que ha hemos citado varias veces del Dr. Alexis Carrel, del Instituto Rockefeller, *L'Homme Cet Inconnu* [10] se hace una apología de las más interesantes y más científicamente fundadas de la necesidad urgentísima, en el estado de decadencia de hoy, de la regeneración de la *personalidad humana.* Este ilustre sabio vive en el centro más característico de lo que se pudiera llamar la civilización moderna, en New York, en uno de los Centros Científicos más importantes y admirablemcnte dotados del mundo; y deduce en ese libro extraordinario, importantísimas conclusiones en el sentido que propugnamos, entre las que extraemos las siguientes:

«Hay que devolver al ser humano, *standardizado* por la vida moderna, su personalidad».

«Los hombres no son máquinas fabricadas en serie. Para reconstruir su personalidad debemos romper los cuadros de la escuela, de la fábrica y de la oficina y de rechazar aun los mismos principios de la Civilización tecnológica».

«Sabemos que los seres humanos, siendo individuos [11], no pueden ser educados en masa. Que la escuela no es capaz de reemplazar la educación individual dada por los padres. Los maestros de escuela cumplen frecuentemente satisfactoriamente su cometido intelectual. Pero es indispensable también desarrollar las actividades morales, estéticas y religiosas del niño. Los padres tienen en la educación una función que no pueden abandonar... La mujer debe ser restablecida en su función natural, que no es solamente hacer hijos, sino también educarlos».

«En las oficinas gigantescas de las grandes Corporaciones, en los comercios, tan vastos como ciudades, los empleados

[10] Plon, parís, 1934.

[11] El Dr. Carrel emplea la palabra «individuo» en el mismo pleno y completo sentido que nosotros damos a la palabra «persona».

pierden su personalidad, como los obreros en la fábrica. En realidad se han proletarizado. Parece que la organización moderna de los negocios y la producción en masa sean incompatibles con el desarrollo de la personalidad humana. Si es así, es la Civilización moderna y no el hombre lo que debe ser sacrificado».

«Al fin y al cabo es el desarrollo de la personalidad humana lo que constituye la finalidad suprema de la Civilización»[12].

Mucho nos complacemos en reproducir aquí estos importantísimos párrafos de una obra tan interesante, escrita en el seno de ese centro de la Civilización mecanizada y espacializada, que es New-York, por uno de sus más ilustres sabios. Y de ver así una brillantísima confirmación profana de la eterna sabiduría de la Iglesia, al defender las *prerrogativas básicas de la personalidad humana,* como elemento fundamental de lo que nosotros llamamos el Fascismo intensivo, que consiste, no en la desaparición de la personalidad en un Estado extensivo y absorbente, sino su revalorización total por su integración en el ideal superior que constituye *el Fascismo intensivo espiritualista.*

II. Lo particular español

La doble acción orientadora del Fascismo Español

De todas las consideraciones anteriores que se *pudieran llamar generales,* se deduce evidentemente la consecuencia concreta y particular que ya indicamos: la necesidad de orientar decididamente el Fascismo *español,* para que consiga su pleno éxito, hacia la tendencia *intensiva,* espiritualista, historicista, ejerciendo una doble acción a la vez positiva y negativa.

[12] Dr. Alexis Carrel, *obra citada,* págs. 384 a 389.

La primera consistirá en reintegrar hondamente a España en su substancialidad Católico-tradicional. A esto va encaminada —en abstracto con relación a la Enseñanza— la primera parte de este capítulo, la orientación radical que hay que imprimir a la Enseñanza española en el sentido de la Ortodoxia católica; tanto, como hemos dicho, por la Enseñanza de la religión en todos los grados, como por la prohibición absoluta y total de la difusión proselitista de las Doctrinas anticatólicas; cuya realización *concreta* hemos de detallar en la tercera parte de esta capítulo.

La segunda acción o acción negativa se ha de conseguir en términos generales —no sólo con relación a la Enseñanza, sino a todas las actividades del Estado— limitando en lo posible la invasión extensiva de aquél [13], cuya forma más corriente y perniciosa es la extensión de «la Burocracia funcionarista»... La extensión de la *Burocracia funcionarista* es una enfermedad derivada de la invasión del Estado, de la intromisión cada vez mayor del estado en todas las manifestaciones de la vida social. Es algo intrínsecamente paralizador, esterilizante, consumidor del presupuesto y, lo que es mucho peor, entorpecedor de todo desarrollo de actividad personal. El funcionarismo burócrata es ciertamente un *mal necesario.* Es *necesario,* porque es preciso que un Estado fuerte y moderno tenga un organismo eficaz de fiscalización y acción; pero no se olvide nunca que si *es necesario* no por

[13] En Italia y Alemania se ha conseguido atenuar, hasta cierto punto, este peligro del *Fascismo extensivo,* en primer término por la circunstancia exterior, que hace que ambas Naciones se encuentren realmente movilizadas, en semi-estado de guerra. Y así la *tensión externa* eleva la *fuerza* de acción interior. Además, como es bien sabido, «la burocracia» Alemana es una burocracia modelo, excepcional, toda llena de sentido, de disciplina militar, creada por 43 años de Monarquía Imperial. Véase sobre ésta, Hitler en *Mein Kampf,* pág. 149: «Alemania era el país mejor organizado y mejor administrado... Sobre su Constitución estatal (Monárquica), su Ejército y su Organización Administrativa descansaba la fuerza y el poderío del antiguo Imperio...».

eso deja de ser mal. Porque el Funcionario burócrata *es el verdadero* parásito de la Nación. Que destruye el sentido de *responsabilidad personal,* difusa en la trama irresponsable y apática de la jerarquía burocrática (o en el todavía peor «tejemaneje» de la política). Que disuelve y destruye el valor de energía e iniciativa del interés personal.

La extensión de la Burocracia —uno de cuyos matices fueron los famosos «enchufes»— es un mal *inevitable* en los períodos de decadencia política y social. En primer término, en los tiempos de la decadencia política —en lo que llamamos en general «la Revolución mansa»— porque la política extiende su acción cuantitativa y de masas; y para premiar y halagar a éstas las hace participar ampliamente del Presupuesto de la Nación, que a los políticos y a las masas les parece fuente inagotable. Esta tendencia, esterilizante y ruinosa, amenaza extenderse, incluso en el Régimen Fascista, que por la hipertrofia del Estado tiene una zona de contacto, como hemos explicado, con el socialismo revolucionario, o con la revolución mansa democrático-burguesa. Contra este peligro esterilizante y ruinoso hemos de reaccionar fuertemente, corrigiendo y reduciendo el funcionarismo burocrático a sus *límites indispensables,* en España más que en parte otra alguna.

Pero el fenómeno de la invasión burocrática lo produce no sólo, como hemos visto, la decadencia política, sino además también la *decadencia social.* En los períodos de decadencia como el que atravesamos, con la disminución de la fuerza de la personalidad, con la falta de iniciativa personal, el individuo, el ciudadano en general, se siente débil para la lucha por la vida y trata de refugiarse en la cada vez más extensa organización del Estado. Es un hecho positivo que una masa cada vez más extensa de españoles no tiene otro ideal que el *hacer a sus hijos funcionarios,* el buscar la nómina modesta, pero segura, el hacerlos dependientes cada vez más del Estado, el hacerlos verdaderos parásitos de la Nación;

puesto que el funcionario burócrata, aun el mejor, ejerce, cuando más una buena función de fiscalización. Pero nunca una buena función productora. En aquellas Naciones en que la «Estatificación» de algunas grandes Empresas o Industrias se ha llevado a cabo de modo total, siempre estas Empresas han funcionado mucho peor que las similares de la Industria privada. Es un hecho de experiencia constante [14].

La condición social de España en particular, favorece muy particularmente esta tendencia en los tiempos actuales. La ruina de muchos propietarios, principalmente agrícolas, de muchas empresas comerciales o industriales, debidas al desorden revolucionario, a las huelgas, a las exigencias desordenadas, y sobre todo, más que todo, a la falta de rendimiento sistemático y voluntario en el trabajo obrero, había mermado, extraordinariamente —o arruinado a veces totalmente— la posición social de una gran masa de burguesía o de clase media española; ha surgido de ella una extensa juventud, una cantidad considerable de «hijos de familia» venidos a menos, que buscaban y buscan en «el funcionarismo estatal» una más cómoda y fácil solución al problema de su vida —llena de necesidades heredadas sin los medios de satisfacerlas—. Encuentran una más cómoda y fácil solución en ese funcionarismo que en un trabajo largo, paciente e intenso, en una valerosa iniciativa personal independiente, que es la realmente creadora. Puesto que la persona de iniciativas, al crearse una posición para él, la crea al mismo tiempo para la sociedad en que surge [15]; al contrario, el que siguiendo el ca-

[14] Un ejemplo que recordarán todos los que hayan viajado por Francia. La Compañía «Ouest-Etat» es notoriamente la peor de todas las de Caminos de hierro franceses porque pertenece al Estado desde el comienzo del siglo. Otro ejemplo es España: para que los Arsenales del Estado hayan podido hacer algo útil a la Marina ha sido preciso ceder su función, en gran parte, a una Sociedad privada, la Constructora Naval, etc., etc.

[15] La magnífica vitalidad, la fuerza de expansión espléndida del Imperio Británico —del que no por muy odiado han de ser menos reconocidas

mino de la menor acción, se incrusta en el funcionarismo del Estado, no sólo *no crea* nada para la sociedad, sino que se convierte —casi para la totalidad de sus necesidades— en un parásito de aquélla.

Todavía más. La tendencia a organizar un gran partido único en que se fundan todos, que es a lo que probablemente se ha de llegar en España, a ejemplo de Portugal, Italia y Alemania [16], ha de aumentar en cierto modo el declive o inclinación peligrosa o paralizante que reseñamos. Un vasto y único partido moderno, extensivo, con organizaciones, oficinas, formación, propaganda, etc., es por decirlo así un nuevo Estado dentro del Estado. Y por muy compenetrados que estén, como serán hasta cierto punto cosa distinta, se doblará o por lo menos se aumentará, con la nueva burocracia inevitable, la extensión de la actual.

Hemos querido señalar, de modo general, no con relación tan sólo a la Enseñanza —como hemos dicho— sino con relación a todas las actividades del Estado, la necesidad de evitar *en todo lo posible* este mal inevitable; mal mayor tal vez entre nosotros que en ninguna otra parte por la psicología del pueblo español [17].

* * *

las grandes cualidades— ha residido principalmente, a nuestro juicio, en las generaciones de segundones e hijos menores de las grandes familias inglesas, que se veían sin capital propio, por la libertad de testar y la Ley y costumbre del Mayorazgo, que aún subsiste en Inglaterra. Pero que todos ellos recibían una excelente educación, en las famosas «Public Schools» inglesas, y tenían todos los deseos y estímulos de engrandecimiento del ambiente señorial en que se educaron. Estas numerosas generaciones de segundones pobres pero admirablemente preparados para la lucha es la que ha producido todas esas Empresas magníficas industriales, comerciales y coloniales de tan marcado sentido imperial, con las que se enorgullece el Imperio mayor del mundo.

16 Al imprimirse estas líneas esa unificación se está realizando bajo la iniciativa feliz del Caudillo.

17 El caso alemán no puede en absoluto tomarse como ejemplo. La burocracia alemana es un caso excepcional *único,* debido a la psicología es-

Tal vez se nos acuse de pesimismo o de escepticismo; pero sin razón. Somos tan sólo *realistas* al mismo tiempo que *idealistas;* nuestro proclive científico a ello nos obliga.

Y ese realismo nos exige, para conseguir el triunfo de nuestro idealismo, que se trate de resolver el problema «idealístico-realista» dentro de la más científica sinceridad objetiva.

Y estas premisas, claras y concretas a un tiempo, sobre lo *intenso* del Fascismo español, al iniciarse la nacionalización del Estado nuevo, nos llevan, con transparencia y exactitud a nuestro juicio muy satisfactorias, a la solución, en primer término, del problema de la Enseñanza.

III. Lo particular de la enseñanza

Enseñanza oficial y Enseñanca privada

Con nuestro criterio esclarecido por las consideraciones anteriores, podemos, pues, abordar franca y decididamente el complejo problema de la Enseñanza española..

El primero y más interesante problema que se nos presenta es el de la relación entre la Enseñanza oficial y la Enseñanza privada.

Otros países Fascistas tienden a resolver esta cuestión en un sentido unilateral, tratando de absorber cada vez más la Enseñanza privada por la Enseñanza oficial, y dar a ésta des-

pecialísima del pueblo alemán. Yo explico esta notabilísima excepción por la disposición general del alma alemana hacia la música sinfónica.

Quien haya asistido a un gran concierto de aficionados de música sinfónica alemana y haya oído a numerosísimos músicos y cantores compenetrados en absoluto con la disciplina unitaria de la batuta magistral, pero realizando apasionadamente cada uno, dentro de la sinfonía general, su música particular, viviente, comprenderá algo del alma germánica y de la perfección de aquella burocracia. Nosotros los latinos, no somos sinfónicos. Somos magníficos tenores o solistas —Gayarre o Sarasate— en las cumbres, y, en la base, la murga. No tenemos término medio.

de luego una extensión total dentro de la ideología central del Estado. Esto ha provocado, como es bien sabido, disentimientos con la Iglesia. Aquí en España, aunque el carácter eminentemente Católico de nuestro Fascismo alejaría desde luego este peligro, desde un punto de vista práctico, se impone una solución bilateral. Que trate de dar toda su importancia a lo esencial, a la unidad ideológica y moral —o Fascismo intensivo— y de salvaguardar, al mismo tiempo, la iniciativa personal, la competencia privada, que contrarreste los defectos de la burocracia estatal, inevitable incluso en la Enseñanza.

Una «estatificación» general de la Enseñanza en España en el momento actual, sería además cosa totalmente imposible; puesto que tal vez un 75 por 100 del personal oficial enseñante, ha traicionado —unos abiertamente, otros solapadamente, que son los más peligrosos— a la causa Nacional. Una depuración inevitable va a disminuir considerablemente, sin duda, la cantidad del personal de Enseñanza oficial. En estas circunstancias hay una imposibilidad práctica para la estatificación total de la Enseñanza española; imposibilidad práctica que agregada a las consideraciones tan importantes anteriormente expuestas, nos marcan, en términos precisos e indudables, la solución que se ha de adoptar.

Esta ha de consistir en el desarrollo paralelo e intensivo de las dos Enseñanzas, cada una corrigiendo y completando los defectos de la otra en una legítima competencia; y ambas, estrechamente unidas en una común ideología Católica que las unirá y las compenetrará cada vez más; ideología central impuesta a ambas por la inflexible inspección y «control» del Estado.

No hay que olvidar, en efecto, que la formación de la juventud comprende dos cometidos, que no son equivalentes: la *Instrucción* y *la Educación*.

En términos generales podemos afirmar ciertamente que estos dos importantes cometidos se han cumplido en grado *inverso* por las dos grandes ramas de la Enseñanza española, la Oficial y la Privada. La Enseñanza Oficial, sobre todo en sus grados superiores, ha instruido bien, pero no ha educado. Por el contrario, en general, la Enseñanza Privada, la Enseñanza de las Órdenes Religiosas, se ha cuidado más de educar que de instruir bien: ha educado cristianamente, moralmente, de modo admirable a las pasadas generaciones jóvenes, prolongando la acción educadora de los hogares cristianos, y produciendo toda una juventud que cuando ha llegado la hora trágica presente, ha sabido morir tan heroicamente por Dios y por la Patria. Pero [18], hay que decirlo porque lo creemos verdad, la calidad de la instrucción de los Colegios de Órdenes Religiosas ha sido a veces más deficiente que la de la Enseñanza Oficial.

Si, pues, se devuelve a la Enseñanza Oficial española su fondo católico y patriótico, del que la despojaron las generaciones de intelectuales y catedráticos anti-españoles, de orientación exótica, irreligiosa, masónica, que desde su Ciudadela de la Institución libre de Enseñanza caciqueaban a su gusto en toda la enseñanza Oficial; si se devuelve a la Enseñanza Oficial española su verdadero «ser» ideológico-Católico, aquélla recobrará su facultad formativa, educativa, de la que estaba absolutamente privada. Como lo demuestran esas generaciones de jóvenes de estos últimos tiempos, sin criterio, sin fundamento, que no han vuelto a encontrar ahora el hondo sentido hispánico, sino a través de un instinto muy hondo y lejano; conservado sin duda en ellos por la substancialidad espiritual materna, de sus hogares, de las admirables madres españolas, de nuestras incomparables mujeres

[18] Hay muchas excepciones notables muy dignas de tenerse en cuenta, sobre todo en la Enseñanza técnica. Así la Enseñanza técnica del Instituto Electro-Mecánico de los Jesuitas de Madrid era insuperable; y en el otro extremo, la Enseñanza de oficios para obreros en los Talleres de los Padres Salesianos, es también algo inmejorable, tanto por la Enseñanza en sí, como por el cometido educador y social que asumen.

que han tenido que sustituir a los hombres, vanos e imbéciles, en la conservación del ser moral de España.

Cuando hayamos impregnado de Catolicismo y de Patriotismo genuinamente español a nuestra Enseñanza Oficial, descastada y desespañolizada, se le habrá devuelto su facultad formativa y educativa, de la que en los últimos 50 años careció. *Pero esto es la obra de toda una generación; tal vez de varias.*

Y entretanto la Enseñanza privada, las Órdenes Religiosas y Colegios particulares, continuarán cumpliendo su cometido educativo en la Enseñanza, en libre competencia con la Enseñanza del Estado; no solamente en libre competencia, sino favorecidos y subvencionados por el Estado. Ambas Enseñanzas, desde luego, enseñarán las mismas doctrinas católicas y patrióticas *en lo esencial;* y gozarán de una gran *autonomía en lo accidental e instrumental.* Así en una colaboración recíproca, complementando mutuamente sus deficiencias con sus ventajas, salvando toda la fuerza creadora de la iniciativa personal, y, evitando la paralización de «lo oficial», llegarán ambas Enseñanzas a proporcionar a las nuevas generaciones, a la vez la Instrucción y la Educación, la Ciencia y la Formación, que cada una de ellas por sí sola, en los tiempos pasados, eran incapaces de dar —salvo excepciones— en su total integridad.

En síntesis, nuestra visión del conjunto de la Enseñanza española es la que sigue:

1.º Para el presente: Una colaboración de ambas Enseñanzas en el doble cometido de la Instrucción y Educación Nacional, que ni teóricamente ni prácticamente pueden cumplir por ahora, en su totalidad, ninguna de las dos *por sí solas.*

2.º Para el porvenir: Una cada vez mayor compenetración de una y otra Enseñanza, proveniente, no de una fusión artificial por decreto estatal y *externo,* sino de una compenetración íntima que resulte de la unión moral e ideológica *interior,* consecuencia de la Catolización progresiva y total de la Enseñanza Oficial.

3.º En el intermedio: Aplicación beneficiosa de lo que hemos llamado *Fascismo intensivo,* es decir: Unidad en lo ideológico esencial, Libertad en lo Instrumental secundario, Caridad de amor patrio, religioso e intelectual en todo. Plena utilización provechosa de la libre iniciativa individual, enmarcada inflexiblemente en una Comunidad de principios Religiosos y Patrióticos.

Bosquejo en líneas más precisas

Dibujado así en unas líneas generales lo que, según nuestra opinión, puede ser la orientación general de la Enseñanza española en el Estado nuevo, séanos permitido ahora, meramente a título de hipótesis y sin ninguna pretenciosa aspiración de exactitud técnica, bosquejar en líneas concretas y precisas lo que puede ser la transformación, la forma futura —en un futuro inmediato— de la Enseñanza española. Y en su cuádruple aspecto de Universitaria, Secundaria, Primaria y Profesional.

La Enseñanza Universitaria

No pretendemos, hemos dicho, ni por un momento fijar normas para una reforma Universitaria. Sería pretencioso y fuera de lugar. Además, Doctores tiene la Iglesia...

Nuestra única idea es llamar la atención sobre algunos puntos que nos parecen interesantes, y fijar la atención sobre ellos. Y ateniéndonos siempre a nuestros deseos de realizar, no sólo una obra crítica, sino sobre todo una labor constructiva, exponer sobre cada uno de estos puntos nuestra modesta opinión. No por lo que valga en sí, sino porque a veces cosas sencillas y obvias, que hay que hacer, no se les ocurre a nadie, ni aún a inteligencias superiores. La historia del huevo de Colón se repite a menudo. En estas cosas de la Cultura andamos siempre pisando huevos... de Colón.

Los puntos más importantes sobre los que creemos merece fijarse la atención, son los siguientes:

a) El Catolicismo en las Universidades.
b) La extensión de las Universidades.
c) La eficacia de las Universidades.
d) La especialización de las Universidades.
e) La política en las Universidades.

a) EL CATOLICISMO EN LAS UNIVERSIDADES.—Es imperativo dentro de nuestros principios el recatolizar a las Universidades de España. Claro es que esta acción será, en sus efectos, gradual. Quiero decir que como la «laicización» o «descatolización» (que es lo mismo) de las Universidades españolas ha sido una de las más completas y nefastas obras de la República —a la vez efecto y causa de la Revolución que nos destroza— la vuelta al Catolismo de las mismas no se podrá *conseguir* totalmente, íntegramente, sino pasado algún lapso de tiempo. Por eso no hay que perderlo y hay que poner inmediatamente manos a la obra, estableciendo Cátedras de Altos estudios Religiosos en todas las Universidades y en todas sus Facultades.

Hay que pensar, en efecto, que según nuestros principios del *Fascismo Español Intensivo,* la catolización de toda la juventud española ha de ser el fundamento de todo lo demás. Por consiguiente desde la Enseñanza primaria, como detallaremos más adelante, y a través de toda la Enseñanza secundaria, tanto privada como oficial, la Enseñanza de la Religión católica habrá de ser un punto esencial, que se extenderá a todos los grados pedagógicos. Resultaría, pues, un absurdo que al desembocar el joven estudiante en la Universidad se viera de pronto privado de una Enseñanza fundamental que le acompañó durante toda su vida estudiantil. Se daría la impresión absurda —pero desgraciadamente muy frecuente— de que la Religión es cosa de niños o de jóvenes;

pero que ya los hombres no necesitan preocuparse tanto de ella. Y todavía peor: que cuando se llega ya a estudios elevados no caben entre ellos los de la Religión que son algo más elemental; la superioridad de la Ciencia sobre la Fe, que fue el necio fetiche del siglo «estúpido», encontraría un argumento implícito en esta ausencia de la Regiligión de las Universidades.

Se desprende evidentemente de estas orientaciones la necesidad ineludible de prolongar la Enseñanza de la Religión en el seno de la Universidad. Es más, es en la Universidad, en la coronación intelectual de la juventud, cuando esta Enseñanza es más necesaria. Claro que es también cuando esta Enseñanza *es más delicada.* Es el momento de las pasiones y de las dudas. Cuando las tentaciones de la carne, se alían tan eficazmente a los asaltos pseudo-científicos a la Fe; cuando el joven pecado brilla como poma dorada bajo las ramas del árbol de la Ciencia del Bien y del Mal...

Será preciso que la intelectualidad Católica española, Eclesiástica o Secular, movilice sus mejores espíritus, bajo la guía solícita y materna de la Iglesia y de las Órdenes Religiosas, para crear en nuestras Universidades sabias y atrayentes, Cátedras de Apologética superior, de Historia de la Religión, de Teología, de Moral social y profesional, de Sociología Cristiana, etc. Enseñanza de asistencia obligatoria que habrá de ser de la más alta calidad, puesto que se habrá de tratar en ella de aquellos puntos más delicados de la apologética —algunos de ellos aún todavía no definidos por la Enseñanza dogmática de la Iglesia— que se refieren, por ejemplo, a la interpretación de la Biblia y de las Escrituras, a la Exégesis, a la Historia de la Iglesia y de las Herejías, a la Creación del mundo, a las contradicciones aparentes entre la Fe y la Ciencia, etc., que habrán de desarrollarse ante un auditorio de intelectualidad ya informada, de capacidad selecta. Una Enseñanza mediocre a estas alturas, sería absolutamente contraproducente; sería peor el remedio que la enfermedad. Por eso, si estimamos imprescindible llevar la Enseñanza religiosa con carácter obligatorio a todas las Facultades de la Universidad, hay que cuidar de que su calidad sea absolutamente inmejorable.

Hemos dicho que la Enseñanza religiosa superior ha de alcanzar a todas las Facultades de las Universidades. Desde luego tiene su lugar evidente en la de Filosofía y Letras. También lo tiene en la de Derecho, como Fundamento Filosófico del Derecho Natural, y como complemento de otras varias ramas: Derecho Canónico, Sociología, Economía, etc. Será preciso también buscarle un lugar adecuado en las Facultades de Medicina y de Ciencias Exactas, Físicas y Naturales. Es evidente que la formación intelectual de un Matemático o de un Médico, es muy incompleta si no se acompaña a las disciplinas especiales de estas ramas de la Ciencia con algunas asignaturas Universitarias que vengan a completar los conocimientos generales del Bachillerato. Unos estudios de Teoría del Conocimiento, de Lógica, de Metafísica y de Historia Elemental de la Filosofía, así como un par de asignaturas de Historia de España y Universal, que completen el sentido *patriótico y católico,* que el Estado Nuevo Fascista habrá de exigir a los estudiantes de Medicina o de Ciencias, no solamente no estarán de más en estas Facultades, sino que los juzgamos indispensables par la elevación de cultura de los dedicados a estas ramas del saber, a los que su misma *especialización* produce después, muy frecuentemente, una estrechez de espíritu altamente nociva [19]. Pudieran cursarse, parte de estos conocimientos generales, en un año preparatorio común para todas las Facultades. En éste cabrían estas

[19] Claro que no se necesita de mucha Filosofía para despachar buenos específicos en el mostrador de una Farmacia o para manejar prácticamente el bisturí. Pero no está de más el complementar la Cultura genral de los estudiantes de estas ramas con aquellos conocimientos. Los «Monsieur Homais», no solamente han hecho reir a las pasadas generaciones, sino que les han hecho un inmenso y estúpido daño.

asignaturas de Filosofía y de Historia, a las que la Enseñanza religiosa superior serviría de suplemento; en cursos sucesivos podrían ampliarse estos estudios filosóficos y religiosos, con asignaturas —especializadas para cada uno— de Alta Apologética y Controversia, Moral Cristiana profesional (Eugenesia, Sociología, Ética de anormales, etc.). Los técnicos pueden fijar más adecuadamente que nosotros en ensamblaje de estos Altos estudios de Filosofía, Religión e Historia Patria, con las disciplinas de las Facultades de Medicina o de Ciencias. Nosotros no hacemos más que apuntar la necesidad de su implantación, que completaría y equilibraría la Cultura general de los estudiantes de aquellas dos ramas del saber, muy deficientes a menudo en este respecto.

Un Estado totalitario, de fundamento Fascista, tiene que exigir necesariamente a sus Médicos, Físicos y Matemáticos, a más de la Cultura específica de su especialidad, la orientación Cultural general de la Nación-Estado: Religiosa y Patriótica. Lo que se exige en el Extranjero hay que exigirlo en España.

Consideramos, pues, empresa absolutamente necesaria, aunque delicada y de eficaz precisión, la implantación de los Altos estudios Religiosos en todas las Facultades de las Universidades españolas. Por otra parte, las dificultades que se presentan para esta *renovación* y que ahora parecen mayores, irán disminuyendo rápidamente con los años sucesivos; a medida que vayan llegando a las Universidades generaciones de jóvenes estudiantes que hayan recibido desde sus primeros estudios y continuado durante el bachillerato, una sólida enseñanza religiosa. La continuación de esta Enseñanza, con mayor profundidad Científica y Filosófica, a su entrada en las diversas Facultades de las Universidades, no sólo no les parecerá extraña en ninguna rama de aquéllas, sino que, antes al contrario, sería su ausencia la que parecería anormal, la que significaría un desequilibrio y una amputación en su Cultura.

Como consecuencia de todo lo expuesto, creemos que no estaría de más crear, en algunas Universidades importantes,

Facultades de Teología, como rama específica general de la de «Filosofía y Letras» de hoy. Sus Diplomas, del más alto valor Filosófico y Teológico, podrían ser rebuscados por aquellos Catedráticos o Religiosos que se destinaran precisamente a las Cátedras de Enseñanzas Religiosas de las Universidades, complemento de los estudios de las diversas Facultades a que en párrafos anteriores aludimos [20]. Facultades de Teología que no tendrían nada de parecido con esa Universidad Católica que pretendía fundar don Ángel Herrera, como imitación de las de Francia y de Bélgica. Estas pueden tener alguna utilidad en aquellas Naciones en que se considera al Catolismo en débil minoría; en que *se tolera* al Catolicismo. En la España futura, una tal Universidad «mal-minorista» —que don Ángel Herrera intentó implantar cuando la República, y en la que hubiera sin duda reservado una Cátedra a Maritain [21], no sólo sería algo inútil y fuera de ambiente, sino que pudiera ser hasta pernicioso.

[20] Claro que los Teólogos se forman en los Seminarios. Los Seminarios españoles —salvo excepciones— no han estado en general en estos últimos tiempos a la altura de la importantísima y delicada misión universitaria que aquí se pretende. Pero mediante el aumento del Presupuesto Eclesiástico que con anterioridad (Capítulo VI) propugnamos, podrán mejorar muchísimo su labor docente. También se cuenta con la competencia superior de las Órdenes religiosas. Pero con todo creemos muy conveniente la creación, solamente en algunas Universidades importantes, de Facultades de Teología. Existen en Alemania. En Francia se dan cursos de Altos estudios religiosos —desgraciadamente siempre por personas escogidas por el Gobierno masónico entre los más notorios herejes— en ese Alto centro del saber mundial que es el «Collège de France». En España se tuvieron y muy ilustres en nuestro Siglo XVI, antecedente histórico directo de nuestro Movimiento salvador; razones éstas, a más de las importantísimas arriba expuestas, que nos inclinan decididamente a favor de la implantación de dichas Facultades de Teología.

[21] Jacques Maritain es un conocido Filósofo católico francés, de los católicos rojizos, que don Ángel Herrera trajo a Santander para los Cursos de Verano de la Acción Católica, y que hace poco firmó con otros cuantos Filósofos y Escritores franceses —de esos católicos del periódico *La Croix,* donde escriben los innobles hipócritas José Bergamín y Ossorio y Gallardo— un manifiesto desfavorable para el Movimiento salvador de España.

Al contrario, en vez de saparar y poner, como aparte, a los católicos en la Universidad, o en una Universidad particular, señalando así más la diferencia entre los católicos y los que no lo son [21], o entre los católicos tibios y los católicos fervorosos, nosotros lo que pretendemos es dar un sello católico general a la Universidad española en su totalidad, como representación la más alta y selecta de la Cultura española, de la Cultura del Estado Nuevo, fascista-católico, que diseñamos.

b) La Extensión de las Universidades.—Entre lo que se lee de vez en cuando sobre proyectos futuros Universitarios, aparece algunas veces la idea de disminuir en extensión a las Universidades; quiero decir de suprimir algunas. No vamos a ser nosotros, partidarios decididos de lo *intensivo* contra lo *extensivo,* los contrarios a esta tendencia, en principio. En la práctica, sin embargo, a pesar de la falta cuantitativa de personal docente adecuado que la depuración ineludible ha de producir, preferiríamos que no se suprimiera ningún Centro de Enseñanza Oficial española, sea el que fuera. En primer término, porque son centros de vitalidad espiritual, y de la mejor, a pesar de todos sus defectos. Y a nuestra desgarrada España en construcción buena falta le harán. Claro es que como *función docente,* bien mala es la que ha desempeñado la Universidad de Murcia por ejemplo, que sólo servía para expedir Diplomas «en serie» a los ignorantes, o la Universidad de La Laguna, que ha servido principalmente para hacer abogado sin estudiar al fresco y canallesco Lerroux. De todos modos, sean cuales fueren sus deficiencias, nosotros preferiríamos que

[22] El agregar sistemáticamente el adjetivo «católico» para distinguir a las actividades de una minoría, actividades de partido, periodísticas, políticas o profesionales, en sus varias manifestaciones, «Diario Católico», «Círculos de Estudios Católicos», «Partido Católico», «Propagandistas Católicos», etc., tiene frecuentemente más inconvenientes que ventajas, puesto que en el adjetivo «católico» se encubren muchas veces actividades políticas, deseos de avance profesional, o de arribismo juvenil, que comprometen y desprestigian al *adjetivo* con las deficiencias, ambiciones o defectos del *sustantivo.*

ni en Murcia, ni en Tenerife se suprimieran Centros Docentes. El suprimir un Centro Docente, sea el que fuera, es para nosotros matar algo de lo espiritual por mínima que sea su potencialidd. Ahora bien, podrían, eso sí, transformarse. En Murcia sustituir a su desprestigiada Universidad por una buena y reputada Escuela de Agricultura; en Tenerife, por una Escuela de Alto comercio, de Economía, de Náutica[23]. Nosotros, en estas cuestiones técnicas y más bien de detalles y ajuste de la enseñanza, nos limitamos a exponer modestas opiniones, desde luego falibles. Son los Principios, las Orientaciones generales las que tienen nuestra mayor atención y más profundo cuidado.

c) LA EFICACIA DE LAS UNIVERSIDADES.—No disminuir la extensión de la Enseñanza Universitaria, si es posible; no aumentarla tampoco por ser imposible. Pero, eso sí, aumentar todo lo posible su eficacia y su rendimiento. He aquí los Principios orientadores que nos parece debemos consignar. Y para aumentar la eficacia de las Universidades, nada nos parece tan conducente como una bien entendida «Autonomía Universitaria». Libertad instrumental dentro de una estricta rigidez de principios. He aquí cómo entendemos el fascismo intensivo. Por consiguiente, en lo administrativo, en lo económico de las Universidades creemos que deberá concederse a éstas la más amplia autonomía. El Estado deberá enviar sus consignaciones

[23] La burocracia, el funcionarismo de Estado aun en su forma enseñante, que es la más elevada, es algo que se extiende siempre; todo lo más que se puede con él es detenerlo, pero nunca disminuirlo. Una vez que el Estado comienza su inundación extensiva de burocracia, de funcionarismo docente, o de otra clase, esta inundación no retrocede nunca; nunca llega la hora del reflujo. Por eso, porque sabemos que los Centros Docentes —Universitades de Murcia y La Laguna por ejemplo— no se suprimirán, que empeños, campañas o influencias de todas clases los conservarán, es por lo que abogamos más bien por su transformación en Centros Docentes de otro género, más prácticos y de beneficio efectivo y especializado. Además de las razones más elevadas arriba expuestas.

globales y los Consejos o Claustros Universitarios administrarán estos fondos como tengan por conveniente. Las Cátedras podrán proveerse por oposiciones o concursos hechos *en las Universidades mismas,* y no en Madrid; que ya aquéllas cuidarán, por su prestigio, por su eficacia y decoro de seleccionar a los mejores. El Estado podrá ejercer su inspección doctrinal estricta por la Alta Autoridad de sus Inspectores, de ese Cuerpo selectísimo de Inspectores de Enseñanza que constituirán —en nuestra hipótesis— la primera y principal autoridad estatal en esta materia. También podrá constituirse en las Universidades una Delegación permanente del Estado bajo la forma de un Procurador, Corregidor o Censor; especie de Inspector, fiscal o vigilante permanente. Pero las Altas Autoridades Universitarias, Rectores, Decanos, Secretarios, etc., deberán ser nombrados, con completa autonomía, por las mismas Universidades.

De este modo se aliarán los dos fecundos principios, de unidad en lo Esencial, y de libertad en lo Instrumental, que han de hacer más eficaz en la nueva España a nuestra Enseñanza Universitaria [24].

d) LA ESPECIALIZACIÓN DE LAS UNIVERSIDADES.—Pero además de esta autonomía Universitaria, por decirlo así material, conviene que las Universidades, en lo espiritual, tengan también su autonomía; en lo secundario por supuesto y siempre bajo la Unión en lo esencial. Queremos decir que cada Universidad, para que no sea una extensa oficina del Estado y sea por el contrario un intenso organismo Cultural, con una vida y un alma —como lo fueron nuestras gloriosas Universida-

24 Todo el que conozca algo de la vida universitaria alemana, inglesa o de los Estados Unidos de América, con sus grandes universidades autónomas, de prestigio mundial, estará conforme con estas orientaciones. Las universidades francesas tienden, por el contrario, al tipo burocrático funcionarista, mucho más estéril. Nosotros en esto hemos imitado servilmente a los franceses hasta ahora. Hay que enmendar nuestra rutina.

des antiguas— ha de tener su independencia específica, su fisonomía propia, sus tradiciones, su personalidad».

Claro que esto sólo se puede conseguir con un Estado Institucional y Central fuerte, que no sólo no le tema a la diversidad, sino que sepa hacer de ella la integración misma de su fuerza. Tampoco puede conseguirse instantáneamente. Se necesita de un *largo* período de vida Universitaria, próspera, autónoma y fecunda. Hace falta *tiempo;* el tiempo constructor de la solidez histórica. Pero se puede orientar ya desde ahora, a las Universidades, en este sentido, por medio, entre otras cosas, de una *especialización* para cada una, que se podrá conseguir por un hábil y bien dirigido *reparto* de las Facultades.

Cada Universidad debe tener una *Facultad favorita,* principal, que ha de cuidar con esmero, que ha de mimar, dotándola ampliamente de Instrumentos de Cultura, Investigación, Laboratorios, Bibliotecas, etc. Y de la que ha de escoger con un cuidado especial, los Catedráticos y Profesores que exalten su prestigio. Esto no quiere decir que cada Universidad contenga sólo una Facultad. Pero sí que restrinja su principal actividad a una, sacrificando para ello si es necesario alguna otra. Ganando así en valor lo que pierda en extensión.

Desde ahora, de un modo hipotético y vago, pero que creemos bien orientado, pudiera diseñarse a primera vista un bosquejo de *especialidades,* de las diversas Universidades Españolas: ¿A quién no se le alcanza que la risueña y poética Sevilla, así como la gris, húmeda y lírica Santiago, llena de «saudade» céltica, serían dos extremos admirables de la Facultad de Letras? ¿Que la austera y clásica Salamanca encaja admirablemente en el ambiente serio y grave de la Filosofía y el Derecho? ¿Y lo mismo la heroica e inquebrantable Zaragoza de los Justicias? ¿Que la Historia parecería recibir en Granada un sello de nobleza inconfundible de los legendarios almenados perfiles de la Alhambra? ¿O una grave e infalible autenticidad de la antiquísima y venerable Oviedo, pétrea raíz de España? ¿No es cierto que la castellana y moderna

Valladolid, o la marítima y ensimismada Cádiz, parecen estar, a la vez, abiertas a la actividad moderna, y cerradas sobre su vida interior, como corresponde a las Ciencias exactas? ¿Que la Medicina debe asentar sus reales en los grandes centros de población —Madrid, Barcelona, Valencia, Sevilla— donde los numerosos casos científicos, hospitales, enfermos, recursos clínicos, permiten una amplísima cosecha experimental?

Esta especialización de las Universidades produciría en cierto modo una especie de descentralización Cultural. Y, ciertamente, si la Economía y la recta Política nos enseñan que una de las condiciones más favorables para una vida intensa de la «Nación-Estado» es cierta descentralización administrativa, muy evidente es también, sobre todo en España, la necesidad de una descentralización moral y cultural. Recuérdese aquel centralismo artificial de Madrid, la tiranía cultural tan falsa y tan ficticia de los cenáculos, cafés y charlatanerías madrileñas, origen de aquella «pseudo-alma» española, exótica, cursi, de extranjerismo mal digerido de papanatas, que se fabricó por la intelectualidad madrileña; aquella que pululaba durante los lustros que precedieron a la República y durante los primeros años de ésta, para desbandarse después medrosa, traidora e impotente al sobrevenir la catástrofe; aquella que fue madre de la Revolución salvaje que nos devora, e hija a su vez de aquel antro de caciquismo, de aquel botín de prebendas que fue la Institución libre de Enseñanza... Lejos de este ambiente centralista, ficticio, falso, nocivo, el más sano, matizado y genuino espíritu provincial o regional, españolísimo, puede integrar, a través de las Universidades, el rico y valioso manto, bordado en diversos colores, de la majestuosa Cultura secular y viviente de la moderna España...

Sirvan estas meras indicaciones como visiones de un ideal que sólo el tiempo constructor podrá conseguir; pero que ya desde hoy se puede iniciar por un adecuado ajuste en la distribución de las Disciplinas, que otros de mayor autoridad han de realizar. Doctores tiene la Iglesia...

d) La Política en las Universidades.—Al hablar de descentralización espiritual, de sano provincialismo o regionalismo, el lector se habrá puesto en guardia.

«¿Cómo? —se dirá— ¿no recuerda el autor que dos traidores regionalismos han sido causas principalísimas de esta salvaje guerra civil?».

¿Cómo olvidarlo? ¿Cómo olvidar que unos malvados sin conciencia prostituyeron la Cultura Catalana, esa perla sin par del mar Mediterráneo, orgullo y adorno mil veces valioso de España? ¿Cultura que nos une en el tiempo antiguo —nebuloso y nacarino blancor de alabastro— con el mejor Arte Románico de Europa; y en el espacio, con la orfebrería geográfica de la copa de zafiro mediterránea, bordeada y esmaltada por la dorada Provenza del Petrarca, del Aviñón de los Papas, de las multicolores Cortes de Amor, de la argentada poesía del Gay Saber, de las trovas y de los Felibres? ¿Cómo olvidar que los separatistas catalanes hicieron de esa Cultura un vil instrumento de marcachifles, un arma política para traficar y hacer enjuagues en el Arancel? ¿Y para desgarrar por último la Unidad Patria?

Sacrilegio maldito en el que son todavía más culpables los suaves, los moderados, la Lliga [25], los que fomentaron y explotaron, traidores, el hecho diferencial, el desgarre inicuo de la hermandad española, encubriendo el fraude anti-pa-

[25] Sentimos tener que señalar una vez más la influencia funestísima de don Ángel Herrera en la política que nos ha conducido a este espantoso desastre. Y recordar con esta ocasión la grande y conocida amistad de aquel señor con Cambó, con Anguera de Sojo y otros miembros de la Lliga, mil veces más peligrosos —porque su política es menos aparente— que los descarados bandidos como Companys; y a los que don Ángel Herrera «consagraba» con su amistad manifiesta y ponía el «marchamo» de aceptables al mostrar su amistad de «gran personaje católico» para con ellos. ¡Qué mal guiados han estado los católicos españoles!...

triótico bajo el vellocino dorado de sus untuosas y plutocráticas obras Culturales.

Y no hablemos del otro separatismo vasco, éste más estúpido, menos hipócrita; como corresponde a las cabezas de adoquines a quienes extravió. Separatismo que ha querido crear una Cultura y una Literatura ficticias allí donde las hubo casi nulas; que ha injuriado y calumniado a la madre España, bajo cuyos auspicios la fuerte raza vasca realizó sus más gloriosas empresas, y bajo cuyo arancel benévolo y su comercio provechoso, se enriquecieron sus plutócratas. Separatismo que ha prostituido las viejas y sólidas virtudes de un pueblo patriarcal y creyente hasta hacerle cómplice de la barbarie roja atea. Y todo ello para que a la cabeza de un puñado de ambiciosos pueblerinos, un señorito cursi, confitero provinciano, Homais de la mermelada, pueda vestirse de chaqueta y chistera, y nombrarse Presidente de Euskadi, mientras manda a millares de sus hermanos a las trincheras.

¿Cómo hemos de olvidar jamás esto?

Por eso habrá que evitar en absoluto que en las Universidades o Centros de estudios superiores se prosiga esta política separatista, anti-española. Para ello será convenientísimo, por ejemplo, suprimir en la Universidad de Barcelona las Facultades de Letras y de Derecho —las que más se prestan a la política— y en Bilbao suprimir la Escuela de Ingenieros industriales, que deberá ser trasladada a Vitoria o a Pamplona; para que así los hijos de los traidores tengan ocasión, al cursar estos estudios superiores, de empaparse de españolismo y de amar a España, conociéndola mejor al trasladarse a otros lugares. Y se desarraigarán esos focos de podredumbre separatista que se desarrollaron en aquellas Facultades y Centros.

Estas son las medidas preventivas universitarias que nos parecen a primera vista más oportunas para impedir de nuevo el rebrote de la estúpida política de los intelectuales separatistas.

Pero no se crea que nos limitamos a estos dos focos de anti-españolismo de las provincias. Madrid habrá de ser muy seriamente vigilado. Madrid, al fin y al cabo, ha sido el mayor traidor intelectual de España. De la institución libre de enseñanza anti-católica, anti-española, no ha de quedar piedra sobre piedra. Se ha de transformar en Centro de Españolismo. La Alta Enseñanza madrileña habrá de ser, inexorablemente, de aquí en adelante, Patriota, Católica y Leal. O no ser.

La Enseñanza Secundaria

A título también de hipótesis, y en líneas generales, señalamos la orientación que nos parece plausible para la segunda enseñanza —de con mucho lo más defectuoso de España, en materia pedagógica—. Nuestras observaciones se han de referir principalmente a:

a) La Catolización de la segunda enseñanza.
b) La forma temporal de la segunda enseñanza.
c) La materia o contenido de la segunda enseñanza.
d) La colaboración recíproca de la enseñanza privada y oficial.

a) LA CATOLIZACIÓN DE LA SEGUNDA ENSEÑANZA.— Creemos que no ofrecerá la menor dificultad. Se impondrán por el Estado clases adecuadas de Religión, según programa que establecerá la Iglesia, en todos los establecimientos de enseñanza secundaria oficiales y particulares. Podrán y deberán colaborar —tal vez muchas veces gratuitamente— a esta obra, los sacerdotes, y sobre todo las Órdenes Religiosas, que tendrán así un campo vastísimo y adecuado para prestar su colaboración activa y eficaz a la obra de nuestra regeneración y de la formación de la España nueva.

b) LA FORMA TEMPORAL DE LA SEGUNDA ENSEÑANZA.— A nadie se oculta el defecto principal de la segunda enseñanza española: los exámenes por asignaturas y por años. El examen por asignatura tiene por defectos principales: en primer término, que la preocupación del examen, multiplicada por el número de asignaturas, distrae notablemente la atención de discípulos y maestros, de la *tarea positiva de Enseñanza,* a la *negativa de hacer pasar el examen.* Agréguese a esto la disposición muy española a la influencia y al favor y se tendrá alguna idea de la corrupción e ineficacia que la multiplicación de los exámenes ha producido en la segunda enseñanza.

La segunda objeción se refiere al tiempo; y consiste en que no es posible aprender bien una de las asignaturas de la segunda enseñanza, por sencilla que sea, en un año. La Aritmética y Álgebra, la Geometría, la Historia y no digamos el Latín, requieren varios años de trabajo para adquirir sobre ellos conocimientos que valgan la pena.

¿Cómo se ha tratado de remediar estos inconvenientes?

Al último —al del tiempo— se ha tratado de remediar con los planes Cíclicos; es decir, extendiendo el estudio de cada asignatura a un lapso de tiempo de varios años. Pero como se dejó al mismo tiempo el examen separado por asignaturas y por años, se han multiplicado todavía más los exámenes, se ha intrincado de modo absurdo y cada vez más esterilizante, la práctica de los estudios secundarios.

El remedio, a nuestro juicio, debe ser radial. Se deben de suprimir —a la vez— los exámenes por asignaturas y también los exámenes anuales. Se reemplazarán todos ellos sólo por *dos exámenes* de conjunto, que pueden realizarse, por ejemplo, uno al fin de lo que llamaríamos el Bachillerato Elemental, que podrían pasar los alumnos a los alrededores de los 14 años, y otro que correspondería a lo que pudiera llamarse Bachillerato Superior o Universitario, que pudiera pasarse a los 17 años aproximadamente, en el momento de entrar en la Universidad [26].

[26] No fijamos límite de edad ninguno, ni para arriba ni para abajo. Es mejor dejar a la naturaleza en libertad y que la justa severidad de las prue-

Estos dos exámenes pueden ser ejercicios de conjunto, orales y escritos, que comprendan todas las disciplinas del Bachilleraro. Ejercicios intensos y completos, pero hechos solamente *dos veces* durante toda la vida escolar de la segunda enseñanza. Así cada establecimiento de enseñanza oficial o particular podrá enseñar el conjunto de las disciplinas correspondientes a cada uno de estos Bachilleratos en completa libertad en cuanto al método, modo, ciclos y tiempo de la Enseñanza.

Los exámenes se verificarán por examinadores que no tendrán nada que ver con la enseñanza secundaria, oficial o particular, separándose *así la función Docente* de la *función Examinadora.* Así se evitarán las corruptelas de los infinitos exámenes de la enseñanza secundaria actual española. Pues los programas de los ejercicios orales y los textos de los ejercicios escritos (problemas, traducciones, temas, etc.), se establecerán y redactarán cada cinco años, por ejemplo, por el Consejo Superior de Cultura y Enseñanza de Madrid, y con el mayor secreto y discreción, se enviarán los temas y preguntas la víspera de los exámenes, cada año, a las provincias.

Así los catedráticos de segunda enseñanza se verán libres de todo el fárrago de los exámenes, con los constantes intentos de recomendaciones y de corrupción, que constituyen la prostitución de la enseñanza secundaria española. Se suprimirá también la odiosa explotación de los libros de texto, y los catedráticos de segunda enseñanza (que deberán desde luego estar mejor pagados, así como todo el personal docente en general) podrán dedicarse de lleno a la Enseñanza; a hacer de los Institutos de Segunda Enseñanza, colegios modelos, competentes y baratos, que compitan con su eficacia docente con la enseñanza particular; que sean, por decirlo así, el modelo, la tabla reguladora de la enseñanza en España.

bas y la propia capacidad del alumno, conjugadas, determinen libremente la edad. Siempre que se pueda es mejor no fijar límites, que tienen siempre algo de arbitrario y por consiguiente de nocivo.

He aquí todos los enormes beneficios positivos que para la enseñanza secundaria española reportaría la supresión radical de los exámenes anuales y su reemmplazo por solamente *dos exámenes* de conjunto. Simplificación de los estudios, libertad de método, aplicación libre del método cíclico, supresión de infinidad de ocasiones de corruptela, seriedad e imparcialidad en las pruebas examinatorias, supresión espontánea de los libros de texto, desarrollo mucho más eficaz de la Enseñanza misma, que emplearía la mayor parte de su tiempo en *enseñar;* y tan sólo un par de años (los anteriores a los dos exámenes de conjunto) en la preparación práctica para estos exámenes.

He aquí un bosquejo de nuestra modesta opinión, que creemos recogerá voto favorable de las autoridades en estas materias.

c) LA MATERIA O CONTENIDO DE LA SEGUNDA ENSEÑANZA.—Se presenta además, en primer término, la importantísima cuestión de los estudios Clásicos o los estudios llamados Modernos; de si hay que orientar al Bachillerato en un sentido «humanístico», de Latín sobre todo, o dedicarlo a Lenguas vivas, a Ciencias y a otras materias que parecen de una utilidad práctica más inmediata.

No vamos a debatir de nuevo esta cuestión, pues alargaría indebidamente este ya largo capítulo. Bástenos consignar que creemos absolutamente indispensable para la salud intelectual y moral de las jóvenes generaciones, la implantación de estudios Clásicos Humanistas, elementales pero eficaces y completos, en el Bachillerato.

La gimnasia intelectual, el esfuerzo de atención de los estudios latinos, la profunda humanidad de los escritores clásicos [27] han de constituir el más conveniente principio y «en-

[27] Es bien sabido que el vivero de notables hombres políticos, personalidades vigorosas llenas de iniciativas y de don de mando en las empresas políticas, industriales, comerciales y coloniales de que nos ha dado ejemplo la Inglaterra del siglo XIX, se atribuye con mucha razón a la magnífica educación clásica de sus «Public Schools» y de sus Universidades.

trenamiento» para una joven inteligencia dedicada al estudio [28]. Por estudios Humanísticos o Clásicos elementales entendemos: Religión, Historia de España y Universal, Gramática y Literatura Española, Latín y Literatura Elemental latina, Aritmética, Álgebra y Geometría [29]. Esto en su grado elemental, pudiera constituir el primer Bachillerato o Bachillerato común, que se pasaría aproximadamente a los 14 años. Después el Bachillerato pudiera partir en tres ramas:

1.ª BACHILLERATO.-LETRAS.—En el que se desarrollarían y perfeccionarían todas las asignaturas del Bachillerato general, elemental; y se agregarían además nociones mucho más extensas de Literatura, Historia y Latín. Serviría este Bachillerato para entrar en las Facultades de Filosofía y Letras, Historia, Derecho y Teología.

2.ª BACHILLERATO.-CIENCIAS.— Se ampliarían también los estudios del Bachillerato elemental general, y se agregarían Ciencias Físicas y Naturales. Se daría una mayor extensión a las Matemáticas, llegándose hasta los Elementos de Geometría Analítica y de Cálculo infinitesimal. Este Bachillerato serviría de entrada en las Facultades de Ciencias Exactas, Físicas y Naturales.

[28] Se ha pretendido que se estudiaran los clásicos traducidos. Es como querer comer pastel de liebre sin liebre, y calamares en su tinta prescindiendo de su tinta y poniendo, por ejemplo, salsa mayonesa. El giro especialísimo, elegantísimo, sintético, del latín clásico, da un nervio, una robustez al lenguaje que se traduce, ciertamente, en el modo de ser general del que lo cultiva.

No olvidemos que somos hijos de «la Romania», que nuestro idioma propio es hijo del Latín, que no se conoce bien un idioma ni su Literatura, si no se alcanzan sus raíces. Y por último —last bust not least— que nuestro fundamento supremo, la Iglesia Católica, por especialísima Providencia de Dios, es *Romana;* entiéndase bien, no Romana accidentalmente, sino Romana por *selección* especial de Dios. ¿Qué mejor Abogado del humanismo clásico?

[29] Consideramos al Álgebra y a la Geometría bien estudiadas como absolutamente necesarias para la buena formación del espíritu. Son la lógica puesta en práctica; recuérdese el clásico «no entre aquí quien no sea geómetra».

3.ª BACHILLERATO.-COMERCIO.—A la ampliación ya repetida de los estudios comunes del primer Bachillerato, en esta tercera rama, llamada como indicamos, agregaríamos estudios de Contabilidad, Mecanografía, Taquigrafía, Economía Elemental y un par de Lenguas Vivas. Este Bachillerato sería la equivalencia de los estudios de Comercio, que, según nosotros, no debieran formar un conjunto aparte, sino quedar así incorporados al Bachillerato general. Los estudios mucho más completos de los últimos años del Profesorado de Comercio, o de la Intendencia Comercial, se cursarían en las Universidades, en las Facultades de Economía, que pudieran implantarse, o en Escuelas Especiales Superiores[30].

d) LA COLABORACIÓN DE LA ENSEÑANZA PRIVADA Y LA OFICIAL.—Como se verá, nuestra orientación tiende ante todo a aumentar la eficacia de la segunda enseñanza española. Para ello, en primer término, habrá que mejorar la eficacia del personal docente. Una cuestión que se plantea inmediatamente al tocar este punto es la cuestión de los honorarios. En la primera enseñanza las mejoras conseguidas por los Maestros pueden, en rigor, ser suficientes por el momento y considerarse como el mínimum estrictamente indispensable para llevar una vida decorosa como corresponde a la función que representan. Pero la enseñanza secundaria y la enseñanza universitaria española, hay que decirlo porque es verdad, están indecorosamente retribuidas[31].

[30] Es absurdo hacer de los Estudios de comercio una especie de zona inferior de la Enseñanza, una especie de Bachillerato «de tercera». Hay que incorporar los estudios de Comercio a la 2.ª Enseñanza general, especificándolos debidamente.

[31] Un Maestro de escuela gana, en general, poco más que un albañil. Esto, agregando la casa que se le da, puede bastar como un mínimo para los Maestros rurales; es a todas luces insuficiente para los Maestros de las grandes ciudades, donde la vida es mucho más costosa. Y no digamos los Catedráticos de segunda enseñanza, que por término medio ganan menos,

Del aumento de los honorarios del personal docente español (estimamos un mínimum necesario para la segunda enseñanza el aumento de un 50 por 100) resultaría la imposibilidad de aumentar su número. Pero esta restricción extensiva podrá suplirse muy convenientemente con una colaboración de la enseñanza secundaria privada, bajo la severa Inspección del Estado.

Ha sido un vulgar tópico, muy dañino y estúpido, pero no por eso, menos extendido en España, el considerar a la enseñanza oficial y a la privada, como dos enemigos contrarios. Con la estrecha fusión de la Nación y el Estado, que preconizamos, habrá que invertir total y absolutamente esta necia y dañosa visión del problema. La Enseñanza Oficial y la Privada deben subsistir ambas; y el Estado debe considerar a las dos como cosa propia; cada una con su eficacia especial, con su matización característica. La Enseñanza Oficial parece más propia para la instrucción que para la educación, más adaptada al externado que al internado (por el carácter mismo de los Catedráticos que la han de ejercer), más peculiar de las grandes ciudades que de los centros agrícolas urbanos. La enseñanza secundaria privada parece, por otra parte, más conveniente

bastante, que un obrero del puerto o de la Pirotecnia de Sevilla, teniendo necesariamente otras necesidades de decoro externo y de Cultura, superiores a las de aquél, por razón de su cargo y de su posición social legítimamente superior.

Se oye mucho a los demagogos —que todavía pululan— condolerse sobre la suerte de los obreros pidiendo «justicia social» para las clases proletarias. Nosotros los acompañamos sinceramente *en la finalidad,* ya que no en los *medios* que emplean. Pero —aunque son menos numerosos y por consiguiente de menos interés para la política halagadora del número— bueno sería que aquellos señores de tan humanitarias predicaciones, se fijaran también en la indispensable mejora de la condición de las Clases Enseñantes. ¿Cómo exigir cultura, lecturas, conocimiento de la vida cultural extranjera, afición a su tarea docente, a quien en su propio hogar vive con penosa estrechez, y lleno de las preocupaciones sórdidas de la economía cotidiana, como es el caso de la mayoría de los Catedráticos de Segunda Enseñanza?

para la educación, más propicia para los grandes internados, por estar encomendada frecuentemente a Órdenes Religiosas más facultadas que los seglares para la asiduidad y vigilancia de la vida total de los alumnos; más adaptable, por consiguiente, al aislamiento de pueblos de régimen agrícola.

El Estado deberá franca y decididamente amparar a ambas enseñanzas, dando a ambas *un sentido nacional.* Debe mejorar en lo posible los honorarios del personal, el material y la eficacia de la enseñanza secundaria oficial, hasta hacer de estos establecimientos, modelos, por su calidad, no por su extensión; poco y bueno mejor que mucho y malo. Y en cuanto a la enseñanza secundaria privada, el Estado deberá resueltamente mejorarla y extenderla, *por medio de subvenciones,* proporcionadas a la labor que realizan, o han de realizar, bajo la estricta inspección del Estado.

De manera que la enseñanza privada *pueda competir sin desventaja con la oficial;* y recíprocamente, que ésta por su calidad excelente, sirva de regulación y estímulo a la enseñanza privada. El otorgar subvenciones por parte del Estado *a lo ya existente y en marcha* —siempre bajo un severo control y asegurándose *de su eficacia— es ciertamente el modo más económico y eficaz* de extender las organizaciones de utilidad pública (Centros de Enseñanza, de Beneficencia, Hospitales, Sanatorios, Asilos, etc.). Así se practica constante y beneficiosamente en el extranjero. Hora es que empecemos a importar lo *bueno* extranjero a España; ya que hasta ahora, desgraciadamente, hemos optado siempre por importar *lo malo.* Por este método, a la larga, resultará una compenetración e identificación mayor de ambas Enseñanzas, conseguida por una emulación diferenciada y matizada hacia el mismo fin común, y no por una fusión artificial, una absorción de la una por la otra. Absorción esterilizante, por burocrática, si fuera la oficial la que prevaleciera totalmente; y desorganizadora por demasiado particularista, si la enseñanza privada anulara casi en su totalidad a la otra.

Lo realizado en el extranjero en este sentido con resultados excelentes [32], es un antecedente experimental sólido y científico que avaliza nuestras orientaciones. Orientaciones conformes, por otra parte, con los principios desarrollados en el comienzo de este capítulo: *unidad* estricta en lo esencial, *diversidad* fecunda en lo *Instrumental,* desarrollo el más amplio de la iniciativa personal dentro del cuadro riguroso de los Principios, que hemos sintetizado bajo el concepto de *Fascismo intensivo*.

La Enseñanza Primaria

La eficacia de una buena enseñanza primaria es de importancia esencial para el porvenir de la Patria. Si la hemos dejado para el último lugar es porque depende en gran parte de las anteriores; unas bien orientadas enseñanzas universitaria y secundaria repercuten necesariamente en el cuerpo de Enseñantes primarios, cuya luz es refleja de la de aquéllas, cuyo ambiente intelectual se nutre con los sutiles «imponderables» que difunde la alta Cultura de la Nación.

Pero si ese «buen ambiente» se ha de conseguir pronto, esperamos, por un buen encauzamiento de las Enseñanzas superiores, y también mediante una cuidadosa y concienzuda depuración —sin venganzas pero sin flaquezas— de las Escuelas Normales y del mismo Cuerpo de Maestros, la eficacia de la Primera Enseñanza, mermada necesariamente en número, y de imposible extensión numérica por las circunstancias económicas, merece detenida atención.

En líneas generales, de dos modos creemos que puede hacerse a la primera enseñanza española cumplir, en lo posible, su difícil y delicado cometido, cometido que es a la vez de *instrucción* y *educación* primaria; no se olvide esto último.

32 Entre otras Naciones, en Bélgica, unos de los países mejor instruidos del mundo.

1.º Por la mejora del personal enseñante.

2.º Por la cooperación de la Iglesia, especialmente de las Órdenes Religiosas.

Expliquemos estas dos ideas. Como hemos visto anteriormente, todo aumento de gastos de personal en el presupuesto de Enseñanza español, deberá dedicarse más bien a mejorar el personal ya existente, que crear extensamente nuevo personal mal retribuido, y por consiguiente, mal dispuesto para esa *consagración completa y gustosa* a su obra docente y educadora que ha de ser la característica de todo buen Maestro o Catedrático. Pero como la extensión de la Primera Enseñanza a todos los niños españoles, en un sentido no solamente *instructivo,* sino sobre todo *educativo,* es de la mayor importancia para nuestro porvenir, hay que arbitrar el medio de extender notablemente esa Primera Enseñanza sin desmejorar la calidad [33]; por el contrario, mejorándola en el sentido educativo o de formación moral. Se impone, pues, desde luego, la colaboración de la Iglesia y principalmente de las Órdenes Religiosas, en esta obra tan necesaria y tan excelente de la regeneración educativa, moral e instructiva de los niños de las clases humildes en toda España.

No vamos a entrar en detalles, que alargarían este larguísimo capítulo. Bástenos decir que en nuestra visión de la futura Enseñanza primaria de España, son tres personas de la mayor importancia —dos de ellas individuales y la tercera colectiva—, el Párroco, el Maestro y el Convento. Raro es el pueblo, o el barrio de toda España, donde no existan por lo menos dos de estas tres entidades; generalmente existen en todos las tres. Pues, bien, de su abnegada y estrecha unión, y de su colaboración *efectiva,* puede y debe resultar la extensión, y al mismo tiempo, la intensificación y mejora general de la primera enseñanza en toda España. Supongamos, por

[33] Sin, por ejemplo, crear una infinidad de nuevos Maestros cursillistas deficientísimamente preparados, como hizo el enchufismo de la República.

ejemplo, que en una gran mayoría de los conventos de España, se habilitaran clases elementales para ayudar a suplir a los Maestros de Escuela, no en competencia con éstos, sino en estrecha colaboración; sea enseñando ciertas disciplinas especiales a los mismos alumnos (descargando así la tarea del Maestro, que pudiera duplicar el número de alumnos, dando a unos clases por la mañana y a otros por la tarde). O tomando el Convento a su cargo la enseñanza total primaria de una parte de los niños de cada parroquia (De aquellos a los que fuera imposible por falta de capacidad de locales o de tiempo al maestro correspondiente, darles instrucción en su Escuela). Y en aquellos pueblos en que no hubiera convento, el Párroco podría ayudar al Maestro. Y siempre el Párroco, en todas partes, ejercería la función fiscalizadora para la instrucción religiosa y moral de los alumnos de primera enseñanza. Al mismo tiempo, los Inspectores del Estado, con plena autoridad, ejercerían la fiscalización de la enseñanza profana de unos y otros. Y unas muy módicas subvenciones del Estado pudieran compensar a las Órdenes Religiosas de este esfuerzo que se les pediría —tan en consonancia con su espíritu educativo y apostólico— para la regeneración de la Patria [34].

No es que pretendamos, por otra parte, que esta colaboración se haga algo permanente y que sustituya definitivamente la Iglesia al Estado en una parte de su función docente. El Estado, a medida que las circunstancias le vayan per-

[34] Estas sugestiones que a algunos parecerán tal vez «poco modernas» y a otros poco prácticas se basan sin embargo en dos hechos *realísimos* y modernísimos. 1.° Que si el fascismo español ha de ser esencialmente católico, nadie mejor que la Iglesia y las Órdenes Religiosas pueden conformar a las almas infantiles en un sentido «fascista-católico». 2.° Que en España las únicas organizaciones que contienen millares de personas de instrucción suficiente para asumir el cometido de Maestros primarios *suplementarios*, son sólo las Órdenes Religiosas, cuyos miembros tienen una educación humanística ampliamente suficiente —conocimientos elementales y muchas veces superiores de Letras, Ciencias y Latín— para constituir excelentes Maestros de escuela, en general, sin más que ponerse a la obra.

tiendo, irá extendiendo su cuerpo de Maestros, según lo exijan las necesidades docentes. Pero esta sustitución extensiva no impedirá que continúe la colaboración que debe subsistir siempre. Quiero decir que para la formación moral y religiosa de los niños, especialmente de las clases humildes —en las que hay que suplir a la función formativa de sus padres, muchas veces imposibilitado de ella por su labor cotidiana— la Iglesia Secular y Regular será siempre en una España fascista católica una insuperable e insustituible colaboradora del Magisterio Español.

La Enseñanza Profesional

En la resolución del problema de la Enseñanza española hay, pues, dos subproblemas principales que hemos tratado de indicar y resolver, con estas dos orientaciones: 1.º El de la orientación general hacia el Catolicismo; cuyo principal resorte se encuentra *en el vértice* en la Enseñanza Universitaria y Superior que ha de influir sobre todo lo demás. 2.º El de la Educación religiosa y formación moral de los niños de las extensas clases humildes, dejados en tan terrible orfandad material y moral por la tremenda Revolución destructora, y guerra civil subsiguiente; problema éste que ha de resolverse *en la base,* en la Enseñanza primaria, por una estrecha colaboración de la Iglesia con el Magisterio.

Y he aquí, que para este segundo punto hemos de llamar la atención especialmente sobre la importancia decisiva que para la formación educativa, instructiva y moral de esos niños, pueden tener sobre todo ciertas Órdenes Religiosas que a aquellos tres elementos de formación infantil agregan *una admirable competencia* de *formación profesional obrera.* Me refiero, entre otras Órdenes Religiosas similares, a la benemérita Orden Salesiana, a sus Escuelas de Obreros y Talleres Modelos; juntamente con su obra admirable post-escolar de Asociaciones de Antiguos Alumnos; a su Obra Familiar, que atrae todos los domingos a las familias de sus millares de alumnos, a sus Centros y Teatros festivos (en todo Colegio Salesiano existe siempre un teatro). Obra esta última que desde hace ya muchos lustros, es como el cristiano y glorioso antecedente del «Dopolavoro» Fascista, de la alegría en el trabajo. «Servite Domino in lætitia»: he aquí la bella inscripción de una de las salas de espectáculos de esta Orden modelo, en Sevilla.

Que se nos permita, pues, terminar esta parte relativa a la Enseñanza primaria con esta afirmación que no dudamos en estampar categóricamente, conocedores como somos de la magnífica obra que realiza la Orden Salesiana para la educación y enseñanza profesional de obreros (y al hablar así de la Orden Salesiana —porque la conocemos mejor que otras— incluimos desde luego otras similares también de grandísimo mérito). Si por medio de subvenciones pudiera el nuevo Estado español conseguir *la instalación de una Escuela profesional obrera Salesiana en cada pueblo o aglomeración urbana de más de 20.000 habitantes, estaría totalmente resuelto el problema de la educación, Catolización y formación Obrera en toda España.* Júzguese la importancia que atribuimos a la labor benemérita de aquella Orden y a su estrecha colaboración con el Estado para nuestra regeneración total [35].

[35] NOTA PRESUPUESTARIA.—Indicaremos algunas cifras como hemos hecho en capítulos anteriores y sin que con ello se pretenda una exactitud técnica en la materia, sino sólo cifras aproximadas, cuya magnitud nos dé la certeza de que nuestras orientaciones no están fuera de la *realidad* de nuestras posibilidades. El último Presupuesto de la República invirtió para gastos totales de Instrucción Pública (Personal y Material) 344.093.044. De ello sólo a Personal, Sueldos y Gratificaciones, 274.991.195,50.

Nosotros creemos necesario como mínimum un aumento de unos 100.000.000 de pesetas en el presupuesto total (menos de un 33 %). De aquéllos, unos 40.000.000 se dedicarían a mejoras de los honorarios del personal docente (principalmente a las Escalas inferiores de los Catedráticos de segunda Enseñanza y Universitarios). Y los 60.000.000 de pesetas restantes, a *subvenciones* eficazmente distribuidas a la enseñanza privada y Órdenes Religiosas Enseñantes, para que mejoren y amplíen su labor. Con este es-

Por último, tenemos que tocar, antes de terminar este importante y largo capítulo, un punto de mayor interés y algo delicado, que conviene puntualizar cuidadosamente. Se refiere a lo que por algunos se llama «la tolerancia» de las ideas, opiniones o creencias religiosas discrepantes de la Religión Católica verdadera. Un primer agumento que se propone a este respecto, carece para nosotros de valor. Se dice por algunos, incluso católicos bien intencionados, que hay que tolerar y ser respetuoso con las opiniones ajenas. Nosotros rechazamos enfáticamente este aserto, no como hombres religiosos, sino por nuestra mentalidad científica. Para nosotros, el decir esto es el equivalente de pedir tolerancia y respeto para la opinión de que «la suma de los ángulos de un triángulo sobrepasan dos rectos» en Geometría euclidiana [36] o que «dos y dos son cinco». Nosotros no tendríamos nunca respeto ni tolerancia para estas opiniones erróneas, que no se pueden ni respetar ni tolerar; sino lo que tendríamos sería compasión y caridad para los que la sustentaran, que reputaríamos por débiles de entendimiento, por enfermos mentales. Este sencillo ejemplo ilustra y fija nuestra posición en este punto: *intolerancia* absoluta *para las doctrinas u opiniones* erróneas; *compasión* y *caridad* cristiana *para las personas* que las sustentan.

El segundo argumento que a veces se oye, es de más importancia. Consiste en decir que la Iglesia Católica no quiere nunca *imponer sus doctrinas por la fuerza,* sino por la per-

fuerzo, creemos sinceramente que la Enseñanza española, base importantísima de nuestra regeneración total futura, mejoraría notablemente, por lo menos de momento. Sin perjuicio de mejorarla y extenderla más aún, cuando la reconstrucción de la desgraciada España, destrozada y empobrecida, vaya realizándose paulatinamente.

[36] Decimos en Geometría euclidiana, porque, como es bien sabido, hay otras Geometrías en las que la suma de los ángulos de un triángulo es más pequeña que dos rectos (Geometría de Lobatchesky), y otras en que dicha suma es siempre mayor que dos rectos (Geometría de Riemann).

suasión y la conversión; y no quiere ser acusada de ello por sus enemigos, al aceptar colaboraciones estables con un régimen como el Fascista, que es un régimen fuerte y que se impone por la violencia. Aquí hay que distinguir entre la acción apostólica de la Iglesia y la acción defensiva del Estado. Es cierto que la Iglesia de Cristo no puede ser nunca una Iglesia de violencia, sino de amor y de paz. Pero no es menos cierto también que el Estado tiene derecho a usar de la fuerza para el bien común, lo mismo que el individuo tiene derecho a usar de la fuerza para su legítima defensa. Es evidente, que si yo trato de convertir a un descreído, que es además un ladrón, a las doctrinas católicas, no lo haré pistola en mano, sino por medio de exhortaciones, lecturas, etc. Pero si me encuentro a ese descreído ladrón una noche tratando de robar mi casa, no echaré mano entonces de los libros, ni de las exhortaciones, para persuadirlo, sino de la pistola para impedir el robo. El ser muy caritativo y muy cristiano, no implica el ser tonto.

Elevando más el nivel de nuestros argumentos, indicaremos que el empleo de la fuerza para la defensa y el mantenimiento del orden, encaminado al Bien común, es una legítima facultad del Estado, reconocida universalmente por todos los tratadistas, y que se basa además en un dogma de la Iglesia, reconocido por todos menos por los utópicos Revolucionarios: la *inclinación general del hombre hacia el mal*, como consecuencia de la inferioridad de nuestra naturaleza, desprovista de la Gracia, después del Pecado Original. Todas las Teorías Utópicas Revolucionarias contruyen sus Estados sobre el supuesto implícito contrario de que el hombre es *naturalmente* bueno [37]. La realidad, confirmando contundentemente la doctrina de la Iglesia, es que el hombre fue creado

37 Rousseau es el más conocido que ha sostenido esta utopía, pero todo el racionalismo moderno está impregnado de esta absurda opinión que la experiencia desmiente en absoluto.

bueno, pero hoy día es *naturalmente*[38] *malo,* salvándolo sólo de esta maldad innata lo que aproveche cada cual de la Gracia santificante, traída del Cielo al Mundo por Nuestro Señor Jesucristo; que para eso encarnó en nuestra naturaleza, y nos dejó a su Iglesia como testamento, para que nos ayudara a ser buenos; empresa, por lo visto, extremamente difícil y necesitada de toda la ayuda Divina, si juzgamos por los derroteros abismales sobre los que se va resbalando y despeñándose la llamada Civilización de Occidente...

Por eso, porque vivimos en un mundo desgraciadamente empedrado y nutrido de inclinaciones al mal, porque el Estado ha de realizar una obra humana inmediata en lo *temporal, cuajado de males,* mientras que la Iglesia realiza su obra sobre-humana *para lo intemporal lleno de bienes,* hay que distinguir perfectamente el modo de ser de la Iglesia y del Estado. La Iglesia en sí y por sí no empleará nunca la violencia[39]; el Estado tiene la obligación de emplearla, para defender, mantener y fomentar el Orden encaminado al Bien común. Y si el Estado por un designio y beneficio especial de la Providencia tiene la gran suerte de encontrarse estrechamente compenetrado con la Iglesia, fuente del mayor bien posible para la comunidad temporal que el Estado rije, ha de defender éste, mantener y fomentar su Orden estatal Cristiano, su Ciudad de Dios Agustiniana, todavía con un celo mayor que cualquier otro; puesto que lo que defiende es lo más valioso.

[38] Por «naturalmente» entendemos, no según su naturaleza creada por Dios, que era buena, sino por su naturaleza degradada por el Pecado Original y desprovista de la Gracia santificante.

[39] Cuando la Iglesia poseía Estado Pontificio iba a la guerra en tanto que Estado y no en tanto que Iglesia. Cuando la Iglesia condenaba en el Tribunal de la Inquisición, en España por ejemplo, no era ella la que ejecutaba las penas, sino que entregaba a los culpables al llamado «brazo secular» o Estado Español, que imponía la pena a los reos, de acuerdo con las costumbres del tiempo. Como es bien sabido, el Santo Oficio de la Inquisición, de Roma, fue el más benigno y aquél en que se han castigado con más benevolencia a los herejes.

Si no fuera así, si la doctrina liberaloide, blandunguera y pacata de la tolerancia para con las opiniones erróneas y contrarias al Bien común, fuera una doctrina verdadera, sería legítimo sostener que toda la Historia de la gloriosa Cristiandad Medioeval, las Cruzadas cuyos estandartes bendecía la Iglesia [40], nuestra Reconquista española, nuestras más puras glorias, Lepanto, Muhlberg, el nervio de nuestra Historia moderna, la contra-Reforma [41], su más pura cima; todo ello

[40] Como es bien sabido, los españoles tienen el privilegio especial de poder comer carne los vienes corrientes del año y también otras varias y numeroas indulgencias para las vigilias y ayunos de cuaresma, merced a la Bula de la Santa Cruzada, cuyos privilegios fueron otorgados principalmente por los Sumos Pontífices, Inocencio III y Gregorio IX.

[41] Se ha reprochado mucho, hasta el punto de constituir un verdadero estribillo en los escritores e historiadores extranjeros forjadores de la Leyenda Negra, el fanatismo y la intolerancia española, la crueldad de la Inquisición.

Las severidades de este Tribunal, comunes a todos los de aquella época, no fueron sino la expresión del modo de ser, rudo e inflexible, de aquellos tiempos, de grande energía vital y grandes apasionamientos consiguientes. Y en lo que tuvieran a veces de demasiado excesivas, fueron siempre reprimidas por la Iglesia. El Santo Oficio de Roma fue, con gran diferencia, el más benigno de todos. Y los Sumos Pontífices en persona intervinieron más de una vez directamente cerca del Santo Oficio español para atenuar su excesiva severidad, como en la intervención de su Santidad Sixto IV (Bula del 2 de agosto de 1483), contra los Inquisidores de Sevilla. Y la conocida intervención del Pontífice San Pío V en el famoso proceso del Arzobispo de Toledo, Fray Bartolomé de Carranza.

En cuanto a la crueldad de algunos suplicios, no fue peculiar de la Inquisición; fue también común a todos los países de aquellos tiempos más insensibles y rudos. Piénsese por ejemplo en el terrible suplicio de «La Roue» (la rueda). Se ataba al reo a los rayos de una gran rueda horizontal, con brazos y piernas extendidos. Se le trituraban brazos y piernas, vientre y caderas, golpeándolos con una gran barra de hierro; luego se le recogían y amarraban los miembros y tronco triturados por debajo del mismo y se le ataban al eje central. Y se dejaba aquél puñado de huesos quebrantados y de vísceras reventadas aún con vida a que expirase lentamente, a la vista de todo el pueblo que se agolpaba en las plazas públicas, como para un divertido espectáculo. Este humanitario, suave y filantrópico suplicio fue una pena pública *oficial* en Francia hasta 1789 y en Alemania hasta 1811.

hubiera sido una monstruosa colección de errores y de crímenes protegidos y benditos por la Iglesia... Que no ha sido así, nos lo dice, no sólo nuestra conciencia de católicos, sino la terrible experiencia histórica del día, según la que vemos

Pero no es este argumento del «más eres tú» el que pueda justificar principalmente a la Inquisición española. Es sobre todo la consideración de una verdad histórica *realísima* (tal vez la más *real* de todas las verdades históricas modernas y que explica ella sola siglos enteros de historia Europea). Esta gran verdad es, que toda herejía, todo desgarre moral de una Cultura o de una Nación, se paga después siempre con torrentes de sangre. El haber sabido encausar, restringir, *racionalizar,* por decirlo así, por medio de un Tribunal regular y legal ese tributo sangriento inevitable, estas querellas íntimas cruelísimas con que todas las sociedades pagan el comienzo de su anarquía religiosa y moral, no es sino un supremo acierto del Estado Español —primer Estado moderno y racional de Europa— a pesar de las severidades y crueldades, que hoy, a nuestra sensibilidad moderna y blanda, pueden repugnar.

Piénsese que en Francia únicamente, el episodio de la San Brtolomé, causó más de 15.000 víctimas hugonotes y que se calculan en más de 300.000 sólo los muertos en las guerras de Religión Francesas (sin contar las confiscaciones, destierros, Edicto de Nantes, etc.). En Inglaterra según el testimonio imparcial de Sir James Stephan (History of English Criminal Law, tomo I) se llega a 264.000 ejecuciones por motivos religiosos. En España en cambio, en los 330 años que duró la Inquisición, según sus enemigos más parciales, no llegaron a 50.000 las penas de muerte infringidas, o sea, un término medio de 166 por año. La verdad es que no es pagar muy caro el habernos librado de aquellas espantosas y crueles guerras de Religión de los otros países de Europa.

Si en la última mitad del estúpido siglo XIX español, hubiera existido la Inquisición, y dado su merecido al puñado de cursis y ampulosos Krausistas, y a la Institución libre de Enseñanza, cuajada de arribistas y enchufistas heréticos (castigando de paso «el pecado nefando», como se llamaba antiguamente, que tanto castigó la vieja Inquisición española, y que parece ser un pecado favorito entre nuestros escritores, «poetisos» y gobernantes izquierdistas) hubiéramos evitado *seguramente* esta atroz guerra civil española, verdadera guerra de Religión que nos llega con un retraso de tres siglos, y en la que están muriendo o van a morir 1.000.000 de nuestros hermanos, dejando a España profanada, destrozada y arruinada. Piénsese en esto, y parecerá muy melifluo y débil todo lo que proponemos al final de este Capítulo, para salvaguardar en lo futuro la unidad moral y religiosa de España.

que toda la Civilización Europea contraria a la Contra-Reforma española, y derivada de la Reforma a través del Racionalismo y de la Revolución, se hunde hoy irremisiblemente en la terrible y sangrienta disolución social que el Bolchevismo va extendiendo por todas partes.

Pero dejémonos de Historia, a pesar de que es maestra inexorable de futuros. Volvamos a la realidad presente, y al problema que ha de surgir en España sobre la Tolerancia —que ya llamo mejor Caridad— para con los discrepantes religiosos.

El problema no puede naturalmente resolverse de modo absoluto y terminante, como ningún problema político. Sólo se puede resolver por una aproximación prudente adecuada a las circunstancias. Pero creemos poder dar normas y directivas que encuadren bien su solución. Estas normas se han de basar, a nuestro juicio, en dos distinciones fundamentales:

1.ª Distinguir las *opiniones* de *las personas*.

2.ª Distinguir lo *individual* de lo *colectivo*.

Según la primera distinción, como hemos indicado, hay que ser absolutamente intolerables para las ideologías u opiniones contrarias a la Religión católica, cuya propaganda ha de desterrarse absoluta y terminantemente bajo todas sus formas, sea como propaganda política, filosófica o proselitista de Religiones erróneas. Pero ello no impedirá que se tenga la mayor consideración y caridad para las personas, que de buena fe, hayan caído en semejantes errores [42]. Del mismo modo que se tiene la mayor caridad para los enfermos de en-

42 La Iglesia, en su inmensa caridad, incluye en su seno, implícitamente, por el llamado Bautismo de Deseo, a todos aquellos que de buena fe estén en estado de *ignorancia invencible* respecto de los Dogmas católicos, y practiquen la Ley Natural. Se basa esta creencia en el justo principio de que el que no delinque no puede ser condenado; y no delinque, evidentemente, el que sin medios posibles para salir de su error —*ignorancia invencible*— cree de buena fe que lo que practica o cree es lo bueno y verdadero.

fermedades contagiosas; al mismo tiempo que se toman muy justificadamente todas la medidas necesarias para evitar la propagación de la enfermedad.

La segunda distinción nos va a permitir puntualizar todavía más nuestro pensamiento. Según ella, el error individual de buena fe, siempre que la persona equivocada, en sus teorías o en sus creencias religiosas, se limite a practicarlas o a conservarlas de acuerdo con su conciencia, sin intentar de ningún modo extender o hacer irradiar su error sobre la colectividad, no puede ser violentado ni coaccionado por el Estado mientras se conserve su error individual. Pero el Estado tiene perfecto derecho a poner los medios para impedir que ese error individual se torne colectivo y se extienda y propague por la Nación.

Cuando vemos que justificadamente se aceptan las fuertes medidas de profilaxia que toman los Gobiernos para impedir la propagación de vicios, el opio, la morfina, la cocaína; para la propagación o herencia de enfermedades sexualels, admitiéndose en muchos de ellos una eugenesia más o menos estricta, no podemos dejar de pedir que semejantes medidas de profilaxia colectiva se tomen para las enfermedades de la inteligencia o de la fe; mucho más dañinas para la sociedad, para todo el que tenga creencias sobre-naturales, que las enfermedades y vicios del cuerpo.

De todas estas consideraciones creemos que pueden deducirse las reglas precisas siguientes:

a) RESPECTO DE LAS PRĂCTICAS RELIGIOSAS.—Como ya dijimos en el Capítulo VI, la religión oficial del Estado será la Religión Católica. Aquellos que tengan creencias religiosas distintas de las del Estado no serán molestados por ellas.

Pero no podrán, individualmente, hacer proselitismo de sus creencias, ni colectivamente reunirse en locales para ejercer su culto, sino con permiso expreso de la Autoridad Gubernativa, que se tendrá que poner para cada caso, de acuerdo con la Eclesiástica; y esto en los casos excepcionales que por razones graves convenga conceder este permiso[43].

b) RESPECTO DE LA ENSEÑANZA RELIGIOSA.—Como hemos dicho, la Enseñanza Religiosa Católica será obligatoria en todos los grados y en la Enseñanza española oficial y privada. Este principio no puede admitir excepciones. El contagio anti-religioso es infinitamente más peligroso y virulento en la infancia y en la juventud, en que los menores matices en esta materia sobre todo, quedan impresos en las almas jóvenes con sello indeleble. Sería, pues, incurrir en gravísima responsabilidad, permitir excepciones a esta regla, como sería incurrir en responsabilidad gravísima permitir que niños diftéricos o escarlatinosos no curados, asistieran a clase de un colegio público. Se pondría el grito en el cielo en este caso, porque se atiende infinitamente más en nuestro tiempo de poca fe, a lo material que a lo espiritual. Nosotros, en este libro, invertimos fuertemente este criterio. Y así como en la cuestión del Culto, hemos admitido atenuaciones excepcionales, porque se trataba de algo positivo, como es lo religioso, aun erróneo, y cuyos sujetos serían personas ya maduras y formadas; y porque también el ejercicio del Culto no católico excepcional y privado, es fácil de aislar, nos oponemos terminantemente a parecidas atenuaciones respecto de la Enseñanza, por tratarse de la juventud en la que el escándalo es infinitamente más fácil. Recordemos las tremendas Divinas palabras: «más le valdría que le pusieran al cuello

[43] Por ejemplo, una numerosa y estable colonia extranjera, de religión no católica, pide que se le conceda permiso para practicar su culto sin manifestaciones externas ni proselitismo. En este caso, parece prudente el conceder el permiso, puesto que un culto religioso aunque erróneo, es mejor que la irreligión. Y el coaccionar y quebrantar los deseos religiosos de los equivocados, no conduciría sino a empestillarlos más en su error y encorajarlos contra la Religión oficial española.

una piedra de molino y le lanzasen en el mar que escandalizar a uno de estos pequeños»[44].

c) RESPECTO DE LA OCUPACIÓN DE CARGOS POLÍTICOS, PÚBLICOS O PRIVADOS, DE GRAN INFLUNCIA E IRRADIACIÓN PERSONAL.—De acuerdo con nuestra regla precisa, que respeta el error individual de buena fe[45], que no permite que éste irradie del individuo sobre la colectividad, no podrán ocupar cargos públicos destacados, así como tampoco aquellos cargos privados muy importantes (tratándose de grandes empresas, compañías de servicio público, etc.), aquellas personas cuya individualidad destacada dentro de un credo o de unas ideas contrarias a la religión oficial del Estado, hagan

[44] «Utilius est illi, si lapis molaris imponatur circa collum ejus, et projiciatur in mare, quam, ut scandalizet unum de pusillis isti», San Lucas, cap. XVI, vers. 2. Sólo podemos admitir una atenuación a esta regla muy excepcional, y todavía más restringida que la del Culto Religioso no Católico. En el caso por ejemplo, excepcional, de que una colonia extranjera, residente en algún centro industrial o minero, por ejemplo, pidiera en instancia motivada a las autoridades la creación y costeo por ellos de un Centro de Enseñanza privado para sus hijos, pudiérase, siempre con la aprobación de la Autoridad Eclesiástica consentirse que en aquella particularísima escuela o colegio, a donde podrían concurrir solamente hijos de extranjeros de religión no católica, no se enseñara la Religión Católica; pero tampoco otra alguna. La educación religiosa de estos niños se haría en privado por sus padres, si querían. Esta es la única excepción que podemos admitir a la regla terminante de nuestro texto respecto de la Enseñanza, porque en este caso el peligro de escándalo es mínimo o nulo.

[45] En España, el caso de la persona religiosa de otra religión que la católica, convencido y de buena fe, es un caso excepcional. Igualmente es excepcional el caso del descreído verdaderamente culto y honrado y hondamente sincero. El caso más frecuente es el del descreído por dejadez, por moda, por política pancista. Estos casos, que son de con mucho los más frecuentes, son absolutamente despreciables. Y además fácil y espontáneamente remediables. En cuanto en el ambiente general de España se difunda la idea de que los bollos se reparten en la acera católica, habrá cola a las puertas de las Iglesias; y subirán de precio exorbitantemente las medallas y escapularios.

de la ocupación de aquel puesto un peligro positivo para la colectividad [46].

* *

Con estas reglas que creemos bien orientadas, indicamos de modo general, cómo, en nuestra modesta opinión, puede encauzarse el problema de una rigidez estricta de Principios y de una cordialidad cristiana y humana en los procedimientos. No creemos en absoluto que exageramos; al contrario. El gran pecado español, la causa lejana y remota de esta terrible Revolución desgarradora y sangrienta que tan inmenso daño ha hecho a España, es desde luego, el no haber dado importancia a la propagación de las ideologías racionalistas, exóticas, anticatólicas; el haber sido demasiado tolerantes, el haber dejado ocupar por la pretenciosa, mediocre y «arribista» intelectualidad de izquierdas, que tanto deslumbra a los jóvenes papanatas, intelectualizantes y «poetisos» de antes y de

[46] Entiéndase bien; no es que pretendamos que sólo ocupen estos puestos preeminentes los católicos fervorosos. Sino que no los han de ocupar a ser posible, anticatólicos notorios, que se sirvan de ellos para ejercer su influencia nociva sobre el gran número de dependientes a sus órdenes.

Hay que terminar con la superstición de que para ser un gran sabio, un gran médico, o un gran escritor, es preciso ser izquierdista; tener, como se decía imbécilmente, «ideas avanzadas». Esta estúpida superstición ha sido una realidad española en estos últimos tiempos. Es preciso en primer término, que los izquierdistas y anti-católicos —los más disimulados son los peores— que ejercían dichas profesiones, se vayan convenciendo, y el público con ellos, de que no son *necesarios*. Que hay médicos, sabios, ingenieros, escritores de derechas que saben tanto o más que ellos. Y que aquellos profesionales que fueren peligrosos por sus tendencias, sean dedicados, principalmente a *funciones de investigación,* tan necesarias en la Ciencia moderna, alejados del contacto subjetivo, personal, con el público —que es contacto nocivo— para dejarle sólo el contacto *objetivo* de su obra que es el contacto positivo y benéfico. Así no se desaprovecharán los valores que existan y se evitarán los peligros de un proselitismo izquierdista más o menos solapado.

ahora, los puestos de irradiación de proselitismo, los puntos «nodales» de la Política y de la Enseñanza [47]. Es cierto que el hombre es definido por un humorista, como «el único animal que tropieza dos veces en el mismo sitio». Pero *el tropezón* de ahora ha sido demasiado trágico y es preciso que no se vuelva a dar.

Que se nos permita honrar este largo e importantísimo capítulo, terminándolo con unas líneas del insigne maestro Menéndez y Pelayo, sobre este tópico, sobre ese lugar común tan vulgar y extendido de la tolerancia. Dice así el maestro:

«La llamada tolerancia es virtud fácil; digámoslo más claro, es una enfermedad de época de escepticismo o de fe nula. El que nada cree ni espera nada, ni se afana ni se acongoja por la salvación o perdición de las almas, fácilmente puede ser tolerante. Pero tal mansedumbre de carácter no depende sino de una debilidad o eunuquismo de entendimiento» [48].

Cuando tantos hermanos nuestros están combatiendo virilmente y arriesgando su vida por España, sería una vergüenza indeleble, que por falta de vigor intelectual, por falta de firmeza enérgica e inconmovible en los Principios [49], comprometiéramos sus sacrificios y sus victorias aquellos que tenemos por menester, cada cual en su esfera más o menos

[47] Por eso hay que tener extremos cuidados en la España que renace, en la aplicación estricta de las orientaciones que hemos señalado al final de este capítulo, y que si de algo pecan, es de demasiado indulgentes en sus excepciones. Que se comparen los procedimientos que propugnamos con los que se emplean en Italia y en Alemania, y se verá que nos quedamos cortos; que lo que proponemos es el mínimum que hay que exigir de un Estado consciente para defenderse eficazmente contra sus enemigos interiores, infinitamente más peligrosos que los exteriores.

[48] *Historia de los Heterodoxos Españoles.* Madrid. Victoriano Suárez, 1928. Tomo V, pág. 400.

[49] Falta de firmeza, «eunuquismo de entendimiento» para emplear la severa expresión de Menéndez Pelayo, que ha sido el principal y gravísimo pecado de la Ceda, al renunciar a los rectos Principios políticos por conseguir una efímera semi-hegemonía política, una fugaz coparticipación en el Poder.

modesta, de trabajar, en el campo de las ideas, para la sólida reconstrucción de España.

Rigidez absoluta e inconmovible de Principios que no excluye, sin embargo, como hemos visto, ni la libertad en lo instrumental secundario, ni la caridad cristiana en la aplicación de los primeros. De acuerdo con la esencia de aquel magnífico aforismo Agustiniano en el que el ilustre mártir español por la ignoble República asesinado, Ramiro de Maeztu, veía condensada la fórmula del buen Gobierno:

«*In necesariis unitas, in dubiis libertas, in omnibus charitas*».

SAINZ RODRÍGUEZ, P., *La escuela y el Estado Nuevo,* Burgos, Hijos de Santiago Rodríguez, 1938.

DISCURSO DEL EXCMO. SEÑOR MINISTRO

Es mi primer deber al dirigirme a vosotros, maestros nacionales asistentes a este cursillo, y a las autoridades aquí presentes, agradecer a todos el calor y la ayuda que han encontrado en este hidalgo pueblo de Pamplona las iniciativas del Ministerio de Educación Nacional, felicitar a los realizadores de este curso y a los intructores militares que con tanta abnegación han colaborado en él. Muy especialmente he de decir, que sin el apoyo, y acaso sin la iniciativa de mi querido amigo don Luis Orgaz, este primer curso, con la tónica militar que tiene, no se hubiera podido realizar y esa tónica militar no ha sido un accidente, sino que ha sido lo que deliberadamente se buscaba al organizar estos trabajos.

Ha de ser una de las características del nuevo Estado y de nuestra política, el que las palabras no sean retórica vacía, sino que sean siempre anuncio de una realidad próxima. Hemos hablado tantas veces en nuestro Movimiento de que la vida es milicia, que conviene probemos con hechos esta verdad. Milicia ha sido vuestra estancia en Pamplona durante este cursillo; con disciplina militar habéis vivido, y es, quizá, como decía muy bien el general Orgaz, la máxima lección que habéis recibido, la de ese ambiente que os habrá hecho apreciar en vuestra vida diaria, en vuestra vida codidiana, el espíritu de disciplina de la educación militar.

La vida militar tiene la grandeza del heroísmo en la guerra, que impone la admiración, y cuando no la admiración, la gratitud de todos. Pero para llegar a esas cumbres del heroísmo y del deber cumplido, es precisa esa labor oscura de fabricar diariamente, por un esfuerzo continuo y callado, el temple del alma y del espíritu, que luego ha de servir para escalar las excelsitudes del sacrificio y de la abnegación. Las academias militares, los cuarteles, la vida entera del Ejército, yo creo, maestros de España, de la Nueva España, que los que habéis convivido con ella, habéis aprendido a respetarla y amarla. Porque uno de los grandes recursos de la revolución internacional que se manejó de manera cruel y vergonzosa durante la fenecida República, fue este de enfrentar al mundo civil y al mundo de la inteligencia, con el mundo de la milicia, suprema escuela del cumplimiento heroico del deber. Parecía un tópico de Ateneo y de redacción de periódico el despreciar la vida del cuartel, como si el cuartel fuese una especie de presidio. Vosotros habéis vivido la vida militar, y yo estoy seguro de que cuando volváis a vuestras escuelas, estos días de disciplina y de rigor habrán sido para vuestras almas un tónico vivificador, y recordaréis con orgullo y con gratitud, que, aunque sólo por unas semanas, os habéis honrado viviendo la vida que permanentemente se vive en las fábricas de héroes que son los cuarteles de España (Grandes aplausos).

Cuando yo era Diputado de las Cortes Constituyentes, de las tantas cosas que hubieran causado risa, si no hubieran sido fuente copiosa de lágrimas, como allí presencié, ninguna me causó más desprecio que aquel artículo grotesco de la Constitución de la República en que se decía: «España renuncia a la guerra como instrumento de política internacional». Me hacía el mismo efecto que si un caballero hubiese puesto en su tarjeta: «El señor este renuncia a repeler violentamente las agresiones de que sea objeto». Hay algo en la dignidad moral del hombre, que es el valor, que es un valor humano, moral, y es preciso que salgamos al paso de ese concepto comodón de los hedonistas del mundo ginebrino y liberal, que pretenden hacer creer a la humanidad que esos pacifistas de conferencia internacional, son seres superiores y más humanos que aquellos que comprenden toda la dignidad y toda la trágica grandeza que hay detrás del deber de la guerra.

¿Es que acaso el fin único del hombre en la tierra es conservar su vida? ¿Es que no es un hombre superior, aquel que está dispuesto a forjar una vida espiritual para su pueblo, servir la ambición de su raza, y la fidelidad de sus principios, con el hecho supremo del sacrificio de la vida?

Debemos acabar de una vez para siempre con esos tópicos que además están fracasados y no sirven para evitar la guerra, porque son precisamente los pueblos que tienen potencialidad guerrera los que pueden imponer la justicia, e imponiendo la justicia, salvan la paz. En cambio, esas democracias pacifistas, cuando es un interés bastardo de las grandes finanzas del mundo internacional, el que se atraviesa en este camino del pacifismo teórico, no vacilan en lanzar a los pueblos a una lucha sangrienta y no ciertamente por un ideal superior (Aplausos).

Es preciso que eduquemos al ciudadano español con el ejemplo de Roma y el recuerdo dignificador de Cincinato, que con la misma mano con que manejaba la mancera del arado empuñaba también la espada del dictador. Recordemos que del Foro al Campo de Marte no hay más que un paso y que si la vida es milicia, debemos enorgullecernos de poderla cumplir en el máximo sentido del deber militar (Muy bien. Aplausos).

Este curso es el primero de orientaciones nacionales que organiza el Ministerio de Eduación del nuevo Estado. Yo estoy satisfecho de él, satisfecho del espíritu que habéis demostrado, satisfecho de los resultados obtenidos en tan poco tiempo. Yo estudiaré cuidadosamente los informes que ya tengo acerca de cómo se ha desarrollado toda la mecánica del curso. Ese estudio hará que en lo sucesivo —y desde luego yo prometo al general Orgaz que serán pronto varios los cursos que se realicen con el mismo sentido con que se ha realizado éste—, los cursos sean perfeccionados en su técnica docente y pedagógica.

Este es un deber de todo Estado, el de formar maestros, y es un deber preferentísimo del Estado nuevo que yo quiero realizar con mi buena voluntad y con la voluntad de todos nuevosotros, y esa buena voluntad no serviría para nada, si el nuevo Estado no os diese las posibilidades de realizar una función en servicio de él, que seguramente estáis ansiando en el fondo de vuestra conciencia. Digo que es un deber del Estado, no porque piense que el Estado debe ser el monopolizador de la enseñanza; quiero que quede bien claro, que si el Estado español tiene todo el sentido de las nuevas modalidades de los que llamamos estados totalitarios en el mundo, sabrá conjugar con una dotrina original propia, ese concepto de la autoridad estatal, con las normas de la tradición católica, imprescindible componente de la civilización de nuestro pueblo. (Muy bien).

Durante mucho tiempo la bandera de los católicos en frente del estado liberal o de los estados marxistas, ha sido la bandera de la libertad de enseñanza. Ya lo he dicho repetidas veces y se lo he dicho a las autoridades de la Jerarquía eclesiástica: Creo que es una mala expresión esta de «Libertad de enseñanza». Lo que debemos decir es «No monopolio» de enseñanza por el Estado, que es un cooperador con la sociedad en esa función de la enseñanza; pero de ninguna manera «libertad» en el sentido de que se pueda enseñar lo que se quiera, pues eso sería un concepto liberal de la docencia. El Estado ha de poner de acuerdo con el sentido permanente de la nación, con nuestra religión y con nuestras ansias de futuro, la docencia de todos, tanto del Estado mismo, como la complementaria de la enseñanza privada, por medio de una inspección que las armonice todas. Pero es evidente también que no puede aspirar a lo que sería una aberración, arrebatar a la familia el que es su primer deber, y constituye el sacratísimo derecho que tiene a disponer de la educación de sus hijos. (Muy bien). Es preciso no obstante que con esa intervención que el Estado nuevo tendrá en la ordenación de la educación, labre una verdadera unidad de conciencia nacional, que es el primer deber del Ministerio de Educación.

Esta guerra civil ¿qué os está diciendo? Los pueblos acuden a la guerra civil cuando la rotura de su conciencia moral les obliga a ello para salvar las esencias permanentes de su personalidad histórica. Es preciso que restauremos la unidad moral de la Patria española y que restauremos la conciencia nacional del pueblo español. Y para eso, quiero hablaros brevemente de unas cuantas ideas, que yo llamo «los antitópicos de nuestra Revolución Nacional», enfrente de los tópicos manidos del viejo liberalismo y de la revolución marxista.

Todos vosotros habéis vivido, muchos de vosotros seguramente habéis vivido un ambiente en los medios pedagógicos docentes en los que se habían elevado a la categoría de dogmas unas cuantas ideas que se trataba de imbuir en las mentes de la juventud que se preparaba para el Magisterio. Una de esas ideas liberales era la de que hay que respetar, sobre todo, la conciencia del niño y la conciencia del maestro; que la educación es respetar el sentido natural de los educandos y su libertad. Pues bien; yo quiero que meditéis que la idea contraria es el eje de toda la filosofía de la educación patriótica. Esa es una idea roussoniana. El padre de la revolución en Pedagogía, y en otros muchos aspectos de la Revolución, pero en Pedagogía de una manera preferente, fue Rousseau. La gran herejía de nuestro tiempo es el liberalismo roussoniano, porque él fue el que con la gracia morbosa de su estilo, supo crear estos tópicos que van rodando desde el *Emilio* y *La nueva Eloísa* por todos los manuales de Educación del siglo XIX.

El fundamento de su doctrina es la idea de que el hombre es naturalmente bueno y que la Pedagogía no tiene que enderezarle ni corregirle, sino que lo único que tiene que hacer es cultivarle como se cultiva una planta, porque la planta en sí tiene todas las facultades de vivir. Frente a ese dogma del naturalismo hedonista que afirma que el hombre es naturalmente bueno, hay que contraponer la doctrina católica de que el hombre es malo por causa del pecado original y de la caída que envileció su alma. (Aplausos).

Por tanto, el problema de la educación consiste en situarse ante el niño diciéndose: ¿Es éste un ser a quien no hay más que cultivar porque él tiene de un modo inmanente todas las virtudes, o es un ser en el que predomina la naturaleza de la bestia humana, si no viene la educación a poner la semilla de espiritualidad y de luminosidad en su alma? Todo hombre tiene dormida en el fondo de su espíritu aquella chispa de la Divinidad que puso Dios en la conciencia humana, y la obra grande de la educación es hacer que esa chispa dormida muchas veces por el sentido animal del hombre, se convierta en hoguera y alumbre nuestra vida y rija su moral y su conducta. (Gran ovación).

Esta idea de Rousseau hace que se considere al hombre no como persona, sino como individuo, como unidad biológica. Por eso, toda la revolución liberal, toda la economía liberal, toda la filosofía de la revolución, no consiste en hablar más que de los derechos del hombre, los derechos del individuo frente a la sociedad; en buscar, como fin de la vida, el placer de ese individuo, al que tiene derecho porque el hombre es naturalmente bueno. Frente a esto existe otro concepto: el concepto de la persona. La persona es el hombre en su función social y por eso nosotros, que no queremos hablar de la libertad del hombre y de los derechos del hombre, sí hablamos y respetamos y sentimos los derechos imprescriptibles de la persona humana. Porque una cosa es la persona humana que el cristianismo y el catolicismo respetan, y otra cosa es el individuo que no es más que la unidad biológica, una unidad de la especie, de ese inmenso rebaño, que sin la religión, y sin el espíritu, poblaría la tierra. (Enorme ovación).

Este concepto es una idea romántica y tiene en el otro aspecto de vuestra tarea de que os hablaba antes, en el aspecto de formar la conciencia nacional, una extraordinaria gravedad, porque la idea de individuo, eje de toda la filosofía racionalista, implica que la Patria no sea considerada como una unidad moral, sino como un hecho natural. Por eso, el romanticismo político hace reverdecer en toda Europa los nacionalismos irredentos, porque la idea de nación y de patria no está fundamentada sobre algo moral, sino que está fundada también sobre hechos naturales, y por eso, fijaos que todos los nacionalismos, cuando están desprovistos de ese contenido moral, no hacen más que basarse en el amor al terruño, al paisaje, a los hechos naturales, a eso que llamaban los separatistas catalanes el hecho diferencial de Cataluña; el hecho, como si la Nación fuese una fatalidad geológica o geográfica y no un resultado de la voluntad de los hombres que están unidos para cumplir un destino común. (Grandes aplausos).

Es importante que os percatéis de que de esta gran herejía de la edad moderna, del naturalismo roussoniano nacen los grandes tópicos que envenenan la sociedad de nuestro tiempo, y que concretamente han servido para que la sociedad española se lanzase por los derroteros de la revolución roja: el tópico del individuo frente a la persona: el tópico de la bondad natural del hombre frente al pecado original, el tópico del cultivo natural del hombre frente a la necesidad de conducirlo, el tópico de que la Patria es un hecho natural y no un concepto moral en que interviene la voluntad del hombre para realizar un destino común. (Muy bien).

Por tanto, a los maestros hay que pedirles dos cosas fundamentales: que eduquen a los niños en ese concepto de la responsabilidad humana y en ese sentido de superación y de perfeccionamiento, en esa idea de que los instintos naturales no son respetables, sino que precisamente la obra de la educación consiste en modificarlos, en elevarlos; que la educación en suma no es más que una modalidad de la lucha, en la vida del espíritu, entre los vicios y las virtudes. Poned vosotros con la obra de la educación, en la balanza del bien, todo el impulso que puede crear el espíritu superior del maestro. (Muy bien. Grandes aplausos).

La Pedagogía revolucionaria ha consistido además en borrar la idea de Patria como entidad moral de la conciencia de los españoles. ¿No recordáis que cuando algunos pensadores de la Institución se veían en trance de hablar de su amor a España nunca pudieron hacer más que elogiar a la sierra de Gredos, o los paisajes del Guadarrama, o las encinas del Pardo, porque cuando se asomaban a una creación espiritual, se encontraban con el hecho indiscutible de que la civilización española está ligada como la hiedra al tronco, al sentido católico de la cultura y de la historia? Y por eso, como se trataba de arrebatar el sentido patriótico de la conciencia de los niños, como se trataba de borrar el contenido religioso de la función educativa, una concepción de la Patria como unidad moral, como concepción moral, tenía que desaparecer y se sustituía por ese elogio al que yo he denominado el patriotismo geológico, en el que se refugiaban algunos para disimular que no tenían patriotismo. (Muy bien).

Para nosotros, el catolicismo, además de ser nuestra religión y la de la inmensa mayoría de los españoles, constituye la única posibilidad de poseer una clave para entender la historia de nuestra civilización y de nuestro pueblo y una norma para que puede marchar nuestra nación por las rutas del porvenir.

Cuando acabó la guerra europea, hubo un grupo de intelectuales franceses que veían que aquel gran esfuerzo de Francia para salvarse se iba a deshacer otra vez en la lucha estéril de los partidos y en la ola demagógica del avance proletario y socialista. Y entonces hubo algunos que sintieron la necesidad de una alianza intelectual sobre una base doctrinal, y decían: muchos de nosotros no somos católicos prácticamente, pero sin embargo, proponemos a los franceses, a los franceses que amen a su patria, una alianza sobre la doctrina católica para poder salvar el destino de Francia en el mundo. En el último libro de Massis *L'Honneur de servir* tenéis el estudio de este movimiento y las causas de su fracaso. El laicismo es prácticamente una aberración desde todos los puntos de vista, desde el punto de vista religioso y filosófico, y para los españoles, además, desde el punto de vista patriótico. Y por eso es un deber del Estado nuevo el impedir —ya lo ha hecho—, que se conserve ni una brizna de posibilidad de que el laicismo vuelva a tener beligerancia doctrinal en el ámbito del pensamiento y de la educación españoles. (Muy bien. Grandes aplausos).

Yo quiero leer estos párrafos de Menéndez y Pelayo que quisiera ver citados en cada escuela de España cuando se hable de la condenación del laicismo:

«No sólo la Iglesia católica, oráculo infalible de la verdad, sino todas las ramas que el cisma y la herejía desgajaron de su tronco, y todos los sistemas de filosofía espiritualistas, y todo lo que en el mundo lleva algún sello de nobleza intelectual, protestan a una contra esa intención sectaria, y sostienen las respectivas escuelas confesionales o aquellas, por lo menos, en que los principios cardinales de la Teodicea sirven de base y supuesto a la enseñanza y la penetran suave y calladamente con su influjo.

»Así se engendran, a pesar de las disidencias dogmáticas, aquellos nobles tipos de elevación moral y de voluntad entera, que son el nervio de las grandes y prósperas naciones de estirpe germánica en el Viejo Mundo y en el Nuevo. Dios las reserva, quizá, en sus inescrutables designios, para que en ellas vuelva a brillar la lámpara de la fe sin sombra de error ni de herejía.

»Ni en Alemania, ni en Inglaterra, ni en los países escandinavos, ni en la poderosa república norteamericana tiene prosélitos la escuela laica en el sentido en que la predica el odioso jacobismo francés, cándidamente remedado por una parte de nuestra juventud intelectual, y por el frívolo e interesado juego de algunos políticos.

»Apagar en la mente del niño aquella participación de luz increada que ilumina a todo hombre que viene a este mundo; declarar incognoscible para él e inaccesible, por tanto, el inmenso reino de las esperanzas y de las alegrías inmortales, es no sólo un horrible sacrilegio, sino un bárbaro retroceso en la obra de civilización y de cultura que veinte siglos han elaborado dentro de la confederación moral de los pueblos cristianos. El que pretenda interrumpirla o torcer su rumbo, se hace reo de un crimen social. La sangre del Calvario seguirá cayendo gota a gota sobre la Humanidad regenerada, por mucho que se vuelvan las espaldas a la Cruz». (Aplausos).

Otra pluma de campo bien distinto, pero de mentalidad esclarecida, «Clarín», decía así sobre el laicismo:

«Porque téngase en cuenta que en este punto, el abstenerse es negar: quien no está con Dios está sin Dios; la enseñanza que no es deísta es atea. Porque los hijos que se educan en la duda de Dios se educan como si no lo hubiese; y más diré: que si no lo hubiera, no está muy claro que fuera muy perjudicial para una buena educación portarse como si lo hubiese, mientras que si hay Dios, el prescindir de la divinidad no puede menos de ser funesto.

»Dejar para el domicilio la enseñanza religiosa y en la escuela no encontrar más que doctrinas en que se mutila la realidad de la vida humana, haciendo abstracción de toda idealidad piadosa, es desconocer el principio fundamental de la educación intelectual y de sus relaciones con la educación ética y estética».

Por estas razones, la postura laicista de la fenecida República era una postura anacrónica en el pensamiento europeo, conservada únicamente por los partidos revolucionarios de Francia para impedir la reacción del pueblo francés y para mantener sumido el pensamiento de la gran masa de la nación vecina en esa filosofía radical que lo invade todo ya, incluso las manifestaciones que parecían impregnadas de otro espíritu.

Quizá pudiera parecer a alguno de ustedes que yo soy un poco suspicaz en cuanto a creer que esta obra de minar los fundamentos doctrinales de la educación fue una obra deliberada y realizada con un sentido revolucionario. Yo quiero leerles un testimonio que me releva de toda otra prueba. Es un texto de un discurso de Fernando de los Ríos cuando creía que la República era inmortal:

Las ilusiones de los discípulos de Giner de los Ríos se injertaron en la organización pedagógica española en el mayor silencio. La Escuela Superior del Magisterio, la Junta para ampliación de estudios e investigaciones científicas, la Escuela de Criminología y hasta la residencia de estudiantes han sido los gérmenes de la nueva España. Éstos han sido los gérmenes que han posibilitado el advenimiento de un régimen nuevo. La simiente está tirada silenciosamente en el surco. la República española recoge los resultados de aquéllos».

Estas palabras son para nosotros tan preciosas como si fuesen un mapa donde nos hubieran señalado las fortificaciones que tenemos que bombardear. (Risas y aplausos).

Un escritor inglés decía que para pasar y vivir en la vida no vale de nada la cultura intelectual sin la cultura moral. Yo espero que la nueva España sabrá formar hombres con cultura moral y con cultura intelectual; pero hemos de conceder la prioridad a la formación moral de los elementos docentes de la juventud.

Ahora quiero decir dos palabras para terminar. En el Magisterio español y en todos los cuerpos del Estado se está procediendo a una depuración que pronto será regulada de un modo definitivo. No quiero mirar ahora hacia el pasado, sino hacia el porvenir, y decir a los maestros españoles, que el régimen del porvenir, mientras yo regente la Educación Nacional, será un régimen de confianza, porque espero que el montón de muertos que tenemos ante nuestra vista, y la sangre derramada, bastarán para que aquellos que tuviesen un resto del error pasado en el fondo de sus conciencias, se incorporen llenos de entusiasmo a los nuevos dogmas de la Patria. Esa experiencia trágica no la ha vivido España en vano, y el fundamental deber, el primero que tiene el Gobierno de España, es hacer que no sean infecundos en ningún terreno los sacrificios de nuestros muertos. Y yo tengo la conciencia segura de que si hoy no arrancásemos con mano dura esa semilla silenciosamente arrojada en el surco, como dice Fernando de los Ríos, no podríamos tener la esperanza de una salvación definitiva para la Patria. Y yo siento gravitar sobre mi conciencia esa responsabilidad, y por mí no ha de quedar; y yo creo que tampoco por vosotros.

Este cursillo ha terminado. Nos podemos despedir alegremente, diciéndole al pueblo español que aquí hay unos hombres que se aprestan a sentir la enorme responsabilidad de la función que España les encomienda. Que en este cursillo no ha habido ni arribismo ni la intención de buscar puestos como en otras ocasiones, y que aquí nos hemos reunido en una comunión de devoción a la Patria, de respeto a los valores del espíritu y que nos separamos sin que una sola palabra de odio haya envenenado las almas, ni de los hombres ni de los niños, inspirándonos únicamente el amor a Dios y a España.

(Las últimas palabras del Ministro son acogidas con una entusiasta y prolongada ovación).

López Ibor, J., *Discurso a los Universitarios españoles*. Santander. Cultura Española, 1938, capts. I, IV, V, VI, VII, VIII, XIV y XV.

I

POR QUÉ NO TENÍAMOS UNIVERSIDAD

Por muy hondamente que nos sintamos empapados de espíritu universitario, no debemos caer en la beatería de afirmar que un pueblo es, en definitiva, lo que su Universidad sea. La Universidad, como institución, es un hecho relativamente reciente en la historia de la Cultura, y antes y fuera de su radio histórico han existido grandes pueblos y grandes culturas. Sin embargo, en el caso de España, han sido tan paralelas su grandeza y decadencia como Imperio, con la grandeza y decadencia de su Universidad, que fuerza es pensar que esta comunidad de destino tiene una honda raíz común, la cual conviene desenterrar. ¿Fueron grandes nuestras Universidades porque lo fue nuestro Imperio o viceversa? En esta disyuntiva se esconde todo el problema, porque aunque el imperio precediese, históricamente, a la madurez de la Universidad, se mantuvo mientras la savia del pensamiento español se cotizaba en el mundo.

Dese Alcalá y Salamanca no hemos vuelto a tener Universidad grande y auténtica. En todo el penoso curso de nuestros siglos de decadencia se ha vuelto una y otra vez, con añoranza honda, a pensar en Alcalá y Salamanca. ¡Cuando tengamos Universidad, volveremos a ser!, se decía, invirtiendo arbitrariamente los términos, víctimas de un intelectualismo de ilustración. En virtud de este paralaje mental, se creyó que tendríamos Universidad cuando trasplantásemos a España aquello que, al parecer, convertía en grandes las Universidades extranjeras, y se soñaba, con cierta estolidez, en un desfile de laboratorios, de seminarios y de bibliotecas con tubos de níquel y suelos charolados. ¡Ciudad Universitaria de Madrid, tan moderna y tan sin espíritu! ¡Parece que la guerra te ha querido bautizar con fuego, para hacerte perdonar tu pecado de origen!

Como no había médula propia, unos exaltaban el tipo de Universidad inglesa, otros el alemán o norteamericano. Al compás de este vaivén de opiniones, se mandaban pensionados y se traían conferenciantes. Esta ha sido, en parte, la labor de la Institución Libre de Enseñanza. Pero, hecho curioso: como pretendía una cultura cernida de toda levadura de Hispanidad, atacaba de soslayo a la Universidad y se dedicaba a fomentar una torva proliferación de instituciones extrauniversitarias [1].

Otro grupo miraba, recelosamente, esta labor; pero se anegaba en una esterilidad universitaria semejante, esmalta-

[1] Hace falta en España una historia documentada y completa de la Institución Libre de Enseñanza. Surgió íntimamente ligada al krausismo, y desde entonces, sobre todo a través de la Junta de Ampliación de Estudios, ha venido rigiendo la enseñanza en nuestro país. Karl Christian Friedrich Krause (1781-1832) es considerado en Alemania como el filósofo oficioso de la masonería. En cualquier historia de la filosofía se le encuentra anotado con esta significación, y a ello hay dedicado más de un libro. Sanz del Río fue a beber en aquellas fuentes, no se sabe por qué misteriosa sed de hermandad, y se trajo su sistema, así como otros se trajeron su pedagogía. Menéndez y Pelayo escribió unas páginas acerca de ellos, donde se mezcla una alada ironía con una íntima repugnancia. Pero no sólo los comienzos, sino toda la historia posterior, merecen un minucioso estudio.

da con recuerdos históricos. También ellos conocían lo extranjero, a través de una documentación maciza de planes de estudios y métodos de enseñanza. Como quiera que la Universidad del Estado caía, casi totalmente, fuera de su radio de influencia, se rebelaban en nombre de la libertad de enseñanza: con este designio estudiaban, preferentemente, el modelo inglés o el belga (¿recordáis el machaconeo de textos del *Times*?), so capa de unas inciertas afinidades de estilo vital, porque allí existía una mayor libertad para las iniciativas individuales o sociales, como si siempre pensasen en una sociedad divorciada del Estado. Reacción tan absurda, como la de los mandarines del otro grupo, que estuvieron enviando afanosamente pensionados a Alemania, mientras creyeron que la cultura alemana era, por esencia, la cultura de la *Aufklärung,* y que, a partir del triunfo del nacionalsocialismo, miraban con suspicacia —y trataban de evitarlo— al español que quisiera ir a estudiar en Universidades alemanas. ¡Gran confusión e hipocresía de los tiempos!

Todo menos plantear, de una vez y para siempre, el problema en su radical desnudez y dolor: *España no ha tenido Universidad auténtica en los últimos tiempos, porque no podía tenerla.* Tampoco Ortega cayó en ello, a pesar de ser suyo el intento más solemne, que se hizo en los últimos años, de atacar por su base nuestro problema universitario. Como tenía una visión ultrapirenaica del problema, se quedó en una propuesta de reforma del atrio del edificio: los demás se quedaban en la puerta. No vió que lo esencial era transformar todo el edificio, convirtiéndolo en morada para el alma de una misión universitaria, apoyada en una concepción auténtica del hombre español. Es verdad que Ortega reaccionó contra el tipo de Universidad «cientifista» y se batió por la introducción de la Cultura en la Universidad; pero se quedó ahí, en una reacción, sin un definitivo impulso creador, porque partía de un concepto mediatizado de la Cultura, como veremos después.

Elevar la Cultura frente a la ciencia, supondría dentro del mecanismo universitario la creación de una verdadera Facultad de Cultura. Ortega la propone así: «Por tanto, la función primaria y central de la Universidad es la enseñanza de las grandes disciplinas culturales.

Éstas, son:

1.° Imagen física del mundo (Física).

2.° Los temas fundamentales de la vida orgánica (Biología).

3.° El proceso histórico de la especie humana (Historia).

4.° La estructura y funcionamiento de la vida social (Sociología)[2].

5.° El plano del Universo (Filosofía)».

Sin embargo, lo cierto es esto: no hay posibilidad de ensamblar estos estudios en un funcionamiento normal de la Universidad, que ha de atender a su misión compleja. Más claro: no es posible hacerle seguir a un médico, por ejemplo, varios cursos de la Facultad de Cultura en detrimento de su propia formación médica. Es absurdo pretender, por otra parte, segregar de la misión genuinamente universitaria la formación de un profesional, porque el arquetipo del profesional futuro, que no ha de ser un técnico exclusivo, ha de ser precisamente universitario. La idea de este profesional arrancado a la Universidad, no es más que el deseo de un profesional sin cultura, aunque embebido de ciencia y de técnica. En el fondo, es una traducción de la idea luterana de profesión, que jamás encajó en nuestro modo de ser. Por eso resulta tan extraño entre nosotros, hablar de ciertas éticas profesionales, como si una profesión pudiese tener una norma ética para sí, independiente de la de los demás. Como si

2 ¿Admitiría un auténtico historiador, o un filósofo de la historia, este encumbramiento e insolidaridad de la Sociología?

a un profesional pudiese, en esencia, estar permitido, en la escala ética, lo que a otros está prohibido.

En lugar de una Facultad de Cultura, es preciso hablar de una Cultura en las Facultades. Es necesario que la renovación de la ciencia moderna, que su ampliación de perspectivas llegue al más olvidado recoveco y no quede grieta alguna que rellenar. La nueva imagen del mundo, los nuevos conceptos de la vida, los nuevos esquemas de la física, han de dejar de ser imagen, concepto y esquema. Se han de asimilar y transvasar en la propia esencia de tal modo, que constituyan un «nuevo modo de ser».

En la nueva Universidad no han de figurar las Facultades yuxtapuestas como un mosaico. Deben cesar los compartimentos; no en la organización, sí en el espíritu. Cada una no debe estudiar una realidad ditinta, sino *todas la misma realidad desde un punto de vista distinto.* La doctrina tendrá así, por dentro, el esquema de una pirámide, que va a dar a esa fuente escondida de la unidad suprema. Sólo entonces se podrá hablar de Universidad, es decir, de la unidad en la diversidad. No hay que estudiar toda la realidad del mundo en una célula —especialismo que conduce a pensar que no hay más que aquello—, sino una célula como si en ella estuviese reflejada toda la realidad el mundo, engarzada en ella. El estudio no pierde así en agudeza. Gana, en cambio, en jerarquía y perspectiva.

Es insensato creer que el nuevo universitario diferirá del antiguo en que sepa más o en que conozca otras cosas. En él ha de ocurrir una manera radical de cambio; no como ampliación de perspectivas, sino como algo que afecte a su esencia fundamental. Los problemas de su existencia los vivirá, no desde ella misma, sino desde su esencia. *Cultura no es, pues, el sistema de ideas desde el cual se vive, sino por el cual se vive. O mejor, se vive y se existe.*

El hombre, sólo parcialmente tiene en sí la fuente de su ser. Por ello hay un aspecto de la cultura que supone el desarrollo, en el hombre, de cualidades y de valores que supondríamos puramente humanos. Sería la cultura, que domeñaría o encauzaría la naturaleza humana en su ímpetu fogoso y primitivo; pero, precisamente, porque el hombre posee un estrato superior, la vida del espíritu, necesita un cultivo en dirección determinada. El espíritu tiene su ley y su exigencia, mejor diríamos, tiene su centro de gravedad hacia el cual tiende siempre, aunque la sístole y la diástole históricas parezcan aproximarle o alejarle en un momento determinado. El cultivo en esta dirección supone, como antes decíamos, una norma o arquetipo, que sólo de un modo parcial, en cuanto es infundido, procede de nosotros mismos, pero que en esencia viene de otra parte. Esta imagen del hombre, que éste persigue ahincadamente, como arquetipo supremo, es la imagen que Dios ha depositado en él, como la imagen que él tiene de nosotros. Es una meta, a la cual cabe una aproximación mayor o menor en esta Ciudad Histórica, pero no una conquista absoluta y definitiva.

No es posible expresar aquí, en su aspecto total, este problema. Quede para otra ocasión. Para hoy basta con la necesidad de este cambio de frente en el problema de la Cultura; pero no se olvide que hasta ahora se trata sólo de esto, de un cambio de frente, no de una conquista de posiciones definitivas. La tarea futura, será esa: elaborar el cuerpo nuevo de la dotrina, y aquí es donde la Universidad española puede figurar en las escuadras de vanguardia.

Al espíritu español le cabe una misión especialmente gloriosa en el alumbramiento del nuevo hombre que se avecina; la de elaborar la dotrina y el estilo de un humanismo español.

POR UNA UNIVERSIDAD IMPERIAL

A pesar de la diversidad de lugares, existe en el ecúmeno un meridiano intelectual que le da su hora. Aunque sea cierto el juego de las culturas aisladas y aunque sea cierto el hecho de las hondas diferencias que la geografía impone, hay para todo el Occidente, desde Europa a América, un clima intelectual común. Mejor aún; existen ciertas escalas de valores con ámbitos de universalidad. Pero el correr de los tiempos descuaja unas y dibuja otras. A cada nuevo tipo de vida, corresponde una nueva escala de valores. Unas veces el hombre se olvida con exceso de sí mismo, y se pierde, deletéreamente, en el cosmos. Otras, se considera como la medida de las cosas: el hombre mediterráneo fue eso, y toda la cultura griega es una teoría de cánones y normas. El hombre moderno ha sido racionalista y mecánico, para quien el mundo y la vida no eran más que un mosaico de fuerzas, que no había más que conocer para dominar. El hombre oriental representa, en cambio, lo fluente frente a lo mecánico, el sentido frente a la razón. Por ello han buscado algunos la solución al problema de la cultura europea aproximándola a la cultura asiática (Keyserling, Jung, etc.), vitalizando aquélla con la fluencia y el sentido de las viejas civilizaciones orientales. Por ello también se han puesto de moda ciertos filósofos presocráticos, enhebrados en la tarea inmensa, casi imposible entonces, de encontrar el sentido mediante la propia razón.

Por doquiera se mire, se tropieza, en el mundo actual, con tentativas análogas. La doctrina de la vuelta a la vida primitiva y natural, encierra en sí un propósito de redención de este hombre seco y frío como una máquina, sólo preocupado de su rendimiento, jamás atento a la razón fundamental de su existencia. Se trata de un escorzo violento de la cultura, que tiene sus peligros; pero ofrece, en cambio, por su misma violencia, un ímpetu extraordinario, que le hace capaz de luchar con concepciones culturales tan ahincadas en el hombre moderno que habían pasado a ser una segunda naturaleza, o, como dirían los escolásticos, que habíamos asimilado de un modo entitativo. El mismo dogma de la supremacía de la ciencia sobre cualquier otra manifestación de la vida necesita ser quebrantado, y esto sólo se puede conseguir con una fuerte corriente de pensamiento de signo contrario. No existe tal supremacía de la ciencia, ni tal alcázar de la ciencia sereno e intangible. Sino, que, como ocurría con los dioses griegos, se trata de un olimpo, con sus angustias y sus luchas y hasta sus menudencias. ¡Como que es, en fin de cuentas, un producto humano! De ahí sus incapacidades radicales, de ahí su deber de misión, es decir, de sacrificio, de consagración a los más íntimos y definitivos ideales del hombre.

Para el español no hay más que una posible escala de valores, aquella que tenga valor dle eternidad. No desconoce lo que hay fuera de ella: sabe ser primitivo, instintivo y bestial, pero a ello no le concede valor de norma. Cuando el español se desgarra sus entrañas y aparece con sus vicios y defectos, es típico, pero no universal. El español hylico, visceral, no puede aspirar a crear su universidad; pero cuando descubre que el cosmos y el hombre en sí no agotan el horizonte, sino que lo rellenan insuficientemente, cuando sabe que la existencia sin la trascendencia es orgullo demoníaco y frío, entonces, es cuando adquiere verdadera categoría ecuménica. El mundo podrá o no reconocérsela, pero sólo él la posee de un modo tan profundo y sustan cial.

Pero, por nuestra suerte, el mundo necesita de esos valores, en esta hora solemne; y es ahora cuando España puede volver a una amplia política de misión. Es ahora, cuando España puede tener su Universidad.

Porque el Imperio español es, fundamentalmente y por encima de todo, un modo de cultura. Es un modo de concebir, muy humanamente, la vida misma; esto ha sido lo cimero en su empresa imperial. En esto triunfó y en lo demás fracasó. Gavinet, dice: «Quizá nuestra Patria hubiera sido más dichosa si, reservándose la pura gloria de sus heroicas empresas, hubiera dejado a otras gentes más prácticas la misión de poblar las tierras descubiertas y conquistadas, y el cuidado de todos los bajos menesteres de la colonización»[3].

Pero puede llegar un tiempo, ¡la hora es propicia!, en que esta tarea se realice de un modo mejor que entonces. Es el momento en que *el español sepa asimilar las virtudes* y *la fuerza del hombre fáustico, integrándolas en su escala de valores.* Cuando el español sepa asimilar la técnica, recreándola a través de su espíritu, suprimiendo aquello en que es enemiga del hombre. Construirá así un nuevo modo de cultura, cuyo designio de universalidad será incontenible.

España tiene en esto su mejor misión. El Imperio sobre América del Sur, será un Imperio de Cultura. Cuando de allí vuelvan sus ojos a los modos que tenga el español de resolver las contingencias y las esencias de su vida, la reconquista estará hecha y el Imperio fundado.

Así habremos de hacer su reconquista, porque así fue su pérdida. Pablo Antonio Cuadra, escritor nicaragüense, lo ha dicho con palabras luminosas, en aquellas hermosas páginas de *Hacia la Cruz del Sur,* transidas de añoranzas imperiales: «La lucha por la independencia de América fue una lucha de los liberales contra los conquistadores. Una contienda que perdimos por hallarnos ya en la pendiente de nuestra decadencia, entre las ideas liberales, de espiritualidad mostrenca y torva intención y aquel ingente espíritu español, que conquistaba así: bautizando tierras, redimiendo hombres y blanqueando razas».

Yo no digo que España no pueda pensar en tareas imperiales con designio geográfico. Antes al contrario, creo que sí, pero seguramente con orientación distinta que en el pasado. Los vientos soplarán en otro cuadrante. Es tan grande el designio imperial de España que, aun en las horas más graves, resuena en su carne maltrecha y herida. El mismo Gavinet, que se mantuvo siempre jugueteando en la cuerda floja de la

[3] La conquista del Reino de Maya.

heterodoxia nacional, aunque tenía un profundo sentido de lo español, dijo:

«Yo decía también que convendría cerrar todas las puertas para que España no se escapase, y, sin embargo, contra mi deseo, dejo una entornada, la de África, pensando en el porvenir. Hemos de trabajar, sí, para tener un período histórico español puro; mas la fuerza ideal y material que durante él adquiramos, veremos cómo se va por esa puerta del sur, que aún seduce y atrae al espíritu nacional. No pienso, al hablar así, en Marruecos: pienso en toda África, y no en conquistas y protectorados, que esto es de sobra conocido y viejo, sino en algo original, que no está al alcance, ciertamente, de nuestros actuales políticos. Y en esta nueva serie de aventuras, tendremos un escudero y ese escudero será el árabe»[4].

Este ejemplo demuestra cuán perenne es la fuerza intrínseca del pensamiento español, que aun en sus más desolados momentos, y en sus mentes menos impregnadas de su tradición, brota y encuentra fórmulas tan maravillosas como la que acabamos de citar.

La Universidad española, si quiere volver a existir con pujanza, quizás mayor que la que tuvo en sus tiempos mejores, tiene que ser imperial. El ímpetu de los capitanes de la España imperial se traducirá, en nuestras Universidades, en cifras de cultura. No es posible esbozar cuáles sean éstas, porque todavía no existen; pero presentimos, con gozo, su alumbramiento próximo. Esta es la tarea de la Universidad futura; para ella tenemos el venero de nuestra tradición cultural y el designio de lanzar al mundo un tercer humanismo, que no sea como el del Renacimiento un estudio de las humanidades, ni una mezcla impura de paganismo y cristianismo, sino un cultivo de los más puros valores humanos, tanto inmanentes como trascendentes: un humanismo auténticamente español, totalitario.

[4] El porvenir de España.

Examinando así el problema de la misión general de la Universidad, y el más concreto de la Universidad española, debemos dedicar, ahora, nuestra atención, a unos cuantos puntos nodales en la organización de la Universidad futura, sobre los cuales convienen unas cuantas ideas claras. Es natural que, si nosotros concebimos de un modo dinámico a la Universidad, si ésta ha de mantener continuamente su proa adelante, los puntos de vista que ahora nos parecen exactos, a la vuelta de unos años necesitarán renovarse. Tanto es así, que incluso podremos medir las singladuras de nuestro camino, por esta inadaptación de esquemas viejos a necesidades nuevas. Y tras esta advertencia, que sirve para valorar justamente lo que sigue, examinemos aquello que, en el momento actual, está más necesitado de revisión, sin que pretendamos agotar el tema, sino señalar las alturas dominantes, desde las que podamos emprender la batalla.

La necesidad de la introducción de los estudios teológicos en la Universidad, ha llegado a convertirse en un tópico, como si fuese un agua milagrosa para nuestras desventuras culturales. Pero sobre esto quisiera también decir unas frases breves, que fuesen bien entendidas. No se puede desparramar a voleo un curso de teología, por cualesquiera facultades, sin temor a su ineficacia y a quién sabe cuántas cosas más. Diríamos de esto algo parecido a lo de las Facultades de Cultura. Que la teología impregne todo el nuevo modo de ser de la cultura española. O por mejor decirlo, que le conceda su sentido. Concederle su sentido, es empaparle de su verdad trascendente, es situar la verdad de la ciencia en un lugar inasequible al pecado de soberbia, hosco pecado contra el Espíritu Santo.

Esta tarea es hoy más fácil que en otros tiempos, porque el surco está abierto para la sementera. Estamos, por emplear una frase grata a Pemartín, próximos a esa segunda religiosidad que parece adivinarse como postura futura del espíritu humano y que ya tuvo su par en cierta fase de la cultura helénica.

Una vez acordes en esto, debemos buscar en la ciencia, como en la vida, la navegación difícil. Para el español, *vivere non est necesse, navegare neccesse est;* vivir no es necesario; es necesario el navegar. No nos asuste la noche tormentosa del pensamiento hostil, ni el temor de hacer incursiones en otras tierras, si de ellas podemos traer un poco de verdad. Nuestros grandes, fueron grandes rebeldes, de duro perfil y acerada audacia. «En el orden intelectual es preciso, es urgente, acentuar la nota de rebeldía. Necesitamos vivir inquietos. Ahora que una nueva era comienza, hay que lanzar al mundo nuestras verdades, las únicas auténticamente revolucionarias. Es preciso purificar nuestras mentes y nuestros corazones, y para ello nada mejor quc una cristiana rebeldía contra todos los posos de cobarde adocenamiento que depositó sobre aquéllas un siglo de vida escindida y falsa». Esta es la moraleja que os predica Laín Entralgo en su *Sermón de la tarea nueva*.

Huyamos de pretender que insertar una definición, sea insertar un espíritu; huyamos, por consiguiente, de una mal entendida teología de las escuelas. Si no fuera por miedo a la paradoja, yo hablaría de una Universidad teológica, sin teología.

Problema distinto es el de crear una Facultad de estudios teológicos en una determninada Universidad, Salamanca, por ejemplo. Facultad a la que acudan, sobre todo, aquellos a quienes está encomendada, de un modo específico, la tarea misional. Para que lleven por el mundo el espíritu español en lo que tiene de ecuménico, imperial y católico, y para que lo llenen de vida en la fórmula concreta de la redención, que, como defendió apasionadamente Maeztu, es la misión histórica de la Hispanidad. Por ello podemos hablar de un humanismo total, integral, de un humanismo del hombre caído y redimido, como aquel que se manifiesta en las palabras del latino: *Homo sum et nihil humanum a me alienum puto.* Hombre soy y nada de lo humano considero ajeno.

La investigación como deber

En la tesis orteguiana hay un escondido fondo de repulsa a la investigación como función universitaria. Por lo menos, se la arranca de su lugar preeminente, para dejarla reducida a un lugar subsidiario si se compara con la esencial tarea cultural de la Universidad. No refleja Ortega, en esta repulsa, una posición puramente personal, puesto que la Institución Libre de Enseñanza iba poco a poco suprimiendo a la Universidad, medios de investigación, para acumularlos en centros extrauniversitarios. Todos ellos dependientes, claro está, de la Institución misma. Conocemos la larga y dolorosa historia del mejor Instituto de investigaciones médicas que jamás hubo en España, al cual la Institución combatió rudamente, precisamente por ser genuinamente universitario. ¡Y eso que se montaba con dinero procedente de la generosidad privada y surgía por el esfuerzo de un universitario egregio!

Aparte de esto, la creciente complicación de las técnicas de la investigación científica, su enorme exigencia de tiempo y una cierta independencia claramente reconocida, en muchos casos, entre las cualidades psicológicas del investigador, por un lado, y el *eros paidogogos* del profesor, por otro, constituían un polígono de fuerzas que actuaba sobre la vida universitaria de otros países, arrancando también funciones y medios de investigación a la Universidad y localizándolos en instituciones que vivían al margen de ella. Pero jamás se observó fuera, una dehiscencia tal de espíritu entre unos y otras, como entre nosotros, sino al contrario, las necesidades técnicas de la separación estaban compensadas por un espíritu común, entregado con idéntico entusiasmo a las tareas creadoras de la ciencia.

El nuevo enfoque del problema de la Universidad, tal como nosotros lo pretendemos, y las especiales necesidades de nuestra Patria, nos obligan a un rechazo, casi radical, de aquella tesis. Nosotros creemos que durante varias generaciones el profesor universitario español que no sepa sentir, perentoriamente, mientras enseña, una cierta incomodidad por lo que enseña, no cumple su misión. Porque nos hallamos ante la tarea ingente de crear una nueva cultura que nos sirva a nosotros y a los demás, y esto no se podrá hacer, mientras nos sintamos sólo recipiendarios de formas de cultura nuevas o viejas, pero extrañas. Hemos de rehacer nuestra historia y nuestras concepciones económicas y queremos que todas las ramas de la actividad humana, desde la ingeniería a la medicina, se hallen perfundidas de un nuevo espíritu. Y para esto es necesario crear, en el sentido humano de la palabra; es decir, investigar, sentir como efímero nuestro modo circunstancial de conocer la verdad y buscar uno nuevo.

Esta anhelo profundo, así, en abstracto, nos impone este imperativo concreto: es necesario que el profesor universitario español investigue. Por una extraña paradoja, la posición de Ortega viene a ser, como no podía menos, la de creer que el problema español se resuelve simplemente con europeizar a España. No investiguemos, contentémonos con transcribir, viene a ser el lema de la europeización. Pero, afortunadamente, las nuevas generaciones comienzan a sentir la mística de lo contrario; y su deber es el de corporeizar la mística en realidades y eficacias.

Vemos ya, como en otras ocasiones, surgir la objeción: el profesor debe, ante todo, enseñar, o mejor, educar. Quizás eduque bien y no posea cualidades para la investigación. A ello podemos responder con una verdadera avalancha de razones y de hechos, de los cuales sólo algunos queremos entresacar. En primer término, la necesidad perentoria de investigación en la Universidad española no quiere decir que todo el mundo investigue en ella, desde los profesores hasta los bedeles. Quiere decir que una de las características de su perfil espiritual ha de ser ésa, que algunos estarán en condiciones de realizar; y quiere decir, además, que no se deben crear al margen de ella, y so pretexto de investigación, instituciones que trabajan sin su espíritu, que, en definitiva, es el espíritu de España.

Debemos partir, en segundo término, de la realidad de nuestra Universidad. Ya sabemos que existen en ella excelentes profesores que carecen de actividades científicas; pero, aunque sea de paso, bueno será dejar consignado que este hecho es más bien raro; que el profesor español, cuando no siente la incomodidad de lo que enseña, cuando no siente inquietud, se convierte en un rígido esquema de profesor siempre igual a sí mismo. Se limita a transmitir a sus alumnos, como en escritura notarial, de un modo claro y preciso —no siempre—, unas escasas nociones, casi definitorias, de su disciplina. Entonces es cuando el alumno, vivo de ingenio, piensa, si no bastaría con los libros, si toda la Universidad no podría transformarse en una magnífica biblioteca o discoteca y si serán suficientes ciertos automatismos para ser un universitario o un buen profesional.

El ideal de la Universidad es muy distinto. Fichte lanzó, en 1807, un notable *Denkschrift* (Obras, tomo VIII) para la creación de las *Kunstschule des wissenschaftlichen Verstandengebrauchs.* Su tesis era la de que profesor de Universidad sólo podía ser, el que sabía algo que no estuviera en los libros. El trabajo universitario había de ser en común, como en un diálogo creador y fecundo. Bello ideal, si se entiende aquella afirmación *cum grano salis;* no es que cada profesor haya de poseer una parcela de verdad, como un íntimo secreto, que sólo esté dispuesto a transmitir por vía oral a los que ingresen en su cenáculo, sino que debe poseer la verdad de su ciencia o de su sistema de un modo vivo, como si al conocimiento científico se adhiriese un coeficiente de vitalidad, que transformase a aquél en una forma capaz de crecer, de fecundarse y, sobre todo, de fecundar y formar al que la recibe.

Volviendo, pues, al examen de nuestra actual situación universitaria, diríamos que el imperativo de la investigación debe pesar sobre la Universidad, en conjunto, como tal institución, y en particular, sobre aquellos profesores y cátedras que estén o se coloquen en situación de realizarla. Por ello —y siempre refiriéndonos a esta primera etapa— el Estado debe atender a que dentro del ámbito universitario, se doten, aquí y allá, atendiendo siempre a características circunstanciales, ciertas cátedras y ciertos profesores. Dotación con largueza, que sea remuneradora. Debe conseguirse, finalmente, que todas las instituciones científicas, que hasta ahora han venido viviendo en la diáspora universitaria, se incorporen a ella, sin perder su autonomía, ni aquella fuente de su personalidad que legítimamente posean. Habrá en ello una doble ganancia.

En resumen, no debemos creer que la vocación de enseñanza (algunos hablan del «instinto pedagógico») y el impulso para la investigación, el *Forschergeist* de los alemanes, están necesariamente reñidos. Muchas veces caminan juntos. A más de un profesor universitario, de evidente labor de investigación, he oído decir que necesitaba de la comunicación con sus alumnos para mantenr su espíritu vivo y en tensión y evitar una rígida polarización. Pero junto a este esquema general, las instituciones del Estado deben tener la suficiente flexibilidad para permitir, en los casos necesarios, la existencia del pedagogo puro y del investigador puro. La Universidad no excluye los Institutos de investigación o Academias científicas. Lo que queremos es que también aquí la unidad flote sobre la diversidad. Que no se confunda autonomía, ordenación jerárquica, etc., con reinos de taifas.

Apenas se encontrará en cualquier libro que exponga una doctrina sobre la Universidad, un examen serio del problema del deporte en los estudiantes. Precisamente, de cómo el deporte entra, por modo esencial, en la estructura de nuestra Universidad futura, es de lo que se trata aquí. Tanto más, cuanto que hemos oído voces, de excelentes universitarios, que temen que el deporte aniquile, en la juventud, gérmenes de espiritualilidad y que el cultivo del músculo aleje su interés y su denuedo por la tareas específicamente universitarias.

Ocurre que, con respecto a la fundamentación del deporte, se toman como doctrina ciertas opiniones seductoras, pero sin raigambre biológica y antropológica. Entre nosotros, la más corriente es, por ejemplo, la expresada por Marañón, según el cual lo específicamente viril es el trabajo. El valor del hombre se mide por su coeficente de trabajo, como el de la mujer por el de maternidad. Cuando el hombre vaca, inventa ocupaciones sustitutivas del trabajo, entre las cuales está el deporte; y de la misma manera que el hombre, con exceso de erotismo, pierde su hombreidad, también lo pierde en mayor o menor grado, el que se entrega al deporte. Junto a este punto de vista, y fundados en consideraciones de otra índole, podríamos alinear una serie de opiniones cuyo denominador común se halla constituido por esta postura infravalorativa del deporte.

Pero ya la observación corriente nos hinca el agudo filo de la duda sobre esta doctrina, puesto que el trabajo manual, aún rudo, durante la semana, no impide a muchos dedicarse a cualquier deporte, también rudo, el domingo. Es que el deporte no es un sustitutivo del trabajo, sino que es un derivado del juego.

El juego de los niños no es una imitación de las actividades del adulto. La imitación sólo tiene un valor plástico, es decir, que concede una u otra forma al impulso a jugar. Éste tiene una raíz vital más profunda e inexorable: significa, por una parte, un despliegue de energías que es inherente a la vida misma, puesto que ésta no es un proceso defensivo frente a la muerte, sino que contiene en sí, una afirmación, un deseo y un anhelo de dirigirse hacia adelante. Paul Valery, dice: «Hay una sed singular que ni el goce de las perfecciones, ni la posesión más feliz, abolen o hacen callar. La delicia de reposar en la certidumbre de un bien, no basta. La dicha pasiva, nos fatiga: nos hace falta también el placer de actuar».

El juego significa, además, un acto de creación humana en cada una de sus fases, como solución y adaptación a los perfiles del contorno cósmico, y en este sentido es una preparación para el futuro. Mediante las actividades lúdicas, el niño y el joven se preparan para una forma de vida superior y más perfecta. Todo esto que llevamos dicho del juego en general, entiéndase también del juego deporte. De este modo, el deporte ocupa su lugar primordial dentro de un teorema antropológico que mire al hombre como totalidad. Pensar que sólo el trabajo es cifra de virilidad, es un modo parcial y deshumanizado de concebir al hombre. El hombre que trabaja sin el hombre que juega, mirará su norma o arquetipo en el taylorismo o en stajanovismo, o sea, en el máximo aprovechamiento de todas sus facultades en el trabajo. Otra vez andamos a las veras, no de los hombres de carne y hueso, sino de las siluetas de hombres.

El imperativo del trabajo es un *imperativo adánico.* «Ganarás el pan con el sudor de tu rostro»; lo mismo que el de la maternidad: «Parirás con dolor». El imperativo del deporte, cabalga sobre *el deber de perfección,* que se nos predicó en el Nuevo Testamento. En la parábola de los talentos, se ensalza no al que los conserva, sino al que los multiplica. «Sed perfectos, como Nuestro Padre celestial es perfecto».

Se nos manda, pues, vivir siempre hacia adelante, enhebrarnos en una flecha tensa, aunque haya riesgo, porque sólo así adquiriremos méritos. Por ello el deporte es un vivero de virtudes psicológicas; por eso posee ese maravilloso carácter plasmador de las actividades humanas. Por ello, finalmente, debe tener cabida, como organización, en nuestra Universidad.

Apenas necesitamos decir que esta fundamentación antropológica del deporte no admite que de él se haga vicio. Virtud es, de elevado valor ascético, privarse de los placeres de la mesa, pero abstenerse de comer y conseguir así la muerte, es nefando pecado. Así ocurre en el deporte, y de esta manera no perderá calidad y cultivará brutos como en estufa; hay que modificar, pues, nuestro concepto del deporte. Para quien está dedicado a trabajos intelectuales, constituye acto deportivo, de deporte intensamente humano, sumergirse en un campo de trabajo, como los estudiantes alemanes, y allí, bajo la caricia fecunda del sol y el son de los cánticos patrióticos, elevar materialmente a su país y elevar su coeficiente de auténtica hombreidad.

El deporte crea —y éstas son sus ventajas adjetivas— las virtudes físicas adecuadas para que sobre ellas crezcan exuberantemente aquellas virtudes espirituales que van a constituir la esencia de nuestra propia cultura. No es que el honor, el heroísmo, el acto de servicio, la vida disciplinada, exijan, como condición imprescindible, cuerpos vigorosos y músculos tensos. Busando casos particulares, nos encontraríamos con excepciones sin cuento, pero una juventud sana de cuerpo, es campo en sazón para los dones espirituales. Tanto más si se sabe elegir, ya en pleno ejercicio de los juegos deportivos, no aquellos que agreguen fibra sobre fibra al músculo, sino los que atiendan a las cualidades dinámicas y pongan en juego las virtudes temperamentales que luego se van a necesitar. Por ello el deporte es, como antes decíamos, preparación para la vida.

Una vida así entendida, que quiere ser vivida por personalidades fuertes, viene a ser, en último extremo, la vidamilicia que tanto exaltamos con fuegos líricos y que tanto dramatismo oculta en sus entrañas. Dramatismo con gloria y honor, que convertirá cada biografía en etopeya, de la misma manera que queremos cambiar el andar cansino de nuestra historia en un fulgurante cabalgar de Imperio.

Nuestra consigna, pues: campos de deportes, servicio de trabajo, artesanía en las Universidades.

Intelectuales y humanistas

Hay gentes que, al sentir tan cerca el estremecimiento de la guerra y el otro no menos profundo que, en forma de inquietud, aun no convertida en pólvora, recorre las partes más pacíficas del mundo, piensan que en la Nueva Edad que nace y que nosotros amamos ya en el dolor de su nacimiento, no va a quedar lugar digno para las labores de la inteligencia. Ante este temor se adhieren, en defensa instintiva, al mundo viejo, como si sólo en él tuvieran lugar al sol los productos del espíritu. Creen, por ello, que un vago liberalismo es el mejor clima para la fructificación de eso que se llaman intelectuales y que todo lo que sean modos de vivir fuertes, arriesgados, impetuosos, significará, en este sentido, como un retorno a la selva (Scheler abrigaba temores de esta clase. Bien es verdad que, si la memoria no me es infiel, anduvo por países neutrales, mientras el suyo se debatía en la guerra. Conocemos aquí, en esta hora, el caso).

Temor injustificado y, sobre él, apenas habrá hombre, joven de espíritu, que albergue duda alguna. El vago liberalismo es, precisamente, el que nos ha traído las violencias negativas, porque ha cobijado en su seno falsas dialécticas, que sólo impulsaban al hombre a la posesión de los bienes materiales. Todavía, en la fase de transición, se simulaba un cierto interés por la vida del espíritu, pero el final nos lo sabíamos de antemano. Por si acaso, la realidad nos ha puesto ante los ojos el fin de ese camino, en forma de destrucción de lo mejor de nuestras manifestaciones artísticas y culturales. Esto no es una contingencia bélica, como pudo serlo en la guerra europea un impacto de un cañonazo en una catedral o en una biblioteca. Aquí se trata del final inexorable de una línea de desarrollo que tenía ahí su meta.

Los espíritus timoratos, a quienes aludíamos unas líneas más arriba, aciertan, en cambio, en otra cosa. En la Nueva Edad no se dará el tipo del intelectual como espectador, de aquel que no participa de los hechos, tratando de imponerles un cauce, cualquiera que sea el riesgo que corra.

La posición del intelectual como espectador es tan inane, si no perniciosa, como la de los que sostienen el arte por el arte. Tesis viejas, que a nosotros no nos dicen ya nada, porque ni siquiera nuestro espíritu siente la necesidad de su análisis, ni para refutarlas. Todavía hay intelectuales de nuestra casa, de aquellos que no encontraron sentido a la guerra europea, que tampoco se la encuentran a ésta. ¡Qué les vamos a hacer, si tras una inteligencia aguda ocultan un alma de cartón!

Erasmo podría muy bien servirnos de símbolo para esta postura del intelectual fenecido. Hombre de fina inteligencia, gran catador de los clásicos, se pasa su vida en peregrinación perpetua, esquivando el riesgo, aún en sus formas mínimas. Sólo pierde —un poco nada más— su compostura, ante un ataque personal y violento de Lutero. Pero no quiere ir a aquellas magnas Dietas de católicos y reformadores, encrucijadas históricas, donde en pleno hervor de una discusión intelectual se decidirá el destino de Europa. Seguramente que Feuerbach tenía en su mente la imagen de intelectuales así, cuando dijo: «Los filósofos se entretienen en interpretar al mundo, pero el caso no está en interpretarlo, sino en cambiarlo».

La verdad, nuestra verdad, la nueva, es, en cambio, que la inteligencia y la palabra puedan cambiar al mundo. Una auténtica interpretación del mundo, cuando no procede de un espectador, posee una inmensa fuerza renovadora. Ante ella, la técnica y los productos materiales ocupan su debida postura, como en acto de servicio. Nosotros creemos en la fuerza renovadora del espíritu; el ímpetu no procede sólo de la materia. También el Logos tiene fuerza creadora y, sobre todo, redentora. No es pura casualidad, sino símbolo histórico preciso, que fuera Erasmo quien tradujera, por primera vez, *Logos* por *sermo, vox,* cuando hasta entonces se venía traduciendo por *verbo*. Le suprimía así valores activos, calidades ardientes, dejándolo sólo con valores expresivos y calidades contemplativas.

Frente a Erasmo, podríamos contraponer la figura del Dante. Su *Divina Comedia* no es una obra de divertimiento, sino que esconde un amplio deseo de persuasión. Por ello no se contenta con una interpretación parcial de la vida o del mundo, con un ensayo o un elogio, como haría Erasmo, sino que se enfrenta con el máximo tema del destino cósmico y ultracósmico del hombre. Pero no de un modo general y vago, como quien describe la apariencia insegura de una nube, sino incrustándolo de destinos individuales como símbolos y como ejemplos. Idealizando lo concreto, como en Beatriz y condenando lo enigmático, como en el Veltro. Escribe, además, no con el intento de hacer bella literatura, sino con el de perfundir con ideal ultraterreno el alma humana. La belleza viene así dada, como por añadidura. *La Divina Comedia* no es un escrito, sino una obra, con todas las calidades primigenias de acción, buscando efectos estéticos y éticos a la vez. Por eso dice en la epístola a Can Grande: *quia non «ad especulandum», sed ad opus inventum est totum et pars.* No para especular, la especulación pura, y el arte puro, son vacaciones del espíritu y es mucha su tarea sobre la tierra para poderse permitir tamañas holganzas. Los talentos que se nos dio, hemos de devolverlos multiplicados. Dante será güelfo o gibelino, ardientemente, aunque le cueste el destierro. Lo que no hará será contemplar las luchas, como un hombre aparte, escondiendo su opinión como para guardar su pellejo. Con ello hubiera demostrado que su pellejo, su materia, era más estimable que su espíritu. ¿Predicaría, así, después, la supremacía del espíritu?

En la nueva era, en cambio, se reconocerá, sí, la supremacía del espíritu; pero ya no habrá intelectuales que se refugien en la labor deleitosa de su contemplación especulativa o coleccionista, sin sentir la angustia del mundo. Porque como llevarán la angustia prendida en su propia carne, tendrán que salir de cámara a cubierta y ponerse en zafarrancho de combate. Nadie más sereno que Platón y trató, en Sicilia, de establecer un orden de gobierno, ni más esotérico que Pitágoras y también de él tenemos un intento de ordenación ciudadana; no quiere esto decir que el llamado intelectual intervenga en política. Las nuevas generaciones desconocerán la política en el sentido peyorativo de la palabra; pero quien quiera que sea, en la posición que esté, se sentirá envuelto en la corriente de vida de su pueblo. Política es la participación vital en el desarrollo histórico de la comunidad. Para nosotros, españoles, este imperativo es mayor que para cualesquiera otros. Nuestros intelectuales harán política imperial, como Antonio de Nebrija al escribir su *Arte de la Lengua Castellana:* «El tercer provecho deste mi trabajo puede ser aquel que, cuando en Salamanca mostré esta obra a vuestra Real Majestad e me preguntó para qué podía aprovechar, el mui reverendo padre Obispo de Ávila me arrebató la respuesta; e respondiendo por mí dixo que después que vuestra Alteza metiesse debaxo de su iugo puchos pueblos bárbaros e naciones de peregrinas lenguas e con el vencimiento aquellas ternían necessidad de recibir las leies quel vencedor pone al vencido e con ellas nuestra lengua; entonces por esta mi Arte podrían venir en el conocimiento della, como agora nosotros deprendemos el arte de la gramática latina para deprender el latín».

Que nuestros universitarios lancen ideas vivas, explosivas, que ya las recogerán nuestros capitanes en la punta de su espada. No ha habido entre nuestro mundillo intelectual contemporáneo nadie cuya voz haya tenido resonancias mundiales, nadie que haya tenido la grandeza suficiente para que al impulso de su idea se haya podido torcer el rumbo del mundo. Y, sin embargo, en el fondo obscuro del pueblo, en la entraña íntima de nuestra raza, latía el deseo insaciable de volver a ser. No oían su voz; nadie podía acercarse a ellos en busca de un consejo válido porque no podían darlo. Splenger se creía que Leibnitz, el autor de un gran sistema filosófico y del análisis matemático, aconsejaba a Luis XIV que dirigiera su vista a Egipto, distrayéndole así de crear peligros para Alemania, su patria. Y hay quien piensa, si esta indicación de Leibnitz, influyó de alguna manera en la decisión de Napoleón de conquistar a Egipto. En la cual expedición —bueno es recordarlo— iba Champollión, descubridor de la famosa piedra roseta y creador, por tanto, de toda la egiptología moderna. Demostrando, una vez más que cuando la inteligencia se coloca al servicio de la vida, la vida le devuelve, con creces, el servicio rendido. No ha habido, entre nuestros más inmediatos predecesores, quien pueda alegar, con respecto al destino de España, un acto de servicio de esta naturaleza. Me refiero, naturalmente, sólo a aquellos que se atribuían a sí mismos la denominación de intelectuales, no a aquellos otros que guardaban, en espera de una nueva coyuntura que los fecundase, nuestro mejores valores de cultura de otras épocas. Por ello, he dicho en otra parte, que su pecado mayor no fue su heterodoxia nacional, sino su esterilidad.

De la nueva Universidad española saldrá, como hemos dicho, un nuevo modo de cultura, y con ella un nuevo tipo de hombre. Si aquélla cumple su función no cabe esa preocupación, tan mal planeada, de minorías directoras. La historia la hacen masas y héroes, como el río con el cauce y las orillas. No hay primacía de acción, sino solidaridad de acción. El que escribe unas páginas, es siempre un hombre, aunque sea su mano derecha la que sujete la pluma.

Alexis Carrel, en un libro reciente, *L'homme cet inconnu,* que ha dado la vuelta al mundo, se plantea este problema. Él mira desolado en derredor y ve que tras tanta máquina, tanto análisis y tanta sociología, el hombre sigue tan incógnito como antes, y, sobre todo, es una incógnita que sabe su carácter de tal, que se angustia, por tanto. No hay otra solución, dice: que se retiren unos cuantos hombres a un lugar aislado, solitario y que estudien el problema de los demás, para luego imponerles normas. Esta solución, que parece salida de un *brain trust,* es un poco infantil. Pero lo interesante es esto: quc reconoce la necesidad de que haya unos que se sacrifiquen por los demás y que luego les manden. El acto de servicio como fuente de poder. *La sabiduría, como servicio, y purificada por él, como ducción.*

Realmente esta es la única forma de sabiduría. Scheler distingue entre el saber de dominio, el saber culto y el saber de salvación. Saber de dominio, podríamos decir, para aclarar rápidamente las ideas aunque no correspondan exactamente al esquema de Scheler, es el saber del hombre fáustico. Saber culto, sería el del hombre del Renacimiento en su primera fase, en que por medio de las humanidades cultiva su propio espíritu. Saber de salvación, es otro distinto y más profundo. Así puede él decir: «Sólo quien quiera perderse por una causa noble o por cualquier especie auténtica de comunidad —sin miedo a lo que pueda sucederle— sólo ése ganará su yo propio y genuino, extrayéndolo de la misma Divinidad, de la carne, de la fuerza y del aliento divino». Éste es el saber heroico, el más verdadero y auténtico saber, porque cualquier otra clase de él, es un saber degradado, un accidente o apéndice en la vida, puesto que no le da sentido y no la eleva a un plano más digno [5].

[5] El saber de salvación de Max Schuler se sobrepone con el concepto general de saber que tenía Santo Tomás y que Maeztu recordaba en su trabajo, *La busca del espíritu* (Acción Española, mayo, 1935): «De dos mane-

El mundo, en esta encrucijada, necesita salvarse. Pero ha de crear el modo de salvación adecuado a su actual posición, sin recurrir a fórmulas ya usadas una vez en la Historia. ¡Nada de vuelta a la Edad Media! Afirmación que en las mentes de muchos no es más que el hueco resonar de un espíritu sin médula, que asustado ante la situación actual, procede como el niño que esconde su cara en el regazo de la abuela. ¿Cómo hablar nosotros, de vuelta a la Edad Media, si entonces fuimos una fórmula germinal de cultura, si nuestro destino no estaba todavía cuajado? Ésta es una fórmula extraña, que no tenemos por qué aceptar.

Al contrario, siempre proa adelante, en busca de una nueva imagen del hombre, pues su tarea en este mundo no ha terminado, porque si no estaría terminada su vida. Parta-

ras puede ser perfecta una cosa. De la primera según la perfección del propio ser, que le conviene según su especie propia. Pero como el ser específico de una cosa es distinto del ser específico de otra, resulta de ello que en toda cosa creada, a la perfección que así posee, falta toda la perfección absoluta, que se encuentra en la perfección análogamente poseída por todas las demás especies; de tal suerte, que la perfección de toda cosa considerada en sí, es imperfecta, como parte de la perfección total del Universo, que nace de la reunión de todas estas perfecciones particulares juntas.

»Y entonces, para que haya remedio a esta imperfección, se encuentra en las cosas creadas otro modo de perfección, según el cual, la perfección que corresponde a una cosa, se encuentra en otra cosa diferente. Tal es la perfección del conocedor, en tanto que tal, porque en tanto que conoce lo conocido existe en él en cierto modo... Y según este modo de perfección, es posible que en una sola cosa particular exista la perfección de todo el Universo».

Y Maeztu agrega: «Jamás, jamás, en ninguna filosofía se habrá suscitado un estímulo mayor para el saber como el que Santo Tomás en estas palabras nos despierta. Las utopías modernas suelen prometer grandes ventajas como premio a la investigación científica: la ociosidad, la comodidad, la prolongación de la vida... Lo que no prometen es precisamente lo que Santo Tomás nos asegura: el perfeccionamiento de nuestro ser, el complemento de nuestra perfección con la ajena, la multiplicación de nuestro ser, la iniciación a una vida superior...».

También aquí el Nuevo Testamento. El imperativo de perfección.

mos de donde estamos, de nuestra humanidad, de nuestra ciencia, de nuestra técnica, de nuestras masas. No hay nada inexorablemente malo en ellas, porque el mal no es un principio esencial y antitético del bien. No caigamos en el viejo error maniqueo, que agosta tanta generosidad y suprime la capacidad de lucha. ¡Hombres de nuestra Universidad que sentís, como yo, la angustia de esta hora postrera y la certeza de una gloria próxima, a la tarea! Busquemos juntos esta nueva imagen del hombre y su cultura, para luego llevarla por todos los caminos del mundo: ¡Por la gracia del humanismo español!

EL TRABAJO Y LA UNIVERSIDAD

Texto taquigrafiado del discurso pronunciado en la Inauguración de la Jornada Nacional-Sindicalista en el Paraninfo de la Universidad de Valencia, el día 10 de mayo de 1939, con asistencia del Excmo. Sr. Rector de la Universidad, Jerarquías del Movimiento y Catedráticos de la misma, en ESCRIVÁ SORIANO, V., *3 Conferencias Nacional-Sindicalistas,* Valencia. Vulgarización Doctrinal Nacional-Sindicalista, 1939, págs. 31-42.

Excelentísimo señor rector. Camaradas del S. E. U.:

¡Qué acertadamente vienen hoy a este acto íntimo las palabras cálidas de José Antonio!: «¡Felices los que gozamos juntos de esta alta temperatura espiritual!». Feliz yo; felices vosotros, bravos camaradas del S. E. U., al estrecharnos todos, yo como representante de la producción y vosotros como estudiantes, en la vertical exacta y genuina de España.

Porque esto es lo que hacía falta en nuestra Patria, camaradas. Esto es lo que pedía, a grandes voces, la razón imperiosa de la conciencia española: el acercamiento íntimo, la unión fraternal de todos los que trabajan y todos los que producen en el campo del esfuerzo físico y del esfuerzo intelectual. El contacto, hombro con hombro, de trabajadores y estudiantes en la tarea magna de la reconstrucción de la Patria. Por eso, hace unos días, cuando vuestros Jefes me invitaron para que os dirigiera la palabra, recibí una de las mayores alegrías de mi vida, porque entonces comprendí, exactamente, el valor de esta delicadeza y el significado de esta invitación. Era como un abrazo afectuoso de camaradas que el S. E. U. enviaba en mi representación a los trabajadores valencianos. Era como un abrazo cariñoso de hermanos que el S. E. U. enviaba en mi representación a los trabajadores españoles. Yo os lo agradezco en lo que vale y os lo devuelvo con creces, porque, de ahora y para siempre, no debe haber sobre la Patria victoriosa más que un solo título de honor: el de españoles. Una sola actividad honrosa: la del trabajo. Un solo lazo de unión afectivo: el de camaradas. *(Aplausos)*.

La Edad Ascencional

Las armas victoriosas del Caudillo nos han devuelto la gloria inmutable y magnífica de España; comienza ahora para nuestra patria la nueva Edad Ascensional, profetizada por José Antonio. Bien es verdad que el puente sobre la invasión de los bárbaros está amasado con la sangre de nuestros mejores, que lo tendieron con su esfuerzo gigantesco. Pero hoy, en este amanecer glorioso de la Patria, pasamos todos sobre el torrente de la invasión roja, altas las frentes, con el afán de los luceros y roncas las gargantas victoriosas, al paso decidido y firme de los que saben ciertamente dónde van; pasamos, alegres y felices, a la orilla fresca y prometedora de nuevo orden social establecido. *(Muy bien)*.

Comienza una nueva Edad Media sobre la Patria liberada, y con ella la implantación del espíritu de servicio y de sacrificio. Y bajo los arcos triunfales de su entrada, nos encontramos de nuevo, como en tiempos de antaño, dos fuerzas que en días lejanos caminaron unidas, sufriendo inquietudes y penalidades: el Trabajo y la Universidad.

¿Os acordáis, camaradas del S. E. U., de aquellos tiempos pretéritos, cuando las Universidades españolas de Salamanca y Alcalá de Henares irradiaban sobre el orbe entero el espíritu de la tradición y del Renacimiento? ¿Os acordáis de aquellos compañeros vuestros, tocados con bonete y manteo de paño burdo, que rompían con el estruendo de sus voces y el alboroto de sus risas la paz de las plazuelas provincianas? ¡Cuántas veces se detuvieron ante el taller artesano para cambiar un poco de su bagaje cultural por un par de zapatos con hebillas o una sotana de estudiante! ¡Cuántas veces, bajo los soportales heráldicos, departieron amigablemente nuestros Síndicos Gremiales con los futuros Bachilleres engolados! ¡Qué espíritu de unión y solidaridad el de aquellos tiempos, donde una alegre pobreza hermanaba cariñosamente el Gremio y la Universidad! Tiempos en que España se agigantaba ante el mundo por el brazo fuerte de sus guerreros y conquistadores, allende las tierras y los mares. Cuando el afán del Humanismo se había fundido verticalmente desde los Reyes hasta los vasallos, y los Concejos eran norma de Justicia; la Corporación nervio de todas las actividades, y la Parroquia centro espiritual de las almas. Cuando los maestros artesanos discutían con los maestros universitarios, graves y reposados, ya que sus títulos respectivos fueron ganados en buena lid y demostrada con creces la autoridad para ejercerlos. Tiempos aquellos en que, bajo la unidad y la grandeza de la Patria, se hermanaban, jerárquicamente, estudiantes y trabajadores, profesores y maestros, bajo la disciplina de la Corporación genuinamente española. Los tiempos calidos del taller y la Universidad, donde vibraba el entusiasmo de la cultura y del trabajo; cuando los centros del saber forjaban nuestro Siglo de Oro y los talleres nuestra formidable artesanía. Tiempos de gesta y de hermandad, donde se trocaba el libro por la adarga y el martillo por la espada, si el Rey o la Patria reclamaban servicio. Tiempos de solidaridad que unían calurosamente al trabajador y al estudiante bajo las banderas gloriosas del Gran Capitán o del Emperador Carlos V, triunfantes sobre los campos de Europa. ¡Yo no puedo menos que dedicarles hoy, bajo el pórtico mismo de la Edad Ascensional el homenaje cálido y profundo de mi admiración y mi respeto. *(Grandes aplausos)*.

Las primeras escuadras, nexo de unión entre la Universidad y el Trabajo

Y quiero volver por los fueros de esta hermandad desaparecida en España. Quiero romper una lanza en pro de la unión entre el Trabajo y la Universidad. En España, por un concepto absurdo y equivocado, la clase estudiantil ha vivido alejada de la inquietud dramática de las esferas del trabajo. Ha sido necesario que alumbrara sobre el horizonte la Revolución Nacional Sindicalista, para que se comprendieran y se hermanaran los estudiantes y los trabajadores.

Fueron las primeras escuadras de la Falange las que reúnen, armoniosa y férreamente, al trabajador y al estudiante. Y se unen para la empresa común de velar por el sentido universal e histórico de los destinos de España. Se une el trabajador para defender aquellas consignas, más bien sentidas que comprendidas, de luchar por las rutas imperiales de la Patria, y se unen los estudiantes con el Trabajo para liberarle de la injusticia social establecida. Y esta unión férrea, impuesta por luchar por un sentido totalitario de los afanes y las necesidades, trae al campo de la Patria la realidad espléndida de la Falange, hecha carne en el afán del espíritu y en la necesidad de la Justicia. *(Muy bien)*.

Y así, los primeros encuentros sangrientos entre nuestros vendedores de «ARRIBA», con los obreros extraviados, tienen de magnífico que son el prólogo de su misma captación. Que a gritos, a golpes, a estacazos, la verdad de España se hincaba, cada día con más fuerza, en la entraña misma del trabajo. Y es, precisamente, de los partidos marxistas; es, precisamente, de los partidos de izquierda, de donde afluyen, día a día, contingentes cada vez mayores de obreros equivocados, que ven en nuestras consignas la reivindicación a sus deseos de justicia.

Y los que nos llamaron «señoritos», porque no podían comprender, en sus mentalidades depauperadas, cómo unos hombres jóvenes, a los que la vida no les negaba sus favores, lucharan por conseguir el pan y la justicia de todos los obreros, al conocer nuestra verdad, la amaban con una violencia tal, con un impulso tan ardiente, que muchos de ellos dejaron sus vidas bajo el plomo asesino de los pistoleros marxistas, sellando con su vida y con su sangre el ideal que defendían. *(Aplausos)*.

Los que nos combatieron por señoritos sabían bien que nos herían en lo más hondo, porque nada ha fustigado tanto la Falange como el tipo despreciable del «señorito». Ya José Antonio, desde las galeradas luminosas de «ARRIBA», arremetió más de una vez contra esta fauna parasitaria que invadía el campo y la ciudad: «El señorito —dice— es la degeneración del señor, del hidalgo que escribió hasta hace muy poco las mejores páginas de nuestra Historia. El señor era tal señor, porque era capaz de «renunciar», es decir, dimitir privilegios, comodidades y placeres en homenaje a una alta idea de servicio. Como aquí no se engaña a nadie, quede bien claro que nosotros, como todos los humanos que se consagran a un esfuerzo, podremos triunfar o fracasar, pero que si triunfamos no triunfarán con nosotros los «señoritos». El ocioso convidado a la vida, sin contribuir en nada a las comunes tareas, es un tipo llamado a desaparecer en toda comunidad bien regida. La humanidad tiene sobre sus hombros demasiadas cargas para que unos cuantos se consideren exentos de toda obligación». (Aplausos).

No. No estaban en las apretadas filas de la Falange los clásicos «señoritos» de España; los mequetrefes engomados, sin oficio ni beneficio. Y no podían estar con nosotros porque lo primero que imponía la Falange era el Espíritu de servicio. ¡Y cómo iban a servir en nuestras filas los que jamás sirvieron para nada! *(Grandes aplausos)*. Muchos de ellos se acercaron por snobismo hasta nosotros, es verdad; pero cuando se percataron de lo atrevido de la empresa y del peligro que se corría al defenderla, se apartaron de nosotros para combatirnos e injuriarnos; con lo cual ni nos perjudicaron ni entorpeciron nuestra labor, porque sus diatribas y sus ataques, por venir precisamente de donde venían, eran un justificante magnífico de nuestra actuación y de nuestro programa.

Y hoy, cuando la verdad de la Falange triunfó para siempre sobre las tierras españolas, y el Caudillo, victorioso en la Guerra, emprende la batalla de la Paz, habrán podido darse perfecta cuenta los que nos combatieron por «señoritos» que sufrieron un gravísimo error al enjuiciarnos, porque el artículo fundamental del Nuevo Estado reza, si mal no recuerdo, «QUE TODOS LOS ESPAÑOLES NO IMPEDIDOS TIENEN EL DEBER DEL TRABAJO». Resumiendo la certera visión del Caudillo el espíritu de justicia social, que era la esencia viva de nuestro Movimiento. La Revolución Nacional Sindicalista, por el hecho mismo de ser una revolución verdadera, está más cerca de las masas laboriosas y trabajadoras que del capitalismo sin conciencia. Está más cerca del obrero que del parásito inútil y detestable, al que condena.

MISIÓN EN EL CAMPO DEL TRABAJO

Esta es la verdad que hay que divulgar por todas partes. Esta es la tarea que nos imponen los momentos actuales a todos los buenos españoles.

Los trabajadores, tan vilmente engañados por los dirigentes del Marxismo, han de convencerse de que el Nacional Sindicalismo va a resolver, íntegramente, el problema del Pan y de la Justicia. Hay que crear esa fe en la conciencia del campo del trabajo. La empresa no es fácil, porque, desgraciadamente, el obrero tiene motivos sobrados para no creer en nada, pero la juventud, que ha vencido tantos obstáculos, no ha de intimidarle el salvar uno más, máxime cuando está de su parte la voluntad inquebrantable del Caudillo, que ha prometido devolver a la clase trabajadora española la dignidad de su existencia dentro de la hermandad nacional. Que ha prometido implantar sobre la Patria victoriosa el triunfo del Pan y la Justicia.

Hemos de acercarnos cariñosamente al trabajador, para inculcarle la fe ardiente y revolucionaria del nuevo Estado Nacional Sindicalista. Su espíritu, entenebrecido por las predicaciones demagógicas y vencido por el fracaso gigantesco de lo que un día creyó solución salvadora, para su desgracia, está esperando la mano amiga que le lleve al camino luminoso de nustra verdad. ¡Y cuánto podéis hacer vosotros en ese sentido, camaradas! Con vuestro trato afectuoso, con vuestra conversación amable, con vuestro ejemplo diario y austero, podéis llevar al alma del trabajo el fuego de nuestras consignas revolucionarias. Por vuestra preparación y vuestra cultura seréis, necesariamente, los mejores misioneros de la nueva doctrina redentora.

Y la verdad nuestra llegará, necesariamente, a las conciencias adormecidas por las falsas promesas del liberalismo Económico y del Socialismo Internacional, como la única verdad posible a la que hay que agarrarse fuertemente si no se quiere vivir sin horizontes y sin aspiraciones. Esta verdad, hecha carne en el campo del trabajo, abrirá a los trabajadores de españa el cauce legítimo a sus anhelos de justicia.

La mentira liberal y marxista

Hay que llevar el convencimiento al obrero de que el Liberalismo Económico, consecuencia funesta del Liberalismo Político, ha sido el germen morboso que ha producido su decadencia física y moral en el mundo. Que la Libertad —tópico falso de los esclavizadores— trajo al mundo económico la desgracia de los obreros al dejarlos indefensos frente a las empresas sin conciencia. Que libertada —¡qué gran frase, camaradas!—, que libertada la moral de la Economía, había de venir, necesariamente, la explotación más inicua que ha conocido la Historia. En nombre de la Libertad, el obrero, que vivió feliz y redimido en las Corporaciones Gremiales, pasará en el siglo XIX a ser una máquina insensible gracias a los postulados de Turgot y Adam Smith. En nombre de la Libertad trabajará quince y dieciséis horas diarias, y escuchará de labios de Arturo Young que «Hay que organizar las empresas de modo que produzcan lo más posible, sin preocuparse de los que trabajan». Y en nombre de esa misma Libertad, cuando, arruinado física y moralmente, le pida al Estado Liberal remedio adecuado para su trágica situación, éste le contestará, impasible y frío, como un gigantesco gendarme: «Eres libre para trabajar o no, como el patrono es libre para explotarte, si lo cree oportuno. Al Estado no le incumbe más que asegurar la libertad sacrosanta de las relaciones económicas». *(Muy bien).*

Hay que convencer a los trabajadores de que este orden de cosas había de traer, necesariamente, una reacción inmediata del mundo del trabajo, pero esta reacción, desgraciadamente, fue explotada hábilmente en su provecho por Carlos Marx, al aparecer al estadio de las luchas sociales. Pero el Socialismo, que nace frente a la injusticia de la Economía Liberal, tampoco trae la liberación al campo del trabajo. Y no puede traerla, porque nace afirmando la muerte de lo espiritual e imponiendo la interpretación materialista de la Historia. Las grandes gestas espirituales de los pueblos en el orden moral y religioso no han tenido, según afirma el Socialismo, más fundamento lógico que la producción, el cambio y el consumo. ¡Yo agradecería al judío Carlos Marx que nos explicara qué relación económica ha tenido, por ejemplo, el gesto sublime de nuestro Guzmán el Bueno, o el de Las Cruzadas por la reconquista de los Santos Lugares, o el del alzamiento de nuestras soberbias catedrales renacentistas, que resumen el esfuerzo espiritual de un pueblo de quijotes, que ha vivido siempre al compás cálido de las emociones del espíritu a través de los tiempos y de las edades! *(Grandes aplausos)*.

Y esto en el orden espiritual. En el económico, el Marxismo es el peor enemigo de los trabajadores. Con la anulación de la propiedad privada —y hay que distinguir entre la propiedad y capitalismo— mata el estímulo individual dejando la propiedad colectiva en manos del «Estado patrono», despótico e insensible, que igualará a todos, ricos y pobres, en la medianía y en la miseria. Aplicadas estas teorías a la realidad, nos darán la tragedia de Rusia —expresión gráfica y dolorosa del Marxismo— donde millones y millones de hombres, contra su voluntad, a su pesar, soportan por el terror la más vergonzosa de las esclavitudes que han conocido los siglos.

NUESTRA DOCTRINA

Y hay que convencer a los trabajadores, y he aquí la tarea que nos impone España, que frente a la injusticia liberal y frente a la opresión marxista está nuestra Revolución, que por ser Nacional aspira a elevar a la Patria al rango y la categoría que por su Historia y por su posición le corresponden ante el mundo. Y como fundamento básico para que esto sea una realidad, la implantación de un orden nuevo, donde el Estado, dejando libre la iniciativa individual, siempre que ésta se subordine al interés colectivo, regule, dirija y fiscalice, por medio de los Sindicatos, la economía nacional. No en beneficio de intereses determinados de grupo, sino en provecho de todos los españoles, que por el solo hecho de serlo —máxima jerarquía en la Historia— merecen vivir una vida digna y feliz sobre la Patria victoriosa *(Aplausos)*.

Hay que decir a los trabajadores que, por lograr el triunfo rotundo de la Revolución Nacional Sindicalista, cayeron miles y miles de españoles, hermanos nuestros, que la defendieron, alegre y heroicamente, en los campos de batalla. Que por esta Revolución se han estremecido las piedras de España bajo el tronar de los cañones y los estallidos de la metralla. Y que por esta Revolución sagrada cayó, como un bravo, nuestro José Antonio, bajo el plomo asesino de las hordas marxistas enfurecidas *(Grandes aplausos),* y que, por su triunfo rotundo en las tierras de España, lucharemos todos, como un solo hombre, junto al Caudillo, para lograr el triunfo de la gran batalla de la Paz.

Labor en la Universidad

Esta es la labor que, en el orden de vuestra relación con el Trabajo, os asigna la Patria en estos momentos. Después, en vuestro campo y actividad específica, os está encomendada la sagrada misión de devolver a la Universidad el espíritu magnífico de sus días mejores.

Ha llegado, al fin, con la Edad Ascensional, el renacimiento de la cultura española, de las artes y de las ciencias. La reintegración a lo auténtico de todas las actividades del espíritu. El genio maléfico liberal y marxista intentó morder las entrañas fecundas de nuestras viejas Universidades, dividiendo a los estudiantes en disputas agrias y atentados sangrientos. La charca pestilente que encenagaba las instituciones sociales pretendió anegar también el último reducto luminoso de la España auténtica. Pero ahí estábais vosotros —bravos camaradas del S. E. U.—, juventud ardiente forjada al calor de José Antonio, «gracia y levadura de España», y con vosotros lo mejor de la juventud estudiantil española, en pie de guerra por la Patria y dispuesta a luchar con fiereza contra la bestia liberal y marxista. Furon vuestras voces guerreras las que dieron el primer alerta a España, agudo como un clarín de combate; como también fueron vuestros hombres los primeros en la lucha y los primeros también en el sacrificio. En todo tuvísteis siempre la primacía. Vuestro, el primer lucero de la noche solemne de España. Vuestras, las primeras rosas sangrientas que brotaron sobre el azul, en una epifanía gloriosa y precursosa. ¡Nadie en la Historia, ni en el tiempo, podrá robaros jamás este honor tan alto y tan vuestro, porque está pagado con creces en moneda de sangre! *(Grandes aplausos)*.

Pero sobre la muralla de pechos destrozados, la horda pasó también sobre nuestra Universidad y le asfixió el alma cálida de sus tiempos gloriosos. Hay que crear y modelar de nuevo el alma de la Universidad española. Hay que poner al rojo vivo estos muros de piedra que un día asombraron al mundo con sus legiones de humanistas, poetas, filósofos y doctores. ¡Y ésta sí que es misión vuestra, camaradas! ¡Este sí que es un trabajo fundamentalmente vuestro! El amanecer total de España ha de venir de la Universidad. Las nuevas calzadas imperiales de la Patria han de partir de los claustros universitarios. ¡Por esas calzadas se va al mundo! *(Aplausos)*. Y hay que ir con una santa inquietud y con un grito de rebeldía en las gargantas contra todo lo caduco y podrido, vacío y sin sentido. Con el alma atenta a lo pretérito, hacia esos siglos de Historia que nos empujan a la epopeya. Con la mirada fija en un Norte difícil y, por difícil, codiciable. Alto el pensamiento, y al paso firme de milicia forjaréis de nuevo el alma fecunda de nuestra Universidad gloriosa. Y, tenazmente, heroicamente, poéticamente, levantaréis la nueva jerarquía de la inteligencia, que la Patria espera y reclama con verdadera insistencia *(Aplausos)*.

Camaradas del S. E. U., los primeros para el combate y para el sacrificio: Vuestro campo de lucha está hoy en la Universidad; vuestras batallas han de reñirse hoy en el campo del estudio y del laboratorio. Antes, vuestras miras se circunscribían a la esfera de vuestras legítimas ambiciones. Hoy estáis en pleno servicio de España, de tal manera que la negligencia en el estudio o en la acción constituye un delito grave de lesa Patria, porque redundará más tarde en su perjuicio. ¡Cumplid como buenos en el puesto que España y la Revolución Nacional Sindicalista os señalan!

Y a través de vuestras actividades estudiantiles, no olvidéis jamás a los camaradas del trabajo, que son también vuestros hermanos y luchan desde sus puestos de combate por la mayor gloria de España. Y si en el descanso de la jornada nos encontramos estudiantes y trabajadores —cada cual en su puesto de servicio—, miradnos con cariño y con respeto. Tal como hicieron los bachilleres engolados con nuestros Síndicos gremiales, bajo los soportales heráldicos de la España renacentista. *(Grandes y prolongados aplausos)*.

MARTÍN, ISIDORO, *Concepto y misión de la Universidad,* s.l. (Madrid), s.a. (1940), págs. 29-71.

UNIVERSIDAD QUE EDUQUE

La Universidad, como dispensadora de ciencia, como centro de investigación, como escuela de profesionales, la reputamos insuficiente. La Universidad, como encargada simplemente de instruir, creemos que no llena su misión.

Un educador insigne y hombre de ciencia eminente, fray Agustín Gemelli, Rector de la Universidad Católica de Milán, ha documentado maravillosamente que es «la educación de los jóvenes fin esencial de la Universidad» [1]. «La misión de la Universidad —ha dicho en otra parte— no puede ser únicamente, o una pura formación técnica de la juventud o una palestra de investigaciones capaces de satisfacer la incoercible curiosidad por lo verdadero, propia del espíritu humano, sino que debe ser preparación de los jóvenes para la vida» [2].

1 Fray Agustín Gemelli, O.F.M.: «L'educazione del giovani, fine precipuo dell'Universitá». Discurso leído en la inauguración del curso académico 1937-38 en la Universidad Católica de Milán. Véase el Anuario de la misma correspondiente a dicho curso. Milán, «Vita e Pensiero», 1938.

2 «Compiti e speranze dell'Università Cattolica del Sacro Cuore nell'ora presente». Véase el Anuario de la Universidad Católica de Milán co-

Y la vida no es sólo inteligencia, sino también voluntad; no sólo pensamiento, sino también acción; no sólo dogma, sino también moral. La fe se integra con las obras.

Nada, pues, de Universidad meramente instructiva, sino Universidad integralmente formadora. No Universidad que ilustre las inteligencias tan sólo, sino Universidad que prepare también el corazón. No queremos únicamente sabios, sino, además, hombres rectos, gente que sienta arder en su pecho la llama de la caridad cristiana, del fervor patrio, del anhelo de justicia.

Porque, como escribía San Pablo a los Corintios: «Si yo hablase todas las lenguas de hombres y de ángeles y no tuviese caridad, sería como metal que suena o campana que retiñe. Y si tuviese el don de profecía y penetrase los misterios y poseyese todas las ciencias; y si tuviese toda la fe hasta poder trasladar los montes de una parte a otra y con todo, no tuviese caridad, nada sería» [2].

No queremos una formación exclusivamente intelectual, que es, en definitiva, deformadora. Queremos el armónico desarrollo de todas las facultades humanas. Queremos una Universidad que eduque, que atienda, tanto a la inteligencia, como al corazón y al cuerpo. Quisiéramos «mens sana, cor sanum in corpore sano». Cultivo de la inteligencia, cultivo del sentimiento y de la voluntad, cultivo también del cuerpo.

La educación supone, no sólo una serie de conocimientos ofrecidos a la inteligencia, sino, al mismo tiempo, una serie de hábitos impuestos, en duro aprendizaje, a nuestras restantes facultades.

Instruir, simplemente, es algo unilateral. En tal caso, la Universidad se limita, en la mejor hipótesis, a hacer hombres cultos, instruidos, sabios si queréis; pero ello es a las claras

rrespondiente a los cursos 1935-36 y 1936-37, que forma un solo volumen. Milán, «Vita e Pensiero», 1937, pág. 20.

2 «Ad Corinthios», I, 13, 1-13.

perfectamente insuficiente. Los sabios, los intelectuales, cuando no son más que esto, son, en definitiva, muy poca cosa. La ciencia sola no es capaz de hacer hombres austeros, ecuánimes, rectos, preparados para la vida, dispuestos a ejercer una influencia decisiva en la vida nacional, hombres íntegros, en suma. Cuando nuestro Emperador dijo que en las aulas salmantinas se proveía de los hombres que gobernaban sus reinos, la Universidad de Salamanca no sólo instruía; Salamanca educaba.

Y si no bastaran estas consideraciones, ahí está, como testimonio sangrante, el ejemplo de la Universidad española, incubadora de la revolución roja. Hombres indudablemente conocedores de su disciplina científica, profesores de reconocido prestigio intelectual, que en una auténtica corrupción de menores arrancaban la fe a la juventud universitaria, disolvían los más puros fervores patrios en un internacionalismo materialista y engendraban en los abiertos corazones juveniles el odio contra todo lo que significase autoridad y jerarquía.

Y demos gracias a Dios Nuestro Señor que permitió contrarrestar aquellos letales influjos, y más aún, hizo que fuera la misma juventud universitaria —nutrida en otras fuentes, porque quedaba mucha España todavía— la que empuñara el fusil para defender, con los supremos argumentos de la justicia hecha fuerza, los primordiales y básicos derechos de servir a Dios, de amar a la Patria, de vivir con dignidad, sometidos a las legítimas jerarquías. Y gracias a esa juventud, bajo la guía providencial del Caudillo, España renace y la Universidad puede disponerse a llenar su misión de auténtica «alma mater», de madre nutricia, en un orden total de la vida.

Concebimos, pues, la Universidad como la institución encargada de educar integralmente —el epíteto es una redundancia— a la juventud llamada a ocupar los puestos de la vida nacional que exigen una preparación intelectual elevada.

He dicho educar, porque, como afirma el P. Gemelli, «no basta dirigirse a la inteligencia, enriquecerla con nociones; no basta estimular la curiosidad por lo verdadero y satisfacerla; no basta estimular el gusto por la investigación científica y adiestrar a los jóvenes en ella; no basta, en una palabra, hacer del joven un científico o un técnico. Hay que mostrar al joven universitario cuáles son los ideales que debe proponerse en la vida; hay que habituarlo a perseguir, mediante el trabajo y mediante el sacrificio, la realización de estos ideales; hay que dar a su vida un contenido moral; habituarlo a disciplinar su actividad según aquellos principios cuya verdad se le ha enseñado a reconocer; hay que formar el carácter plasmándolo de manera que sea capaz de afrontar victoriosamente la vida y sus contrariedades; hay que darle unidad religiosa; hacerle estudiar las verdades religiosas para que pueda convencerse de ellas y las acepte consciente y libremente; hay que habituarlo a vivir de manera que considere a Dios como fin de su vida; hacer de él un cristiano convencido, un católico practicante, un ciudadano probo, un servidor fiel de la Patria; en suma, un hombre digno de ocupar un puesto directivo en la vida social»[4].

La formación intelectual, misión de la Universidad

Por lo tanto, si la Universidad sólo cultivara la inteligencia dejaría incumplida su misión. Pero tampoco puede concebirse una Universidad propiamente tal que no forme intelectualmente; es su carácter fundamental y específico.

Ortega y Gasset ha trazado un esquema muy interesante —aunque truncado en su vuelo— de la misión universitaria[5]. Señala certeramente estos tres tipos de actividades: En

[4] «L'educazione dei giovani, fine precipuo dell'Università». Anuario de la Universidad Católica de Milán correspondiente al curso 1937-38, ya citado, pág. 13.

[5] José Ortega y Gasset: «Misión de la Universidad», Madrid. «Revista de Occidente», 1936.

primer lugar, la transmisión de la cultura; en segundo término, la enseñanza de las profesiones; finalmente, la investigación científica y educación [6] de nuevos hombres de ciencia.

La transmisión de la cultura

Efectivamente, en el orden intelectual —uno de los aspectos que la Universidad ha de atender, pero no el único— tiene una primordial misión que cumplir: Hacer culto al hombre llamado a los puestos directivos de la sociedad.

Mas para Ortega «cultura es el sistema 'vital' de las ideas en cada tiempo». La cultura es «ni más ni menos, el repertorio de nuestras 'efectivas' convicciones sobre lo que es el mundo y son los prójimos, sobre la jerarquía de los valores que tienen las cosas y las acciones: cuáles son más estimables, cuáles menos».

Y Ortega afirma que «el carácter catastrófico de la situación presente europea se debe a que el inglés medio, el francés medio, el alemán medio son 'incultos', no poseen el sistema vital de ideas sobre el mundo y el hombre correspondientes al tiempo... Este nuevo bárbaro es principalmente el profesional más sabio que nunca, pero más inculto también —el ingeniero, el médico, el abogado, el científico».

Pero ¿qué hemos de entender por efectivas convicciones sobre lo que es el mundo y el hombre? Porque lo cierto es que en este orden de cosas tiene una exacta aplicación el aforismo romano «tot capita tot sententiae».

[6] Aun cuando Ortega y Gasset emplea la palabra educación al referirse a la obra de formar investigadores, no le da a este término el valor total e íntegro con que nosotros lo empleamos. Ortega y Gasset se refiere, exclusivamente, a la preparación científica del investigador en ciernes, a su formación intelectual, pero no considera que el universitario es un «hombre» y que, como tal, no sólo ha de formar su inteligencia, sino que necesita una preparación integral y armónica de todas sus facultades —educación para la vida— que la Universidad está en la obligación de proporcionarle.

Y, en definitiva, hay un concepto inmutable del mundo y de hombre, que es de todo tiempo. Porque el hombre, independientemente de lo que sobre él se piense, tiene una misión que cumplir en el mundo y su proyección se eleva por encima de la circunstancia puramente terrena. Y no habrá verdadera cultura si al hombre no se le da esta concepción de su destino, que no se agota en el mundo contingente, sino que va más allá, en dependencia de las normas trazadas por la voluntad divina. No hay, pues, verdadera cultura si ésta no considera al hombre todo entero, natural y sobrenaturalmente, si no le conduce a su verdadero fin, si no es, en definitiva, una cultura católica[7].

Al fin y al cabo el hombre culto que Ortega y Gasset imagina, con el bagaje de las ideas vitales de su tiempo, puede resultar tan inculto como el ingeniero, el abogado o el médico sumamente versados en su especialidad, pero ayunos del concepto vital del mundo. Y esta incultura resulta despreciable junto a la cultura, poco brillante pero fecunda, social e individualmente, del pobre iletrado que tiene una visión clara de su destino sobrenatural.

Por eso pudo escribir exactamente el P. Gemelli, en nombre del grupo de intelectuales que sacaron a luz «Vita e Pensiero», la revista encargada de preparar el ambiente para la fundación de la Universidad Católica de Milán: «Nosotros nos sentimos profundamente alejados, más bien enemigos, de la denominada 'cultura moderna', tan pobre de contenido, tan brillante de falsas riquezas todas ellas externas... Nos

[7] Pocas páginas tan sólidas de contenido y tan brillantes y movidas en su forma acerca de la infecundidad de la denominada cultura moderna y de la vitalidad y eficacia de la cultura católica, de la «Weltanschauung» (concepción general del Universo), católica como las escritas por el Padre Gemelli en su artículo «Medioevalismo» publicado como programa de la revista «Vita e Pensieto» (Milán, diciembre de 1914). Puede verse en el volumen «Idee e bataglie per la coltura cattolica», Milán, «Vita e Pensiero», 1933, que recoge diversos escritos del insigne Rector de la Universidad Católica de Milán.

mueve a compasión esta pobre cultura moderna. Es un agregado mecánico de partes, no elaboradas íntimamente, puestas unas junto a otras sin conexión íntima y orgánica. Más aún. Tenemos miedo a esta cultura moderna, no porque levante sus armas contra nuestra fe, sino porque destroza los espíritus matando la espontaneidad del pensamiento. Más aún. Nos sentimos infinitamente superiores a los que proclaman la grandeza de la cultura moderna. Es ésta infecunda e incapaz de crear un solo pensamiento, y en lugar del pensamiento ha erigido como divinidad la erudición del vocabulario y de la enciclopedia. Nosotros queremos difundir, por el contrario, una cultura orgánica, una cultura que sea el complejo armónico de toda nuestra actividad espiritual, una cultura capaz de permitir que se desenvuelva la personalidad humana creando el pensamiento. Queremos una cultura que responda a las exigencias más legítimas, a las aspiraciones más profundas e inextinguibles del espíritu humano, al reconocer los valores supremos de nuestra vida»[7].

La primera misión que tiene, pues, que cumplir la Universidad española es la de asentar la unidad de la cultura, forjar un pensamiento diáfanamente católico y hondamente español: la medida de lo universal servido según nuestras modalidades peculiares.

En su mensaje a las naciones hermanas de allende el Océano, el Día de la Hispanidad del Año de la Victoria, se dolía el Caudillo de la labor disgregadora y nefasta de los que habían roto la unidad de nuestro pensamiento y ponderaba los beneficios inmensos de esa añorada unidad[8].

7 «Idee e bataglie per la coltura cattolica», ya citada, pág. 3.

8 «Dos siglos de bastarda cultura —decía el Caudillo en el discurso pronunciado el 12 de octubre de 1939 en Zaragoza— han insistido de manera suicida en cultivar todo lo que separa, olvidando todo lo que une; escindiendo, primero, la ciencia de la fe, dividiendo después la cultura especulativa de la experimental, las almas de los cuerpos y, llegando, por último, a una especie de separatismo científico que tendía a destruir la unidad

Universidad no es, en definitiva, más que «unus versus», integración de la unidad. Así soñamos la Universidad, y en este caso ni siquiera nos vale como emblema el medallón renacentista de la maravillosa portada salmantina, porque en sus caracteres griegos traduce «enciclopedia» y nosotros aspiramos a la Universidad, no como multitud de saberes, sino como unidad de ellos.

Queremos una Universidad que nos enseñe a concebir nuestra comunidad de destino como hombres y nuestra unidad de destino como pueblo.

Universidad católica y española.

Lo primero es dar un concepto exacto de la vida, hacer que se tenga un concepto cristiano de ella, porque con tal concepto todos los demás valores quedan realzados y asentados sólidamente.

Lo primero es sembrar ideas, porque son ellas las que mueven e impulsan a la acción; ellas, las que suscitan los grandes movimientos. Bien reciente y claro está el ejemplo de nuestra Patria, bárbaramente conmovida por la libre siembra de las más perniciosas ideas y heroicamente salvada, asida en el trance supremo a las ideas elementalmente salvadoras: Dios y la Patria.

Nada, pues, de libertad de cátedra. No cabe otra libertad posible que la de exponer la verdad y la de predicar la justicia. Por eso sentimos regocijo inmenso al oír afirmar rotundamente al Ministro de Educación Nacional, en su magnífico discurso de la apertura de curso, que sólo es posible ya la libertad de exponer «la verdad de la España Católica e Impe-

del antiguo, vital y armonioso árbol de la ciencia. De esta destructora labor que trascendía a la Historia y a la política, hemos padecido en cada una de las partes y en el todo histórico del árbol de las gentes hispanas, compuesto de una fe y de una cultura, de un cuerpo de raza y de una civilización original, de una natural armonía, que todos los separatismos, desde los de la filosofía a los de la política, han pugnado por destruir, impidiendo la libre pero también homogénea, evolución de sus partes».

rial, la única que hace libres a todos los españoles que merecen llamarse tales».

La formación de los profesionales

Pero, junto a esta misión de formación cultural, la Universidad tiene una segunda tarea en el campo de la inteligencia: la formación técnica de los profesionales. Primero, dar al hombre llamado a los puestos directivos una visión exacta de su destino en el mundo; luego, enseñarle a desempeñar su cometido profesional; enseñarle a ser buen médico, buen ingeniero, buen abogado, buen catedrático.

Y en este orden ¡cuánto es lo que la Universidad tiene que realizar! La juventud universitaria ha estado saliendo de las aulas sin preparación profesional medianamente adecuada, que luego se ha tenido que suplir con una labor exclusivamente personal, lejos de la guía y del amparo de la que debiera ser «alma mater».

Es hora ya de que la Universidad se preocupe seriamente no sólo de proporcionar la cultura necesaria, sino de preparar a los profesionales como es debido, dando al estudiante una visión total de las materias, dentro de unos límites prudentes y asequibles.

Ortega y Gasset ha escrito a este propósito páginas exactísimas defendiendo lo que denomina el «principio de la economía de la enseñanza» [10].

10 «La misión de la Universidad», pág. 50 y siguientes.

«Hoy más que nunca —escribe— el exceso mismo de riqueza cultural y técnica amenaza con convertirse en una verdadera catástrofe para la Humanidad, porque a cada nueva generación le es más difícil o imposible absorberla».

. . . .

«Urge, pues, instaurar la ciencia de la enseñanza, sus métodos, sus instituciones, partiendo de este humilde y seco principio: El niño o el joven es un discípulo, un aprendiz, y esto quiere decir que 'no' puede aprender todo lo que habría que enseñarle».

La actitud que suele adoptarse de explicar cursos monográficos, no como ampliación, para los ya iniciados, sino en sustitución de los cursos fundamentales, debiera extirparse radicalmente. Yo comprendo que, al profesor enamorado de su asignatura y fervoroso de la investigación, le tiene que resultar mucho más agradable exponer el fruto de sus últimas lecturas y trabajos sobre un punto concreto, que no el insistir en los mismos principios y nociones fundamentales de siempre. Cabe y conviene armonizar las dos tareas, pero de ninguna manera sustituir la una por la otra. El alumno tiene derecho a salir de la Universidad con una visión exacta del conjunto de la profesión a que ha de dedicarse. Hay que adaptar la enseñanza a la capacidad normal del estudiante medio;

....

«Hay que partir del estudiante medio y considerar como núcleo de la institución universitaria, como su torso o figura primaria, «exclusivamente», aquel cuerpo de enseñanzas que se le puedan con absoluto rigor exigir, o lo que es igual, aquellas enseñanzas que un buen estudiante medio puede de verdad aprender. Eso, repito, deberá ser la Universidad en su sentido primero y más estricto. Ya veremos cómo la Universidad tiene que ser, además, y luego, algunas otras cosas no menos interesantes. pero ahora lo importante es no confundir todo y separar enérgicamente los distintos órganos y funciones de la gran institución universitaria.

¿Cómo determinar el conjunto de enseñanzas que han de constituir el torso o «mínimum» de Universidad? Sometiendo la muchedumbre de los saberes a una doble selección.

Primero. Quedándose sólo con aquellos que se consideren estrictamente necesarios para la vida del hombre que hoy es estudiante. La vida efectiva y sus ineludibles urgencias es el punto de vista que debe dirigir este primer golpe de podadera.

Segundo. Esto que ha quedado por juzgarlo estrictamente necesario, tiene que ser aún reducido a lo que de hecho puede el estudiante aprender con holgura y plenitud.

No basta que algo sea necesario. A lo mejor, aunque necesario, supera prácticamente las posibilidades del estudiante, y sería un tópico hacer aspavientos sobre su carácter de imprescindible. No se debe enseñar sino lo que se puede de verdad aprender. En este punto hay que ser inexorable y proceder a rajatabla».

resulta infecundo querer forzar al universitario para que se adapte a la extensión ilimitada de la ciencia.

Hay que enseñar lo fundamental y básico con toda la extensión y la intensidad que sea posible, pero sin romper nunca esa armonía que resulta indispensable para la formación total y adecuada del profesional.

Y es que una cosa es ser buen maestro y otra buen investigador. En la Universidad es necesario que haya unos y otros, y no es difícil hallar aunadas en una misma persona ambas cualidades, pero ambas tareas son por completo diferentes.

La investigación científica

En tercer término —moviéndonos siempre en el campo de la formación intelectual —a la Universidad le corresponde realizar la investigación científica. No que todos los universitarios hayan de ser investigadores; ni siquiera que lo sean los profesores todos. Basta que lo sean algunos. La investigación sólo puede acometerse —contando con la vocación para ello— una vez que se poseen los principios fundamentales y que se ha adquirido una adecuada formación básica. la investigación verdaderamente tal es más propia de los doctorados que del período de licenciatura. Es la tarea reservada al grupo, necesariamente reducido, de los que sienten especial llamamiento para el cultivo analítico y profundo de la ciencia.

Con esta tercera actividad queda completo el cuadro de la misión que a la Universidad le corresponde en el plano de la formación intelectual: la transmisión de la cultura, la preparación profesional y la investigación científica. Universidad que no cumple estos tres fines, es Universidad que no llena adecuadamente ni siquiera la específica y fundamental misión que primordialmente le es peculiar.

Satisfechas estas tres exigencias exclusivamente intelectuales, falta la preparación en los restantes planos de la actividad humana que permita la integración de una labor verdaderamente educativa.

La misión educadora de la Universidad

No basta la siembra de ideas fecundas. El poeta latino nos ha dicho bellamente: «Video meliora proboque, deteriora sequor». Veo lo mejor y lo apruebo, pero me voy tras lo peor.

No basta ilustrar la inteligencia; es necesario también fortalecer y acostumbrar la voluntad. Al joven universitario hay que adiestrarlo en el ejercicio de las virtudes religiosas y sociales. Como diría nuestro Luis Vives, «todo el resto de la vida depende de la crianza de la mocedad», y por ello «hase de tomar la más excelente manera de vivir, la cual, con la costumbre, será la más apacible» [11].

Es decir, que no basta la enseñanza de las verdades religiosas o patrióticas, sino que es preciso hacer que se practiquen, vivirlas, seguros de que como bellamente afirma el marqués de Santillana [12]:

> «Quien comiença en juventud
> a bien obrar
> señal es de non errar
> en senetut».

El joven —al que la Universidad tiene, en primer término, que formar intelectualmente— vive dentro de una sociedad donde ha de cumplir su destino terreno y ultraterreno, sociedad que, por otra parte, reúne unas características históricas determinadas: el joven universitario tiene una patria.

[11] Luis Vives: «Introducción a la Sabiduría», preliminar.
[12] Marqués de Santillana, «Proverbios», XVI.

Y la Universidad no puede limitarse a darle al escolar noticia de las verdades científicas, sino que le ha de dar a conocer los deberes que religión y patria le imponen, y le ha de acostumbrar a que dichos deberes los cumpla puntualmente. Para hacerlo así la Universidad tiene que crear un ambiente propicio donde, no sólo se enseñe, sino que se viva y se practique.

Nuestra Universidad de los últimos tiempos en contra de lo querido por el Rey Sabio, ha sido fugaz «ayuntamiento de maestros et de escolares». El estudiante ha vivido alejado de ella, sin más contacto que el pasajero de la lección teórica o de las prácticas de laboratorio; ni un solo momento de vida corporativa. El estudiante hace su vida en la casa de huéspedes, en el café, en ambientes nada académicos, sin más obligación legalmente establecida que la de oír unas explicaciones, pero sin sentir con aire juvenil y optimista la preocupación de prepararse para la vida en el ambiente universitario donde hasta ahora ha faltado calor de hogar.

Y, sin embargo, si deseamos una Universidad fructuosa, urge formar ese ambiente de compenetración entre maestros y escolares, en donde la palabra y el ejemplo de aquéllos pueda ser siembra constante y eficaz.

La formación moral y religiosa

Para cumplirlo en el orden moral y religioso no basta que nuestras Universidades lleven a cabo sus enseñanzas con una escrupulosa adhesión a la verdad del dogma católico. Para que todas nuestras Universidades sean católicas como quiere el Caudillo [13], no bastaría con la enseñanza de la Reli-

[13] En sus declaraciones al corresponsal de la «National Catholic Welfare Conference», de los Estados Unidos, decía el Generalísimo Franco en enero de 1938:

«La moralidad de la Religión, que es la necesidad cultural más grande del hombre, se enseña en los Colegios elementales en los primeros tiempos de la enseñanza secundaria, como si esto fuera solamente una cosa para niños.

gión, sino que resulta imprescindible la práctica de la Religión.

Son muchos los que creen resuelto el problema llevando de nuevo la Teología a la Universidad, como si todo el problema religioso universitario se resolviese con la creación de una Faculad de Teología, en la que estudiarían contadísimos seglares.

Pero ¿y la masa ingente de abogados, de médicos, de ingenieros?... ¿Los hacemos también teólogos, obligándoles a cursar unos cuantos años de duros y serios estudios en la nueva Facultad? ¿No sería mucho mejor instruirlos sólidamente en la Religión al mismo tiempo que estudian las ciencias propias de las Facultades respectivas; documentarlos y orientarlos en los problemas de la moral profesional y, sobre todo, crear un ambiente que invite y que dé facilidades al universitario para que practique la Religión?

No quiero decir que no deba instituirse la Facultad de Teología. Afirmo únicamente que con el solo restablecimiento de la Facultad de Teología no quedaría resuelto el problema de la educación y formación religiosa de la juventud universitaria.

Toda esa gente, según crece, llega a la conclusión de que estos preceptos son cuentos de hadas, a propósito tan sólo para ser contados a las criaturas.

En los países principales, se estudia en las Universidades Teología, Religión e Historia religiosa. Nosotros haremos lo mismo. Nosotros, los españoles de las clases profesionales, no tenemos suficiente cultura religiosa. El punto de vista moral y metafísico de la vida, se adquiere en los años que uno pasa en las Universidades. Entonces es cuando el hombre forma su idea sobre el mundo y el hombre, y se hace idea de su destino y de sus deberes. Todo esto, en unión con la Historia del catolicismo español, es cultura superior religiosa que no faltará en España a las generaciones del futuro».

En análogos términos se había expresado el Generalísimo en noviembre de 1937 en sus declaraciones al corresponsal de la misma entidad en España.

Véase «Palabras del Caudillo». Ediciones Fe, 1938, págs. 205 y 170, respectivamente.

Por si vale el testimonio, quede consignado que la Universidad Católica de Milán, tan elogiada por Su Santidad Pío XI, no tiene Facultad de Teología. Tiene, sí, en todos los cursos el estudio obligatorio de la Doctrina y la Moral católicas como una asignatura fundamental y de aprobación indispensable, y tiene, sobre todo, ese ambiente de piedad cristiana que se concreta en la existencia de la capilla universitaria.

Bien nos lo dicen todas nuestras viejas Universidades, en ninguna de las cuales falta la capilla, «pero los goznes de sus puertas —he escrito en otra parte [14]— chirrían, desabridos, al moverse porque les falta la soltura que da el trabajo constante. Habremos recobrado nuestra Universidad cuando la capilla universitaria sea tan familiar a los estudiantes como el aula de Derecho Civil o de Anatomía, cuando deje de ser una pieza con polvo de siglos y con telarañas y cuando sus puertas se abran con familiaridad a maestros y escolares en las tareas cotidianas, cuando sea cenáculo de donde salga el nuevo apostolado de la intelectualidad española dispuesta a conquistar a España y al mundo para Cristo, cuando sea algo más que el fugaz escenario de unos cuantos doctores con mucetas de colorines y de una caterva estudiantil muy a propósito para continuar hospedándose en «La Casa de la Troya».

No podrá decirse que nuestra Universidad sea católica únicamente porque el Crucifijo vuelva a presidir sus aulas. Yo mismo he estudiado en Universidad extranjera con cátedras presididas por el Crucifijo, donde explicaban judíos. Ignoro la religión de estos hebreos de raza; pero bien puede suponerse que alguno profesara también la religión mosaica. Poco podrán haber contribuido a la formación del ambiente católico en la Universidad donde han explicado.

[14] «El padre Gemelli y la Universidad Católica de Milán», prólogo a la traducción española del discurso del Padre Gemelli «España e Italia en defensa de la civilización cristiana contra el bolchevismo». Ávila, Editorial «Sigirano», 1938, pág. 41.

Restablézcase, pues, la vida religiosa en la Universidad, recordando nuestras más puras tradiciones o tratando de implantar claras iniciativas que puedan arraigar y hacerse tradicionales: la misa dominical universitaria, los Ejercicios Espirituales por Cuaresma, actividades como las Conferencias de San Vicente, creación providencial de un universitario y entre universitario nacida...

Y nadie se asombre creyendo desorbitadas actividades semejantes. En cualquier Universidad italiana, pongamos por caso, al aproximarse la Cuaresma puede verse la invitación oficial del Rector dirigida a los estudiantes para que acudan a los ejercicios Espirituales, que se dan para universitarios.

Una misa oída en común, un catedrático comulgando junto a sus alumnos da, sin duda —por su alto valor educativo de ejemplaridad— una lección mucho más eficaz que cuando logra la resolución feliz de un problema científico complicado [15].

[15] «Queremos, asimismo —decía el ministro de Educación Nacional en su discurso ya mentado— que en la Universidad se respire un ambiente religioso, que no esté ausente de ella la piedad cristiana. Queremos, como decía José Antonio, que este espíritu religioso, clave de los mejores actos de nuestra Historia, sea respetado y amparado como merece».

Estas magníficas afirmaciones son un testimonio rotundo del exacto concepto que de la Universidad se tiene en los altos organismos encargados de reconstruirla.

Lo que interesa ahora es que los que tienen la misión de mantener la vida del hogar universitario —el profesorado especialmente— tengan el alma encendida en los mejores anhelos.

Necesitamos hombres sólidamente preparados en las disciplinas científicas, pero que, al mismo tiempo, sientan y vivan la Religión y la Patria con naturalidad y con hondura, para que puedan ser ejemplo vivo de las generaciones nuevas.

No bastarán los hombres dotados de frío intelectualismo; es preciso que la vida universitaria la impulsen hombres de corazón ardiente, consumidos por el celo de ser verdaderos educadores, de ser maestros en la plenitud de la palabra. La Universidad española será, al fin y al cabo, lo que su profesorado sea.

Algo semejante podemos decir sobre el ambiente patriótico de la Universidad.

El ambiente de la Universidad tiene que estar saturado por estas dos esencias: lo español y lo católico.

Que no suceda como en esta pequeña anécdota de la que fui protagonista.

El primer trabajo universitario que tuve que redactar terminaba con una pequeña exaltación patriótica. Cristalizaban allí unos sentimientos arraigados por la educación que había recibido antes de llegar a la Universidad. Pero el catedrático que me había encargado aquel trabajo, me indicó al corregirlo que aquella reflexión estaba un poco fuera de lugar.

No sé hasta qué punto pudiera desentonar el trabajo la modesta e ingenua confesión de patriotismo. Sé tan sólo que la advertencia produjo en mí el desconsolador resultado de hacerme pensar que las muestras de patriotismo no eran cosas que tuvieran cabida en los trabajos científicos. Dejo a salvo la intención del profesor que me hizo la advertencia; sólo traigo a colación el hecho por el ambiente que revela. En vez de insuflar patriotismo en la vida universitaria, se extraía con una reflexión heladora la modesta aportación que pudiéramos hacer los que entrábamos de puntillas en las moradas de Minerva.

La Universidad necesita, precisamente, lo contrario. Crear un ambiente sano y respirar a pleno pulmón. Que los acontecimientos de la vida nacional tengan una repercusión en la Universidad; que encuentren un eco viril entero, docto, en las aulas universitarias, que haya una preocupación constante por lo nacional, que se piense en ello con el afán de hijo o la ilusión de novio. Que no quede una de las gloriosas gestas españolas o de nuestras figuras insignes que no sea conmemorada universitariamente en el momento que llegue la ocasión propicia.

Por fortuna, las falanges universitarias, aprctadas en el Sindicato Español Universitario, han hecho entrar en la Universidad una oleada renovadora de patriotismo, y hemos de ver alborozados en la vida escolar que ahora comienza la armoniosa compenetración de las actividades intelectuales con las más fervorosas muestras de amor patrio.

Es hora ya de que cesen los intelectuales de patriotismo enteco o antipatriotas. La Universidad tiene que formar intelectuales dispuestos a formar en las filas castrenses del Caudillo cuando el honor de Dios y de la Patria lo exigieran.

Lo indispensable: los Colegios Mayores

Una cosa considero fundamental para la creación de ese ambiente religioso y patriótico indispensable: la restauración de los Colegios Mayores. Las dos formas serias de entender la vida, que dijera José Antonio, la religiosa y la militar, suponen una educación, una formación integral, realizada en el ambiente piadoso y severo del Seminario o en la rígida disciplina de la Academia.

Es absurdo que el estudiante desenvuelva su vida en un hogar totalmente alejado de las preocupaciones universitarias, que conviva en casas de huéspedes con gente que nada tienen que ver con los problemas del estudio y de la formación juvenil: con el funcionario, con el viajante, con el profesional que en el mejor de los casos tiene ya resuelta su vocación. Esta convivencia con gente tan dispar y de edad tan distinta en ningún caso puede favorecerle. Por el contrario, reunidos los estudiantes en una misma residencia, nace como consecuencia obligada el estímulo y la ayuda; se dispone de medios más apropiados para la preparación y se hace posible la formación común. Una residencia con espíritu, sabiamente regida, en donde la práctica de la Religión y del culto a la Patria sean cosa viva y operante, por fuerza ha de rendir frutos maravillosos. La tradición universitaria española habla con una elocuencia, que ahorra mayores reflexiones.

El día en que se inviertan los términos y la población escolar esté albergada en Colegios Mayores, o incluso llegue a prohibirse, si fuera necesario, que un estudiante pueda residir en una casa de huéspedes lejos de la vigilancia y de la tutela de la Universidad, en ese día podremos afirmar que la Universidad existe y que su labor es fecunda [16].

[16] He aquí otro testimonio que nos abre el alma a las mejores esperanzas sobre la futura Universidad española:

«Fueron nuestros Centros de cultura superior —decía el señor Ibáñez Martín en su discurso citado— instituciones educativas, como quería nuestro Vives, en las que los alumnos vivían en común en torno a los claustros en aquellos Colegios Mayores en cuya eficacia pedagógica es inexcusable inspirar la restauración de una vida universitaria auténticamente española».

Discurso pronunciado por S. E. el Generalísimo Franco, Jefe del Estado Español con motivo de la inauguración del presente curso escolar y de la Ciudad Universitaria de Madrid (en *Revista Española de Pedagogía,* 3-4 (1943) págs. 357-372

DISCURSO DE S. E. EL GENERALÍSIMO FRANCO

Profesores y alumnos universitarios:

Hace ya cerca de cinco años, desde que el último clarín anunció el final de nuestras batallas y desde que ondearon sobre nuestros campos y ciudades las banderas victoriosas de la paz, que vivimos día a día una vida penosa y dura, consagrada por entero a la empresa generosa de reconstruir una Patria en ruinas, restableciendo su estructura nacional, revalorizando sus perfiles históricos, encajándola de nuevo en la senda de su sustancia milenaria y superando a la vez, sin reparar en la lejanía de la meta ni en la inquietud de los incesantes obstáculos, la situación material y moral en que estaba sumido nuestro pueblo cuando alboreó el comienzo de nuestra Cruzada.

Para los que con insensatez e inconsciencia creían que el triunfo de la guerra abriría una etapa paradisíaca y frívola, propicia para la holganza y ajena a toda abnegación y sacrificio, la realidad aplastante de este ejemplo de esfuerzo sin tregua debe servir de lección. Porque nunca, en ninguno de los momentos políticos de nuestra última centuria, ha tenido que afrontar Gobierno alguno más abrumadora multitud de problemas nacionales; nunca se ha visto cercada la actividad gubernamental de dificultades mayores; nunca ha sido preciso laborar desde las alturas del Poder con más intensidad y denuedo y con más firme serenidad y corazón.

Para los descontentos, para los impacientes, para los incomprensivos, que ni antes ni ahora supieron medir la angustia de los instantes de peligro ni apreciar la magnitud de los problemas en orden a los recursos de su escalonada solución, actos como el que hoy presenciamos habrán de ser también altamente aleccionadores. Porque nunca tampoco se acometió a la vez con mayor diligencia la realización de un más amplio programa de política nacional en el que era urgente restaurarlo todo y crearlo todo. La vida social y política, la agricultura y la industria, la hacienda, los ejércitos, el orden religioso y el orden de la cultura, todo demandaba a la par restauración, resurgimiento, norma y sistema.

Era razón que en esta gigantesca pugna de reconstrucción de la Patria se exigieran también sacrificios a todos los españoles. Sacrificios que han sido y son por destino de la Providencia mínimos y futiles si se comparan con los que la conflagración mundial ha impuesto a todos los pueblos. Porque en esta hora suprema de zozobra universal España puede considerarse, entre todas las naciones de Europa, como el refugio sereno de la civilización y hasta de la tranquilidad de la vida, segura de inquietudes y amenazas.

En este ambiente de paz ha sido posible que nuestro Estado se entregara con entusiasmo a la tarea de aumentar la riqueza española, de mejorar el nivel de nuestra vida, de sanear y robustecer la economía, de dignificar el trabajo, cercenando hora a hora las asperezas de un casi inaccesible camino donde anidaban todas las flaquezas humanas, las del descontento y la desesperanza, las de la incomprensión y el desprecio, cuando no los de la perfidia y la traición.

Todo este colosal esfuerzo no ha querido mantenerse en el estudio puro de un mejoramiento materialista. Funesto y suicida es levantar el nivel de la vida si ésta no se hace cristiana y digna, si no se le imprime una huella de reforma interior. Es ley de la historia el predominio y supremacía del espíritu. Los pueblos no son mejores por un progreso material ni éste se engendra por puro azar o fatalismo. El progreso requiere sólidas virtudes colectivas, cuya determinante radica en la conciencia individual. Un espíritu nacional no se impone como por arte mágica ni se crea sin una elaboración complicada y difícil que nace en lo íntimo de las almas y se cultiva en los corazones de la niñez y de la juventud.

Por eso, característica de nuestra Revolución, en consonancia con la más pura tradición española, es cimentar nuestro progreso en la raíz profunda de una vida del espíritu. España representa sobre todo la postura espiritual de un pueblo ante los problems de la vida y de la historia. Por eso el Estado se ha sentido hoy más que nunca colaborador de la Iglesia en la restauración del orden cristiano y se ha propuesto a la vez apoyar su existencia presente y futura en la unidad espiritual de los españoles, lograda en el campo de la educación.

En este campo, en efecto, se sitúan hoy dos grandes anhelos de la política nacional. De una parte la ardiente inquietud por la creación de una ciencia verdadera, sometida inexorablemente al servicio de los intereses espirituales y materiales de la patria; de otra la preocupación porque una densa y auténtica cultura cristiana penetre en todos los ámbitos de la nación y nos dé la promesa de una juventud fuerte y unida para cumplir sin vacilación nuestro destino ante la historia.

A acusar un paso en tan difícil senda, a demostrar que vive el espíritu de España en la hora en que se quiebran en el mundo todos los valores morales, hemos acudido aquí, a este solar ya ilustre, en que se abrazan simbólicamente las armas y las letras, las que labraron juntas las mejores grandezas de nuestra nación y las que juntas serán el sostén y la esperanza de la Patria redimida.

Las armas crearon nuestra España de hoy. Por ello, si pudiera olvidarse, aquí está la realidad inmortal de este campo de Marte, hoy trocados en palacios de Minerva. Todo es reciente, a pesar de la inmensa transformación. Aquí acampó nuestra Cruzada victoriosa, aquí se tremolaron nuestras banderas, aquí se clavó con tenacidad la avanzada sitiadora y aquí se empapó la tierra con la sangre generosa de nuestros caídos. Por entre estos edificios serpenteó la línea de combate y tronaron los cañones y estallaron las minas. Todo fue reducto firme de resistencia, inquebrantable amenaza, inverosímil espolón ahincado en la ciudad cercana. Aquí sucumbió la flor de la mejor juventud, inmolada en el más puro de los sacrificios. Diríase que ha sido prodigiosa su fecundidad. Ellos quedaron sepultados entre las ruinas, y hoy las ruinas han desaparecido para servir de cimiento a estos colosales edificios, que son ahora como monumentos votivos a la gloria de los muertos. Sobre el solar heroico que fue su tumba España ha reconstruido este vasto recinto, consagrado a las letras, con lo que les tributa el mejor de los homenajes, con lo que sienta la más esencial de sus afirmaciones espirituales. Ninguna Ciudad Universitaria del Viejo Continente puede enorgullecerse de tal ejecutoria, porque si esta Ciudad fue antes el anhelo de un reinado y la preocupación gloriosa de un Monarca, es desde ahora para siempre memoria perenne de una juventud que salvó con la muerte a su Patria y obra de un Régimen vindicador del signo espiritual de la civilización y de la vida.

Por eso era indispensable emprender la restauración con la máxima diligencia y rapidez. Nuestro Estado, que aspira al mejor servicio de España, había de aceptar esta empresa con criterio de continuidad tal como surgió en su primera y más bella iniciativa. Pero al reconstruirla totalmente, al volver a labrarla piedra por piedra, liberándola de su ruina, había de exaltarla y ampliarla en términos tales que pueda también sentir el orgullo de su creación y considerarla en muchos aspectos como obra nueva. Porque nuestra labor no ha sido sólo transformar en nuevos edificios el ingente montón de escombros en que vino a parar la Ciudad Universitaria en 1936, con el ritmo de agilidad característico del nuevo Estado; ha sido también el convertirla en realidad ineludible. Ha pasado ya el tiempo en que se la miraba como una esperanza o como una ilusión. Si ahora no se inaugura en su totalidad, el avance notable que revelan sus restantes construcciones y, sobre todo, la prontitud con que el Gobierno ha cubierto íntegramente su presupuesto, prometen para brevísimo plazo la terminación completa de las obras.

Esta ciudad significa, ante todo, un cambio profundo en la política universitaria del Estado. Su mínima aspiración material revela que se ha transformado el hogar donde han de formarse las generaciones juveniles.

Al recorrer estas nuevas Facultades, dotadas de edificios amplios y luminosos, de instrumentos de trabajo y de estudio, de laboratorios, bibliotecas, seminarios, capillas y campos de deportes; al iniciar la serie de Colegios Mayores, al contemplar la magnificencia de los edificios destinados a las altas Escuelas técnicas, se adquiere la convicción de que se ha transmutado el ambiente triste de abandono en que vivieron por espacio de muchos lustros entre nosotros los locales destinados a primeros centros de cultura. Porque no se ha limitado tan sólo a esta Ciudad Universitaria de la capital la acción reformadora del régimen. En el momento presente todas las Universidades de la nación están también transformando sus edificios con mejoras importantes, con nuevas construcciones, con instalaciones modernas, con amplitud de instrumentos de trabajo, para lograr el mínimo de decoro exigible a la altura de su misión. Ello en proporción tal como nunca lo alcanzaron nuestras Universidades en el último siglo, porque nunca tampoco laboró el Estado en materia universitaria con más firme ilusión reformadora y nunca logró en plazo tan breve resultados más satisfactorios. En todas las Universidades quedará marcada la huella reconstructiva del régimen; todas podrán señalar con piedra blanca este instante de la vida española en que nuestro Estado ha tenido la voluntad de cambiar la fisonomía y de dotarlas en lo material de cuanto es indispensable para el cumplimiento de su función.

II

Pero la Universidad no es sólo un conjunto más o menos bello de edificios modernos, dotados de los medios didácticos y de los instrumentos necesarios para el trabajo y el estudio. La Universidad es «alma máter». Y mal puede llenar esta augusta misión maternal de alumbrar hijos y alimentarlos espiritualmente para la Patria si no posee ante todo un claro concepto de su deber y un entusiasmo fervoroso para cumplirlo. Importaba a nuestro Estado no sólo mejorar y robustecer el cuerpo universitario, sino vivificar el alma, infundir un espíritu, crear un nuevo ser, en el que se encarnara el sentido cristiano de la vida y el concepto supremo de servicio a los destinos de nuestra Historia, que forman la entraña de nuestro Movimiento. Por eso la primera ley que elaboraron las Cortes Españolas ha sido la de Ordenación Universitaria, con la que se tiende a remediar la triste decadencia en que por espacio de un siglo ha vivido nuestra Universidad, consumida por la anemia espiritual que le privaba de ejercer la plenitud de sus funciones, tiranizada por la campante heterodoxia, que llegó incluso a fraguar en ella las más monstruosas negaciones del espíritu nacional.

La nueva ley fecunda de contenido orgánico el concepto universitario, ampliando su enteco funcionalismo. Se robustece y garantiza ante todo la función docente, revalorizando las Facultades, colocándolas en condiciones de rendir hasta el máximo en el empeño generoso de transmitir la cultura superior a las inteligencias juveniles. Nuestra nueva Universidad sabrá fundamentalmente enseñar, sin que esta sagrada tarea sea desviada por ningún otro propósito que le reste eficacia y prestancia. Este afán de devolver al «alma máter» el prestigio y la plenitud de la función docente con todos los medios necesarios para concebirla como obra de vocación y de apostolado hubiera bastado para justificar una reforma universitaria. Pero nuestra Universidad ambiciona mucho más. En la hora presente de España ha de exigírsele el altísimo deber de crear ciencia por virtud del esfuerzo investigador y ha de formar al profesional, ensanchando así el marco estricto de la docencia. Lo uno y lo otro son imperativos de la vida social, porque el progreso de la ciencia aplicada es base de la economía y el profesional útil es indispensable para el servicio de la sociedad y del Estado.

Estas funciones, acompañadas de la no menos trascendente de transmitir las creaciones científicas por el intercambio interior e internacional, se coronan por la que en nuestra ley significa la más fundamental innovación. La Universidad española recuerda su tradicional y más fecunda tarea: la de educar a la juventud a través de sus nuevos órganos, los Colegios Mayores, que son nuevos en su adaptación al sistema universitario, pero representan la herencia más preclara de nuestra historia docente. La Universidad garantizará a la Patria la unidad espiritual de los españoles del futuro. La triste experiencia de una institución entregada al libre arbitrio de doctrinas malsanas ha mostrado bien claramente que por encima del profesional y del técnico de una determinada rama científica importaba en España formar al hombre. Y ello no sólo en sus facultades mentales, sino de manera principalísima en su contextura moral. A la Universidad cumple forjar al hombre, equilibrado en la vida, dotado de un sentido cristiano capaz de comportarse como tal entre sus semejantes, sin que la soberbia científica le coloque por encima del bien y del mal y le aparte de sus inexorables deberes para con Dios y para con la Patria. Este sentido auténticamente humano de la formación universitaria se complementa con la educación del sentimiento y de la conducta social, con la formación del carácter y con el cultivo de la fortaleza física, para producir en consecuencia el hombre completo que la Patria reclama para todas sus necesidades vitales.

Bastarían estas características para delinear el profundo espíritu infundido por el Estado a la nueva Universidad española, que con esta organización puede responder a los poderosos principios inspiradores: Dios y la Patria.

Universidad católica, porque no es la suprema ciencia y la más soberana verdad. Universidad española, porque sin servir a la Patria como poderoso instrumento educador de sus hijos, su misión se falsea y se convierte en centro subveesivo, del que brotan en lo ideológico y en lo moral nefastas aberraciones del espíritu. Como la ciencia es una, una es también la verdad de España. Y esta verdad constituye para los españoles un código sagrado, en el que hay que formar a las generaciones estudiosas, so pena de un delito de lesa patria.

Con tales perspectivas en lo material y en lo espiritual, la nueva Universidad vislumbra una meta que nunca, ni en los mejores siglos imperiales, pudo alcanzar.

Porque nosotros, con ambicioso entusiasmo, no miramos la tradición como punto de llegada y estimamos que el apogeo histórico de nuestra vieja vida universitaria es sólo un hito del camino, tras el que se descubre un muy radiante horizonte de grandeza.

Pero ese ideal depende ya tan sólo de nuestro esfuerzo, de nuestra fe en el destino futuro, de la actividad y diligencia incansable que pongamos al servicio de tal esperanza. La nueva Universidad española no será ni por los medios materiales ni siquiera por el magnífico instrumento legal que diseña su renovado contorno y traza su restaurada y monumental arquitectura. Será, en suma, lo que ponga en ella el elemento humano que la integra, lo que imprima el espíritu de sus maestros y la voluntad laboriosa de sus escolares. Mas siempre habrá para la Historia un hecho incontrovertible. Que la España surgida de la más dura contienda de este siglo abrió de par en par las puertas de la Universidad a las auras más puras de la restauración tradicional y al ambiente fecundo del mejor de los renacimientos modernos.

III

Junto a este gigantesco impulso de la vida universitaria hay que colocar la otra magna tarea que el Estado, sin romper la vinculación con la Universidad, ha emprendido para asegurar un total resurgimiento de la ciencia española. Contra los protagonistas pseudocientíficos de la heterodoxia hispana, máximos responsables de la catástrofe ideológica y moral de que hubo que redimir con las armas a nuestro pueblo, España reafirmó su fe en el prestigio histórico de su tradición científica, incontaminada del europeísmo de importación. Y, apoyada en esa fe, ha acometido la empresa de suscitar un renacimiento en el que nuestra ciencia aparece en la plenitud de sus cualidades universales, esto es, como ciencia para la Verdad y para el Bien, concebida como unidad filosófica, tesoro inmutable de nuestra tradición científica, al resurgir, engranado a la España moderna, representa uno de los más firmes valores nacionales. Porque la ciencia viene a ser, dentro de nuestra doctrina, un poderoso aglutinante para la unidad política, un instrumento forjador del espíritu nacional y un servicio inexcusable que el Estado demanda para impulsar la grandeza de la Patria.

Yo recalco desde aquí este gran principio que nuestra Revolución ha impuesto al trabajo científico, el de considerarlo como un deber social, o sea, como una aportación obligatoria al interés público que el Estado reclama a todos los intelectuales. Porque si la ciencia, al penetrar en lo más íntimo de la materia y de la vida, aprovechando las energías físicas y biológicas de la naturaleza al beneficio de la prosperidad de los pueblos, sirve universalmente al progreso económico colectivo, al valorarse dentro de un país como servicio al Estado, desarrolla el bienestar nacional de la Patria. El día que España, a impulso de una fuerte ciencia aplicada, explote industrialmente sus riquezas naturales, se habrán desenvuelto brillantemente todos los recursos de nuestra potencia económica.

Por ello, al crearse el gran órgano nacional de la Ciencia, cuya magnitud rebasa la esfera universitaria, esto es, el Consejo Superior de Investigaciones Científicas, ha querido el Estado agrupar en él a todos los trabajadores de la inteligencia, planteándoles los grandes problemas espirituales y materiales que el bien común demanda, y a los que la laboriosa y tenaz investigación de la ciencia ha de encontrar una solución eficaz.

Y es, en verdad, orgulloso para nosotros afirmar en estos momentos que España acusa ya un halagador resurgimiento científico en todas las ramas del saber humano. Día a día fructifica en cosecha apreciable la simiente que el Consejo lanzara hace tres años, a través de sus florecientes y multiplicados Institutos, cuyos cuadros se robustecen con la nueva juventud investigadora. Nunca en España ha existido como hoy una treintena de Institutos dedicados a la creación de ciencia, ni han visto la luz, aparte de centenares de publicaciones, más de cincuenta revistas nacionales periódicas, consagradas a divulgar los resultados de la investigación. Ni ha regateado el Estado tampoco los recursos necesarios para alojar a los investigadores en nuevos y magníficos edificios, dotados de las instalaciones e instrumentos aptos para el trabajo, que forman ya una incipiente red nacional, porque se han buscado los núcleos investigadores en todos los puntos importantes del territorio propicios para el desarrollo rápido y eficaz de la actividad científica, en enlace unas veces con las corporaciones públicas y otras con las propias instituciones privadas.

Desde el mundo inorgánico de la materia, desde la zona organizada de lo biológico hasta la esfera más encumbrada del espíritu, en el recinto de la ciencia pura o en el estudio dinámico de la técnica, ha sacudido a la vida intelectual española una como fuerza mágica de agitación y de impulso jamás conocida entre nosotros, que ha hecho entrar en fase de producción a toda la falange culta de nuestros universitarios e investigadores con un rendimiento tal que en pocos años será una realidad formidable y aleccionadora al renacimiento total de la ciencia hispánica.

IV

La fiesta de hoy, aniversario del más grande de los acontecimientos de la historia, nos impulsa a dirigirnos desde aquí, desde este centro espiritual de cultura y de ciencia, a nuestros hermanos del otro lado del mar. Ellos forman con nosotros la comunidad hispánica, estrechamente unida por los vínculos de la religión y del idioma. Para las juventudes hispanoamericanas que quieran cursar sus estudios en la vieja Europa, madre de la civilización, se ha hecho también esta Ciudad Universitaria, la cual desde el primer día de su feliz iniciativa ya acarició la ilusión de servir de albergue y hogar a cuantos hijos de la América hispana desearan laborar en armonía con nuestros maestros y discípulos en pro de la común cultura que nos ha definido en la historia con caracteres espirituales fraternos.

A todos ellos España abre sus brazos de amor, y celosa de esta hermandad ha instituido becas que en breve comenzarán a aplicarse como paso decisivo a un intercambio del saber, por el que nos conozcamos mutuamente en la intimidad de la vida de trabajo y estudio y estrechemos con mayor firmeza nuestras mutuas simpatías espirituales. Por este trato recíproco, en que se pongan en contacto las almas de nuestras juventudes, se afianzará la amistad indestructible y la fraternidad entrañable de los pueblos que, en un día como el de hoy, hace cerca de cinco siglos, nacieron de una misma sangre y hablan la lengua gloriosa de nuestros antepasados.

Como prenda de esta nueva etapa de acercamiento cultural de España y los pueblos americanos quiere el Estado inaugurar hoy simbólicamente el comienzo de la construcción del Museo de América, que muy pronto se alzará en el corazón de esta misma Ciudad Universitaria como gallardo emblema conmemorativo y a la par como índice perpetuo de nuestra comunidad espiritual. Toda la vida histórica y presente de las naciones hermanas será reflejada en los salones de este gran Museo para que nuestros jóvenes tengan siempre ante la mirada la gigantesca aportación histórica a la civilización del mundo.

Gigantesca aportación, en verdad, que sólo el estudio concienzudo podrá liberar de las nieblas siniestras de una leyenda tejida por los enemigos de España y que cada día va resultando más vana gracias al empeño con que nuestro Estado impulsa la cultura americanista. En el Consejo Superior de Investigaciones Científicas se está consolidando con el carácter de realidad cumplida el Instituto Fernández de Oviedo, que por su tenaz labor investigadora es ya hoy entre nosotros un fuerte núcleo de estudios de la Historia de América. Y mucho promete en el sentido de formar jóvenes amantes de esta disciplina la recién creada Escuela Hispalense de Estudios Hispanoamericanos, alojada en la vecindad ilustre del Archivo de Indias, la cual ya este último verano, desde el santuario de La Rábida, ha lanzado al mundo hispánico su cordial saludo y su llamada de colaboración. Escuela que poseerá una magnífica residencia para estudiantes de Hispanoaméria la de Santa María del Buen Aire, emplazada en el más bello paraje de las cercanías de Sevilla, con cuanto de tranquilidad y de encanto es exigible a una institución moderna consagrada a la formación y al estudio.

V

Por el esplendor con que se inicia nuestra era universitaria, por el fulgor con que amanece la nueva ciencia española y por el entusiasmo con que asociamos a esta gran empresa espiritual a los pueblos hermanos de América, España acusa hoy, contra todos los detractores de su resurgimiento, contra cuantos nos motejan ridículamente de oscurantistas y enemigos de la cultura, un esplendoroso renacimiento científico como jamás lo haya conocido nuestra historia contemporánea. Porque esta acción cultural del Estado, ya de suyo magnífica en la esfera de la investigación y de la enseñanza superior, se ha extendido también a todos los sectores de la educación nacional desde los mismos días en que comenzara nuestro Movimiento. Así, ha renovado la legislación de Enseñanza Media, ha multiplicado por todo el territorio nacional la creación de nuevos Institutos, algunos de los cuales pueden parangonarse con los mejores de Europa; ha reformado en lo material y en lo docente las altas escuelas técnicas, dotándolas de suntuosos edificios; ha construido multitud de nuevas Escuelas de Comercio y de Trabajo y ha fomentado con la consideración de monumentos nacionales, con la gloriosa campaña de la recuperación reparadora del desastre y saqueo de nuestro tesoro artístico, con la creación de nuevos museos y la reforma y reinstalación de los principales y con la fundación de nuevas Escuelas Superiores de Bellas Artes la defensa del patrimonio artístico nacional en términos tales, que no se recuerda ninguna etapa política contemporánea en la que el Estado haya mimado con mayor entusiasmo a las artes plásticas o a la música.

Ahí está la creación y dotación de la Orquesta Nacional, el establecimiento del Instituto de Musicología, el magnífico edificio destinado a primer Conservatorio, la reforma de la vieja legislación de nuestros centros de enseñanza musical y el apoyo generoso del Estado a las instituciones artísticas privadas, como prueba palmaria de que en el renacimiento cultural de la Patria las bellas artes todas ocupan puesto privilegiado de honor.

Por si este esbozo no fuera de por sí elocuente, la labor cultural aun se agiganta en mayores proporciones si se considera el esfuerzo con que se ha acudido a restablecer los cuadros docentes en todos los grados de la enseñanza, reclutando con rigor el nuevo profesorado y magisterio y mejorando sus consignaciones como no se había logrado realizar en los últimos lustros. Y aun estamos en vísperas de la reforma de la Primera Enseñanza, que en breve examinarán las Cortes, con la que se hará llegar este acuciante deseo de renovación total de la cultura a los últimos rincones de la nación.

Para los falsarios, para los contumaces propagadores que en el extranjero difunden con ignominia una supuesta decadencia de España en el orden de la cultura, esta realidad aplastante es la más rotunda condenación de su cínico proceder. De la España en ruinas que ellos dejaron ha surgido otra España que camina apresuradamente por el prestigio de su ciencia y por el impulso de su profunda transformación cultural al más encumbrado culmen de grandeza y de gloria.

VI

Pero toda esta robusta empresa pende aún en su mejoramiento definitivo y en su conservación más eficaz de vosotros, profesores españoles. Y no menos también de vosotros, alumnos que me escucháis.

El Estado español se siente hoy orgulloso de la pléyade de maestros que supieron amar a España en la hora amarga y difícil, cuando ostentar este amor en la cátedra era un delito y una afrenta, cuando la ridícula heterodoxia pretendía asfixiar el espíritu de la nación desertando de la auténtica ciencia y prostituyendo la dignidad sagrada de la función docente. Sois vosotros los que mantuvisteis el fuego santo del espíritu cristiano y español, los que conservasteis la herencia científica de los inmortales maestros de la gran España del XVI. Y a vosotros se ha unido la nueva y aguerrida falange del profesorado joven, con lo que se ha asegurado para la Patria la conquista moral de la Universidad.

De vuestro sacrificio, de vuestro entusiasmo, de vuestra consagración a la tarea de ofrendar a España una nueva generación estudiosa de escolares depende en último grado este glorioso resurgir de nuestra cultura. Porque la juventud que está en vuestras manos es la mejor juventud hispana, acrisolada y robustecida por todos los sacrificios, alentada por la sangre de los que supieron fecundar simbólicamente este recinto universitario, como ejemplo permanente de que sus hermanos le entregarían por entero con obediencia y disciplina a la empresa de su propia formación.

Si ellos sirvieron a la Patria con la muerte, estos escolares todos han de servirla con la vida, pero con una vida cristiana y digna, consagrada al trabajo y al estudio, que es ahora su único y primordial deber. Trabajar con inigualado entusiasmo en la tarea de la propia educación cristiana y española: he aquí la suprema consigna para la juventud en la hora presente. Porque ese trabajo, enmarcado en un espíritu de unidad, es la clave de una España grande y triunfadora, donde por el imperio de la cultura vayamos hacia Dios y seamos todos mejores para su servicio y homenaje. ¡Arriba España!».

José Ibáñez Martín, «En torno a la nueva Ley de Enseñanza Primaria», en *Revista Nacional de Educación* 55 (1945) págs. 11-34.

EN TORNO A LA NUEVA LEY DE ENSEÑANZA PRIMARIA[1]

Señor Presidente de las Cortes, señores Procuradores:

«Una vez más —en la historia de su probada eficacia legislativa— corresponde hoy a las Cortes Españolas la misión de proclamar la libre voluntad de sus miembros en relación con una ley de tanta trascendencia como la que define con nueva estructura los postulados fundamentales de la Primera Enseñanza.

Notoria es, ante todo, la trascendencia de esta ley. Unas veces por la novedad jurídica que representa, otras por lo que suponen de ruptura o de superación respecto del pasado, miden las leyes la justa dimensión de su fuerza política creadora. Mas cuando el número de los afectados por la nueva disposición legal desborda el ámbito de las normas precedentes, resulta imposible negar la importancia del nuevo texto legislativo.

He aquí el carácter fundamental de la ley que hoy se presenta a las Cortes. En ella resalta como en ninguna otra la

[1] Discurso pronunciado ante las Cortes Españolas en la sesión del día 14 de julio.

doble valoración que supone todo precepto legal. De un lado, su profundo sentido ético; de otro, el volumen de su repercusión social. Merced al primero, la ley ordenadora de la Primera Enseñanza acaba con el racionalismo pervertido que caracterizó las reformas docentes del viejo utilitarismo político. Por el segundo, el número de los destinatarios de la norma cuya aprobación se os propone da a ésta un campo tan vasto de aplicación, que sin inútiles exageraciones puede decirse que el acontecimiento de hoy encierra una verdadera significación nacional.

A cuidadoso estudio ha estado sometida la elaboración de esta ley. Pero el trabajo que sobre ella se ha acumulado ha sido, como quería Luis Vives, tarea eminentemente finalista. Es decir, que una razón superior de servicio a España inspiró en todo caso la complejidad de dictámenes y pareceres que fueron tenidos en cuenta en este proceso de elaboración.

El Consejo Nacional de Educación, la Comisión de Prelados, la Dirección General de Primera Enseñanza, la ponencia y la comisión de estas Cortes han logrado para esta ley una madurez técnica ejemplar. Vaya en estos momentos el testimonio de mi gratitud a los que, desde cada uno de estos puestos, nos han prestado su encendida colaboración y muy singularmente al señor Obispo de Madrid-Alcalá, que ha sabido en este caso darnos a todos ejemplo de su admirable celo apostólico y de su vivo y fecundo fervor español.

Así llega a vosotros una ley que es como una demostración más que España hace de su inquietud por los problemas del espíritu. Mediante ella se cambiaría de raíz la apagada y triste perspectiva de la escuela española. Por la cultura y la educación lograremos salvar a nuestra Patria de la más arriesgada de sus singladuras políticas. Y si a mí, como Ministro de Educación Nacional, me ha correspondido el singular honor de servir, bajo las órdenes del Caudillo, esta empresa de restauración espiritual, yo quiero proclamar que para lograrlo me he consagrado enteramente a imprimir el más puro sentido cristiano en todas las manifestaciones de la enseñanza, porque —ante la angustia histórica de la hora en que vivimos— yo esperaba y espero con acendrada fe que España pueda ser columna inconmovible de la eterna religiosidad de Occidente.

Con esta significación ha sido preparada la Ley de Primera Enseñanza. La escuela podrá ser desde ahora instrumento de la grandeza nacional. Porque los pueblos no son grandes mientras no aprenden a ser libres, y la libertad del hombre debe arrancar del reconocimiento metafísico de su dignidad espiritual. Se trata en esta ley de hincar en la tierra la piedra fundacional sobre la que se levante un día la formación humana y completa del hombre. Y antes de que la Universidad enseñe a éste a servir a su Patria con las armas de la inteligencia y del estudio, aspiramos a preparar el camino de ese aprendizaje llevando, a través de la escuela, al corazón del niño la voluntad de servir y amar, por encima de todo, a su Dios.

La tradición escolar española

La ley que hoy se presenta ante las Cortes significa un triunfo culminante en la historia escolar española. Las ricas tradiciones docentes que han precedido y sazonado nuestro pensamiento pedagógico atestiguan en su trayectoria que también en este orden de aportaciones al progreso humano ha dado España muestras brillantes de la fecundidad de su genio.

Si no bastase el recuerdo de la excelsa obra de un Lulio, un Nebrija o un Vives, justificaría nuestro aserto la evocación de San José de Calasanz, predecesor del humanismo cristiano de la educación, o la misión apostólica que don Andrés Manjón esculpió en sus empresas docentes. Poseemos, señores Procuradores, una tradición pedagógica netamente española que conservó su esencia vital en venas soterradas en el apasionado servicio individual de muchos educadores compatriotas nuestros, a los que es justo rendir agradecido recuerdo. La hemos tenido a pesar de que un siglo de desviaciones ideológicas quiso torcer su rumbo y prostituir la sagrada misión de formar a la niñez española. Porque es necesario traer a la memoria de todos la etapa no muy lejana en que culminó la apostasía de nuestra legislación con aquellas órdenes —de quienes hoy piden al mundo ayuda para continuar su obra— en las cuales se suprimía en la católica España la enseñanza religiosa, se arrancaba el Crucifijo de las escuelas y se incubaba en las aulas el más feroz de los atentados contra la conciencia del niño, sembrando en el surco virgen de sus primeros destellos intelectuales la semilla corrosiva de la disgregación de la familia, del odio a los semejantes y de la rebelión contra Dios y contra la Patria.

El momento pedagógico internacional

La nueva ley ha considerado, además, cuanto en el campo de la educación primaria se ha realizado dentro y fuera de España. Desde el primer Estatuto orgánico de Primera Enseñanza, promulgado en 1917, hasta la fecha de hoy, el problema permanecía inabordado en cuanto a su aspecto total. Una señal inequívoca del programa cultural del régimen de Franco es esta nueva ordenación, encuadrada perfectamente en el sistema de preocupaciones esenciales que palpitan en el mundo de nuestros días. Los Estados se afanan por dar normas para la más eficaz formación de las conciencias juveniles. La Iglesia consagra atención predilecta a este problema en la regulación de sus Concordatos. En los países que hoy llevan la dirección de este mundo abrumado de desdichas y dolores, ocupa lugar privilegiado la educación escolar primaria. Ahí están los esfuerzos del fallecido Presidente Roosevelt para definir los derechos del niño, verdadera carta de la infancia universal. Y ved asimismo el ejemplo del Reino Unido de la Gran Bretaña, que con sabiduría política depurada por secular experiencia ha dedicado, en el fragor de la guerra, no menos de dos años a examinar una Ley de Educación primaria amplia y minuciosa.

Y el mundo de la paz va, pues, a recoger esta prueba del resurgimiento español, que simboliza una ley en la que sin olvidar nuestra tradición pedagógica y el pensamiento católico que inspira todas las actividades del régimen, se propugnan reformas y sistemas adaptados a la actualidad pedagógica de los pueblos más civilizados.

La escuela, al servicio de la religión

Al explicar el contenido de la nueva legislación quiero anticipar una declaración fundamental. La ley es primordialmente católica, cual cumple a toda obra legislativa española, y de manera singular entre nosotros a la que ha de aplicarse a la formación espiritual de la niñez y de la juventud. Importa mucho que permanezca nítida la pureza de esta afirmación, que no obedece a criterio personal del Ministro que os habla ni a influencia de ninguna sugestión particular, ni mucho menos a propósito de conveniencia política o interés de proselitismo.

La ley es católica sencillamente porque nuestro régimen lo es. Y ello sirva de lección a cuantos rebuscan signos equívocos en la inmaculada ideología y actividad consecuente del Estado que Franco acaudilla. Que si este Estado hubo de surgir de una cruzada de fe en la que era necesario restablecer por la victoria de las armas los sagrados ideales de nuestra religión, conculcados por el enemigo, la ejecutoria política más definida de sus gobernantes ha sido precisamente la de acusar en sus leyes y en su obra restauradora el concepto católico de la vida. Postura muy distinta, por cierto, de la de aquellos otros Estados que llamándose cristianos, y aun predicando a cada hora conquistas para la libertad humana, no han sabido o no han querido reconocer los derechos inalienables de la Iglesia. Y es que el Estado de Franco se apoya sobre una nación que siempre y sobre todo ahora, en el instante en que se quiebran en el mundo los valores espirituales, los únicos que garantizan y definen la verdadera libertad humana, proclama con mayor firmeza su fe católica, su respeto filial a la Iglesia de Jesucristo, su leal sumisión al Derecho Divino, su concepto moral cristiano de la vida y de la muerte.

Por eso es inexcusable recalcar aquí, en la solemnidad de este recinto legislativo, para que tenga resonancia ante cuantos en la esfera internacional nos zahieren y vituperan porque no nos conocen o se niegan a conocernos, que España es y será un Estado cristiano cimentado sobre la solidez milenaria de su catolicismo militante y activo, y que repugna en igual grado el agnosticismo liberal y el estatismo opresor o ateo de las tiranías de cualquier signo.

Este sentido católico imprime carácter a nuestra política, y así, la Ley de Educación Primaria que se somete a vuestra consideración sirve, ante todo, al primordial designio de lo que he de llamar lisa y llanamente política cristiana de Franco, basada en la doctrina inmortal de la Iglesia, maestra de la verdad y de la vida. La ley se inspira fundamentalmente en estos principios doctrinales, que se aceptan íntegros, sin regateos ni tergiversaciones, estampándolos como consigna sagrada a la cabeza de nuestro Código Docente. Yo tengo, señores Procuradores, el honor y el orgullo de afirmar aquí que nunca han sido obedecidas con tanta fe y con tan entregada voluntad por ningún Estado contemporáneo las normas de la Encíclica «Divini Illius Magistri», del inolvidable Pío XI, como las acata ahora la España de Franco. Y aun he de añadir que no hay Código, ni Concordato, ni legislación escolar alguna de cuantas se han dictado en los países civilizados modernos en los últimos cien años que aventaje, por su fidelidad a la doctrina católica, a la Ley de Educación Primaria que hoy sometemos a vuestra decisión. Este reconocimiento no ha surgido de acuerdo pactado tras discusión de derechos o de concierto diplomático. La ley ha sido sencillamente concebida por el Estado español a impulso propio, por imperativo de conciencia y de deber, por persuasión doctrinal y por sentimiento de que interpreta en ella con justicia la unánime convicción de los españoles.

He de afirmar, por último, en esta materia, que no nos hemos limitado a consignar en la ley la declaración de los principios cristianos sobre el derecho educativo y el reconocimiento general de los derechos docentes de la Iglesia por virtud de su magisterio apostólico infalible, como cátedra suprema de la verdad, para desarrollar estos principios en ulteriores normas. La aceptación de la doctrina ha significado para nosotros el decidido propósito de llevarla hasta sus últimas consecuencias en la aplicación práctica y dispositiva. Por ello, tratándose de la Iglesia, potestad soberana universal y perfecta, hemos reconocido desde ahora sus derechos en lo que toca a crear escuelas primarias en pie de equiparación a las del Estado, esto es, con carácter público, con plena libertad didáctica y administrativa, y del mismo modo en lo que atañe a fundar escuelas del Magisterio con colación de grados y títulos profesionales para los educadores que en ellas se formen.

La enseñanza de la Religión en la escuela, necesaria formación religiosa del maestro; el espíritu cristiano inspirando todas las disciplinas; la Iglesia vigilando e inspeccionando la función docente de todos los centros públicos y privados en cuanto tiene relación con la fe y las costumbres; la perfecta inteligencia del maestro con el párroco en la acción apostólica escolar; la ayuda económica del Estado a todas las escuelas de la Iglesia en que se dé enseñanza gratuita, son, entre otros aspectos, prueba concluyente de que los principios no se enuncian de manera vana y de que la Iglesia se ve asistida en el ejercicio de sus sagrados derechos por la colaboración de un Estado católico que espera su propia firmeza y prosperidad del carácter cristiano de súbditos educados en la salvadora doctrina de Jesús, bajo cuya advocación, como maestro y modelo de educadores, se ha colocado la escuela primaria española.

La Escuela, al servicio de la Patria

Si la escuela española ha de servir a Dios, no está por ello exenta de vivir, día a día, consagrada a otro noble ideal, que se anuda fuertemente con el que la formación religiosa significa. Para quienes entendemos y proclamamos que es único el concepto de la moral, y que este concepto pertenece al cristianismo, resulta casi superfluo decir que a la escuela cumple una elevada función social. A la luz de la verdad evangélica, los hombres fueron iguales todos, en el supremo destino de sus almas, por la misma sangre redentora. Esta auténtica democracia espiritual, esta idea pura de la igualdad humana ante el mismo destino eterno, que no excluye las sagradas prerrogativas de la libertad, ni mucho menos la elevación digna de cada persona sobre las demás por la verdadera aristocracia de la virtud y de la inteligencia, entraña una educación social que ha de partir de la infancia misma. La escuela, como hogar en miniatura de la convivencia humana, como núcleo representativo de otros superiores de mayor trascendencia social y política, debe ser, para un Estado consciente de su misión de velar por el bien común, fragua encendida donde se forjen las virtudes del buen ciudadano, donde desde la primera hora aprendan sus súbditos el respeto recíproco, la colaboración mutua, en una palabra, lo que nuestro Régimen llama espíritu de ejemplar y alegre camaradería.

Pero no basta esta simple conciencia social. Se ha hablado mucho de lo que importa en la vida docente la educación cívica, y hasta el propio Pontífice Pío XI nos llama la atención sobre este punto en la tan aludida Encíclica «Divini Illius», como uno de los aspectos educativos que corresponden a la acción estatal. Pero el principio implica algo más sustancial y profundo. Porque, para nosotros, por mucho valor que quieran dárseles hoy día, no bastan esas palabras de convivencia, de comprensión, de respeto mutuo, de virtudes ciudadanas y otras que suenan de manera semejante. El anhelo de que los individuos convivan en la escuela para conocerse y amarse, prefigurando ya en ciernes una sociedad futura, en la que cada cual proclame y sienta el bien común, no se logra como meta de ninguna educación, sino ante un poderoso estímulo espiritual. Sobre los conceptos fríos y abstractos de la sociedad y del Estado, imaginados como obligación inerte de individuos en los que sólo gobierna la razón inorgánica del número, ha de levantarse la idea pura y radiante de la Patria, cuyo concepto se determina con sentido finalista de misión y de destino, que conduce ambiciosa e ilusionadamente hacia una meta ideal el espíritu colectivo de un pueblo. La Patria encierra para los españoles una permanente verdad, tallada por los siglos, que no fluctúa entre marejadas de opinión ni tiene una cara hoy y otra mañana. Es el concepto claro y terminante de nuestro régimen, sellado con sangre de millares de héroes y de mártires, la razón suprema del caudillaje de Franco, la esencia viva de toda nuestra fe política, el motivo y el fin por el que nos encontramos aquí ahora, señores Procuradores, legislando sobre el futuro de España, al plantear los moldes en que ha de formarse nuestra niñez y nuestra juventud. Y esa Patria no es para nosotros un mito, al estilo exótico de divinificación de su forma externa. Es el conjunto intangible de las verdades históricas, patrimonio inalienable de nuestro ser nacional. Es nuestra unidad de destino, la sagrada unidad de los españoles ante su eterna misión en el mundo, por la que estamos dispuestos a morir.

Por eso nuestra ley ha proclamado este principio a la cabeza también de sus postulados fundamentales, y a cada paso pregona la formación del espíritu nacional, como esencial disciplina que ha de iluminar y enfervorizar el alma de nuestros niños y nuestros jóvenes. Sin la ilusión de la Patria, sin la idea de servicio a su supremo e inmutable destino, sin la entrega abnegada y total de las almas españolas a su engrandecimiento, yo os diría que nos era inservible toda ley de educación primaria, porque se hace criminal hasta la misma cultura cuando se la utiliza como instrumento nefando para corroer en abominable parricidio las propias entrañas de la nación. Y esto, señores Procuradores, no es un canto patriótico y alegre, que suene a marcha de zarzuela vulgar, o, como dirían mentes materialistas, una concesión al chauvinismo. Cuando por restablecer este augusto concepto de España ha corrido abundante la sangre de nuestros hermanos, sería para nosotros traición sin nombre, ante el horizonte de nuestros hijos, no declarar aquí que la nueva Ley de Educación Primaria persigue y quiere, como primordial designio, la formación de todas las mentes juveniles en la idea y en el amor de la Patria, que obligue a una actitud colectiva unitaria de los españoles en el pensamiento y en la voluntad.

La batalla contra el analfabetismo

El esquema de lo que la nueva ley significa en el orden de la técnica pedagógica ha de llevar por delante esta afirmación sustancial. Afrontamos la batalla contra el analfabetismo, plaga arraigada en España en los últimos cincuenta años y fomentada por la falta de leyes eficaces y por las alteraciones políticas, que han restado continuidad a una actuación escolar intensa por parte del Estado. El primer remedio que nuestra ley previene es el aumento de escuelas, que se eleva a una por cada 250 habitantes, lo que representa el doble de las exigidas en la legislación de 1857. Aun este aumento no sería del todo eficaz y significaría una enorme carga para el erario público si no estuviera compensado por la protección a la enseñanza de la Iglesia y a la de iniciativa particular, mediante la subvención, con diversas modalidades, a cuantas escuelas se dediquen a la enseñanza gratuita. Cuenta asimismo la ley con la colaboración de las Corporaciones locales y provinciales, a las que impone, en régimen de patronato, aportaciones proporcionadas a sus medios para cubrir la cifra escolar estipulada, e igual medida exige a las empresas, con el fin de garantizar, por imperativo de justicia social, la educación de su población obrera.

No son éstos, sin embargo, todos los remedios. España, por sus particulares condiciones geográficas y demográficas, encierra muchos núcleos de población pequeña en los medios rurales y aun de población diseminada a los que debe llegar la acción de la cultura. Para prevenir estos casos, la ley plantea ambiciosamente otra serie de recursos cuya eficacia se somete a experimentación. Admite así la escuela mixta regentada por maestras en los núcleos de mínima población escolar; estimula la creación de escuelas hogares; fija al maestro en las escuelas de aldea, estableciendo obligatoriedad de servicios por dos años para conceder las excedencias; considera mérito preferente en los concursos la actividad escolar continuada en las escuelas rurales; crea el tipo de maestro supernumerario para regular en el año las sustituciones; encomienda la enseñanza en los poblados y lugares de población inferior a 500 habitantes a las personas que hayan concluido estudios de carácter civil o eclesiástico; instituye los instructores maestros y aun los instructores auxiliares con la misión concreta de desempeñar la función docente en estos pequeños núcleos de población, y establece, por fin, premios y recompensas para tales preceptores cuando se distingan por su acción enérgica y fructífera contra el analfabetismo.

Planteada así la batalla, la ley consagra, por imperativo del bien común nacional, el principio de obligatoriedad escolar, hoy vigente en casi todos los países del mundo. Para hacer más eficaz esta exigencia no sólo establece la protección de los niños carentes de recursos en lo que toca a la alimentación y al vestido, sino que hace incompatible en la niñez en edad escolar toda otra actividad que no sea la propia de la educación primaria. Y lleva su imposición hasta el término de aplicar sanciones a los padres de los alumnos y aun a las autoridades locales que no vigilen con celo la asistencia obligatoria a la escuela. La exigencia se verifica y asegura porque se requiere en todo español una cultura mínima que se garantiza por la cartilla de escolaridad y el certificado de estudios primarios, sin el que ningún ciudadano puede ejercer sus derechos públicos y tener acceso al trabajo en empresas y talleres.

Tal obligatoriedad, en fin, no se establece para un futuro lejano, en el que la ley haya podido implantarse gradualmente. Se apela también a recursos supletorios, como la enseñanza de los adultos que no hayan recibido instrucción, con un sistema rígido que los pueda redimir en pocos años de la plaga de analfabetismo y proporcione a todas las mentes y corazones la educación del espíritu, pan más saludable que el que sostiene la vida material y sin el que ninguno de nuestros semejantes es digno de llamarse español.

El sistema pedagógico

Renovación importante, de acuerdo con sus principios fundamentales inspiradores, acusa la ley en lo que respecta al sistema docente. La educación primaria se concibe en este punto como preparación para lo que podríamos llamar bifurcación posterior del escolar en el camino del servicio de la cultura o del trabajo. Es decir, todo español tiene derecho a recibir obligatoriamente un mínimo de instrucción en el que ocupa un primer plano la educación religiosa y patriótica y el cultivo de los conocimientos culturales más indispensables.

Superado este grado elemental, el escolar asciende por sus condiciones intelectuales a la enseñanza media o continúa en la escuela iniciándose en las técnicas del aprendizaje hasta que, cumplidos los quince años, tenga acceso a las escuelas profesionales del trabajo. De la preparación cultural forma parte un sistema cíclico de materias de carácter instrumental o formativo con las que se tiende a proporcionar los elementos propicios para el ejercicio pedagógico o a formar al alumno en los conocimientos que constituyen la base de la educación intelectual y moral. En el grupo de las materias complementarias y en relación con el cuarto período de graduación escolar se abre un nuevo horizonte a la educación primaria española. Tal es la orientación profesional para la vida agrícola, industrial o mercantil con la práctica de los ejercicios adecuados, que permite iniciar ya en la misma escuela al fuguro agricultor, al pequeño industrial, al obrero de taller o al comerciante.

Para lograr la realización de este plan, la ley pone en juego los mejores recursos pedagógicos y da normas concretas sobre cuestionarios, metodología, comprobación, tiempo escolar y aun sobre extensión cultural de la escuela. Extremos concretos que no han de calificarse como impropios de la generalidad de la ley, ya que de su orientación fundamental depende el sentido unitario de la educación y la comprobación de que ésta se hace efectiva en la intensidad y modo en que el Estado la exige para el bien común de sus ciudadanos.

Del sistema pedagógico que la ley prescribe forman parte las instituciones complementarias de la escuela, a las que nunca como ahora se ha dado en España tanta importancia y relieve. No se trata de mera enunciación de actividades, ni de detallismo innecesario. Las legislaciones escolares de muchos pueblos cultos de Europa y América colocan a estas instituciones en un plano relevante por su decisivo influjo en la educación intelectual y social. Por ellas se incorporan a la escuela todos los instrumentos y experiencias del mundo moderno. Las bibliotecas infantiles, las agrupaciones artísticas, el «cine», la «radio», el canto y la música, el intercambio escolar en sus diversos aspectos, los campamentos y albergues, los ejercicios deportivos, las asociaciones piadosas, son recursos que, gobernados por los propios alumnos, contribuyen a su formación con eficacia superior muchas veces a la actividad estrictamente escolar. En el mismo grado influyen las instituciones sociales que cumplen la misión de suscitar el espíritu de la limpieza e higiene, la costumbre del cooperativismo, de la mutualidad y del ahorro y el hábito del trabajo manual.

En el sistema docente, en fin, que la ley normativamente propone se incluye la renovación profunda de los utensilios pedagógicos. En primer término, los de carácter espiritual, esto es, los libros, sobre los que se dan preceptos concretos para que en ningún caso dejen de cumplir su finalidad educativa y se conviertan en medio de corrupción y para que, además, llenen el cometido pedagógico de ser auténticos instrumentos de estudio. Después, el material fungible escolar, tan necesitado de una reorganización, y el material permanente y mobiliario, que habrá de ajustarse a modelos y tipos determinados por los organismos técnicos de orientación e investigación pedagógica. Finalmente, el edificio escolar, cuyas condiciones generales de emplazamiento, capacidad e higiene, así como las jurídicas de su construcción y conservación, se regulan minuciosamente, previa la determinación de un índice de necesidades para el tipo o modelo pedagógico, al que han de adaptarse las modalidades arquitectónicas propias de la región y localidad.

El sistema de construcción escolar sufre así importante transformación. El Estado acepta no sólo la carga tradicional de erigir la escuela en los pueblos pequeños —el límite se eleva ahora a los 1.001 habitantes—, sino que se obliga en todos los demás casos a una participación en los gastos, desde el 95 por 100 en las poblaciones modestas por su censo o por sus condiciones económicas, hasta el 50 por 100 en el caso de ciudades de más de 150.000 habitantes. Entra así el problema en una fase de solución viable, sin que ello signifique que el Estado haya de regatear máximos esfuerzos, ya que es inaplazable poblar a España de grupos escolares amplios, higiénicos y luminosos, dignos albergues de la noble función educadora. Y no sólo como signos externos que acusen la transformacón espiritual que el régimen propugna, sino para que la enseñanza sea pedagógicamente eficaz, para que la sociedad advierta el decoro con que quiere asistirla el Estado, para que el propio escolar, en fin, tenga conciencia de que la escuela, por la misión que le incumbe, es templo de la cultura y no antro lóbrego y miserable de rutinaria instrucción, cuando no de corrupción moral de los espíritus.

El niño y la familia

Quiero salir al paso de la extrañeza que con rigor legalista pueda sentir alguien al ver que dedicamos en esta ley un título al niño y a la familia, considerando estos artículos por su carácter y hasta por su literatura impropios de una ordenación administrativa. En verdad que las leyes, por su índole generalizadora, suelen y deben ser siempre rígidas y frías; pero es el caso, señores Procuradores, que pocas veces los códigos legales han de enfrentarse con problemas más humanos como los que han de abarcar la enseñanza primaria, al referirse al sujeto principal de la educación. El propio Santo Padre Pío XI, cuando en su larga y densa encíclica se para a considerar al niño, tiñe sus frases de una sutilísima emoción que brilla por encima de los períodos y de las cláusulas de la solemne literatura pontificia. Es la misma ternura que palpita en el Evangelio cuando el Maestro, Jesús, acoge y acaricia a los pequeñuelos y les promete, conmovido, el reino celestial. En verdad que cuando nos nace un niño parece como si hubiera alegría en lo profundo de los cielos, porque en cada criatura vibra el recuerdo de la luminosa noche betlemita en que al nacer el más excelso de los niños hubo rumores jubilosos de zampoñas pastoriles y cantos y danzas de milicias celestes que anunciaban mensajes de paz. Un niño, una nueva alma que viene a seguir su destino, una nueva vida que se transmite, un nuevo súbdito para el Estado y para la Iglesia, un nuevo ser, en suma, que ha de vivir, cumplir su fin presente y salvarse para alcanzar además su futuro eterno.

Pero también sobre el niño se han cernido las fuerzas del mal. La pedagogía torva y fría del ateísmo y de la impiedad, para la que el niño es pura y simplemente un producto material de la naturaleza, ha lanzado a los cuatro vientos su perversa doctrina. ¿No os acordáis, hace más de dos lustros, cuántas veces nos predicaron el naturalismo pedagógico y qué insoportable pedantería hubimos de aguantar, no sólo en la Prensa, en la cátedra y en los discursos públicos, sino en las mismas leyes, cuando nos hablaban cada día del respeto a la conciencia del niño, de los derechos del niño, de la autoformación activa del niño? Los marxistas españoles traducían a nuestro lenguaje la ideología sectaria que se abría camino en la esfera internacional. Porque si es verdad que apareció una declaración de derechos del niño en Ginebra, como luego hubo de publicarse en la famosa carta norteamericana, no lo es menos que también el comunismo organizó su frente pedagógico y definió al niño, contra los principios más elementales del derecho natural, como un objeto que pertenecía al Estado.

Por eso hemos intentado definir los derechos educativos de niño, basados en los principios católicos, y ha querido nuestro Caudillo que las Cortes, al sancionar esta ley, sancionaran también el Código español de los derechos del niño, con el que nuestra Patria lanza una vez más la buena nueva de la primacía espiritual a un mundo materializado que no podrá restaurarse nunca, ni cimentar firmemente la paz, sin asentar la sociedad futura en la roca inconmovible del hogar cristiano.

Los derechos del niño están tutelados hasta el desarrollo normal de sus cualidades físicas e intelectuales y morales por los deberes de la familia, la Iglesia y el Estado. Nuestra ley, que siguiendo literalmente el pensamiento de Pío XI reconoce los derechos educativos de la Iglesia y define los que competen a un Estado católico como España, no omite tampoco los de la familia, a la que asigna, a su vez, un decálogo de deberes efectivos en lo que atañe a la escuela. Deberes hoy más que nunca exigibles, porque si bien es verdad que gracias a que supo cumplirlos tradicionalmente la familia española, ha sido ésta entre nosotros la gran reserva espiritual que nos ha salvado de la apostasía de nuestro siglo, en el cumplimiento de estos deberes sagrados se apoya como en el mejor cimiento la solidez futura del Estado español. León XIII, con mente profética, vaticinó que la última batalla espiritual del mundo se daría en el campo de la Escuela. Esa batalla ha comenzado ya hace varios lustros, y la España de Franco, al consignar en su ley los principios cristianos y llamar con sus preceptos a la conciencia de la familia española, no hace más que dar una voz de vigilancia y alerta, pertrechándola y fortificándola con la táctica suprema de la fe para asegurarle, con la victoria, el trofeo glorioso de la paz.

El maestro

La ley hace depositario al maestro de la noble misión de enseñar, le entrega la niñez, le otorga la condición de delegado de la sociedad para formar las almas de quienes han de ser los hombres del mañana, le confiere el carácter de forjador del espíritu de la España futura. Tan elevada misión, que sólo puede compararse a la del apóstol, exige vocación clara, ejemplar conducta y preparación competente. La delineación del tipo del maestro se perfila con imperiosa exigencia por la magnitud de la responsabilidad, por el cúmulo de deberes que inexorablemente ha de cumplir. No es una profesión para la que sirve cualquiera, sino que reclama selección de almas capaces, porque, como en el Evangelio, muchos son los llamados, pero pocos los escogidos. Queremos por ello acabar con el concepto tópico de que el Magisterio es una profesión de mediocridad y vindicar para ella su carácter de auténtica aristocracia. La vocación del maestro entraña un espíritu de servicio a Dios y a la Patria y ha de ser suscitada, estimulada y dirigida con el mismo celo y empeño que pone la Iglesia en el cultivo de las vocaciones apostólicas. Por eso, si circuímos al maestro en un ámbito estricto de deberes, ha de procurarse que merezca para su profesión respeto y consideración pública; que le ampare el Estado y la sociedad, confiriéndole derechos y prerrogativas que faciliten su misión y no la entorpezcan; que al sentir su vocación nada le prive en el orden material o espiritual de cumplirla, fomentarla y perfeccionarla.

He aquí el punto de partida de cuanto en la ley se prescribe en pro del maestro, empezando por su propia formación. Necesitamos, ante todo, mientras la vocación se define y se prueba, el período preliminar de una preparación que abarque los conocimientos precisos. Preparación no aislada, que suscite después desengaños y equivocaciones, sino abierta, en conexión con los demás escolares que han de seguir otras rutas de la vida. Hemos estimado así que la primera etapa de la formación del maestro debe cumplirse en la enseñanza media, abarcando la escolaridad de un cuatrienio dedicado a la adquisición de los conocimientos generales, instrumentales y formativos que sean base de su ulterior aprendizaje pedagógico. La segunda etapa, la que ya encaja al maestro en el ca ce estricto de su formación profesional, ha de realizarse en la escuela especialmente preparada para esta función. Desaparecen así de nustra vista las viejas Normales, una de tantas fracasadas creaciones del enciclopedismo liberal, para convertirse en las nuevas Escuelas del Magisterio, que son como seminarios pedagógicos vivos donde el futuro maestro va a educarse fundamentalmente en la difícil profesión de enseñar. Ampliación cultural de algunas disciplinas; intensificación de la doctrina y de las prácticas religiosas y metodología de la Religión; formación sólida en los principios que han inspirado la historia nacional; conocimiento técnico y práctico de las ciencias pedagógicas en sus diversas ramas, he aquí, en esquema, el horizonte del trienio que se impone al maestro en el ambiente propicio de un hogar, a ser posible, con régimen de internado, donde cada hora del día, cada lección o ejercicio signifiquen pulimento de su espíritu y vigor y refuerzo de su vocación, adiestramiento en la ciencia y en el arte de aprender a transmitir a los demás la verdad y el bien, al servicio de Dios y de España.

En armonía con esta formación ha de estar el profesorado, a quien se confiere el honroso encargo de procurarla. No negamos que la ley es exigente en este punto, porque quiere garantizar la eficacia de lo que más poderosamente interesa. Y requiere en el futuro profesor pedagógico preparación académica adecuada y la doble experiencia de la Escuela primaria y de la Escuela del Magisterio. Ello abre amplios cauces para reglamentaciones futuras, en las que el formador de educadores alcanzará las prerrogativas y derechos que su función reclama y en las que las escuelas gozarán de los medios imprescindibles en todos los órdenes para colmar su difícil cometido.

La formación del maestro no remata aquí. Ha de ingresar en el Escalafón nacional por la criba penosa de nuestras tradicionales oposiciones, que se convocarán cada año en todas las provincias y servirán para cubrir las plazas vacantes de cada una de ellas, con lo que se fija al maestro en los pueblos más afines al lugar donde ha transcurrido su período de formación. Pero aún esta formación continúa. Porque, de una parte, la ley no cierra la puerta a los más preparados y capaces para ascender a las categorías superiores de la profesión, previos los estudios universitarios. Y, de otra, aun en la vida cotidiana de la escuela, el maestro ha de pulirse con el ejercicio de la docencia, orientado y dirigido siempre por el inspector.

Estas últimas palabras dan idea exacta de lo que la ley quiere que sean los inspectores. Orientadores y directores del maestro, no burócratas; consejeros pedagógicos, no tiranuelos engolados por superior categoría; autoridades docentes para exigir el cumplimiento de las normas legales, no jefes administrativos de funciones que no les competen.

A ellos confía el Estado misión tan sagrada y de tan grave responsabilidad, que, siguiendo el símil aspostólico, acaso pueda compararse, a lo menos en parte, a la de los ordinarios sobre las parroquias. Porque ellos son los que han de vigorizar la vocación de los educadores, manteniendo vivo el espíritu profesional; los que han de impulsarle con su ayuda y consejos, inspirados en la solidaridad de la función común, a cumplir sus deberes docentes; los que han de comprobar con sus visitas el rendimiento del trabajo escolar; los que han de perfeccionar y mejorar las técnicas docentes; los que han de excitar el interés y el celo de la sociedad en beneficio de la escuela; los que han de hacer respetar las decisiones y normas del Estado.

La ley señala bases concretas para la reforma del Cuerpo de Inspectores, en lo que respecta a sus grados jerárquicos, a su número, a las visitas que han de realizar, a sus deberes, derechos y prerrogativas, y a la depurada formación que se les exige, de suerte que deja ya entrever una reglamentación futura, totalmente renovada, eficaz y prometedora para el resurgimiento conjunto de la enseñanza primaria que ambiciona la España de Franco.

La justicia social

A nadie se le oculta que el Estado español ha consagrado a reivindicar la justicia social sus más vehementes desvelos, hasta el punto de que hoy figura en la avanzada de la legislación universal, y ello sólo bastaría para justificarse ante el mundo como ejemplo de difícil superación. Pero la justicia social no es exigencia que haya de aplicarse de manera exclusiva en el campo de la riqueza y de la economía. Yo afirmé en estas Cortes, ahora hace un año, cuando sometíamos a vuestra aprobación la Ley de Protección Escolar, que esta justicia y la misma caridad, la una en su concepto necesario de exigencia jurídica y la otra en su carácter de virtud cristiana, no eran de por sí suficientes para resolver lo que llamamos comúnmente el problema social. Y esto, no sólo porque a la luz de la doctrina católica el problema social no tiene, en verdad, solución íntegra en este valle de lágrimas y únicamente puede ser aliviado por las mejoras de la juticia distributiva y por la aplicación del orden económico cristiano que respeta la dignidad de la persona humana, consagra el derecho al trabajo y establece su legítima participación en los beneficios de la producción industrial, sino porque, por encima de los conceptos de mejoramientos materiales, de intereses y beneficios, la justicia social abarca otros de índole superior. Hay una justicia social de los intereses espirituales, sin los que aquélla es ineficaz y efímera, y aun a la larga, peligrosa, por la sencilla razón de que no sólo de pan vive el hombre, ni la vida humana se gobierna a expensas de lo puramente material. La cultura, pan del espíritu, es necesaria a toda sociedad dignamente constituida y establecerla como un derecho del individuo, y a la paz como una exigencia del bien común, vale tanto como proclamarla parte importante de la justicia social.

Nuestra ley acepta este principio y lo afronta con todas sus consecuencias. Es deber esencial del Estado procurar a todos los españoles un mínimo de cultura y exigírsela de manera obligatoria. No importa cuál sea la situación social o económica individual. La pobreza no es condición eximente, ni tampoco impedimento para el deber de educarse que incumbe a todo español. Pero el Estado sabe que en España, ni más ni menos que como en todos los países del mundo, existen muchos niños a los que su carencia de recursos aparta de la asistencia a la escuela. Y he aquí el gran problema que es preciso obviar con generosidad y largueza y con criterio de estricta justicia social. El Estado español se compromete a proporcionar a los niños pobres la alimentación y el vestido para que puedan acudir a la escuela. El Estado español impedirá que el niño y el joven en edad escolar trabajen en lo que no sea su propia educación. El Estado español amparará todas las inteligencias útiles para el servicio de la cultura. Nunca ha alcanzado, señores Procuradores, entre nosotros nivel más alto la justicia social escolar, ni nunca ha asumido el Ministerio de Educación tarea de responsabilidad más elevada.

Pero aún hay más. Poseídos de esta noble ambición de justicia, la nueva ley obliga a las Empresas a la educación de los hijos de sus obreros y aún a estos mismos, si no les hubiera llegado la luz de ese mínimo de cultura, en el que no sólo se incluyen los rudimentos necesarios para abrir sus mentes sino sobre todo las ideas fundamentales del espíritu, sin las que el hombre no se distingue de las especies animales: el conocimiento y el amor a Dios y el conocimiento y el amor a la Patria.

Fatigaría en exceso vuestra atención si me propusiera resaltar uno a uno los múltiples aspectos en que la ley se engalana con las más nobles preocupaciones sociales, como el robustecimiento de las misiones pedagógicas, la organización de las escuelas para niños anormales, sordomudos y ciegos, las escuelas al aire libre para alumnos débiles y pretuberculosos, el servicio médico escolar que habrá de garantizar a todo niño español la debida asistencia sanitaria y la orientación y vigilancia indispensables para el fomento y cultivo de su salud, y los reformatorios para la delincuencia infantil.

Pro no puedo olvidarme de aludir a un problema apasionante, en cuya solución el Gobierno de Franco ha puesto su mejor y más tenaz empeño. Me refiero a la situación social y económica del Magisterio Español. En verdad que el problema era difícil de suyo, por razón del número de maestros y por el descuido y abandono en que había permanecido en todos los regímenes políticos en el transcurso de los últimos lustros. Un magisterio pobre, mísero, verdadero proletariado de la cultura, al que no alcanzaban casi nunca los mínimos beneficios de los funcionarios del Estado, ni siquiera la consideración y respeto de cualquiera de los servidores públicos de la vida nacional. Pues bien; por tres veces, el Estado de Franco ha mejorado en cinco años los haberes del Magisterio. Por tres veces —y de nuevo he de hacer público mi reconocimiento al señor Ministro de Hacienda, que me escucha— el Presupuesto de Educación Nacional ha aumentado desde 1940 los sueldos de los maestros, con lo que se ha logrado duplicarlos, elevando la cifra total de sus remuneraciones en más de docientos millones de pesetas. Aún todavía, el Gobierno y el Ministro que os habla, teniendo en cuenta la carestía de la vida y las circunstancias que concurren en el Escalafón del Magisterio, tienen la ambición de elevar los sueldos con nuevas mejoras. La ley deja para ello amplio cauce y aún previene el camino de acuerdo con la oportunidad que habrá de ser apovechada, al igual que las anteriores. Mas, aparte de los sueldos, no son pocos los beneficios sociales y económicos que el Magisterio alcanza en esta nueva ordenación de la Enseñanza Primaria. Se le conceden quinquenios de mil pesetas, se amplían las licencias de enfermedad con todo el sueldo, se aumentan las remuneraciones especiales, se da estado legal terminante al derecho a vivienda, se le declara exento de las prestaciones personales, se mejoran las condiciones de jubilación, se garantiza la gratuidad de los estudios de sus hijos en cualquier grado de enseñanza; se crea, en fin, la Mutualidad Nacional del Magisterio, por la cual, con las medidas concretas que la ley señala, no es una utopía pensar que, dentro de muy pocos años podrá disfrutar de subsidio de fallecimiento para sus familiares, de garantía para la custodia y educación de sus huérfanos, de asistencia médica y farmacéutica, de pensiones de vejez, imposibilidad física y enfermedad, en una palabra, de cuantas mejoras sociales pueda abarcar una institución sólidamente establecida y consagrada a beneficiar a sus asociados.

Mejoras semejantes alcanzan al Cuerpo de Profesores de las Escuelas del Magisterio y al de Inspectores, sobre las muy importantes que consiguieron en el último Presupuesto, con lo que, en suma, la ley se hace eco ampliamente de la justicia social de Franco, en proporciones que la Enseñanza Primaria nacional no conoció nunca en épocas pasadas, y que, unidas a las mejoras de orden espiritual, esto es, a la que la dignidad de su profesión exige, coloca a todas las clases del Magisterio en situación de rendir su máxima eficacia docente en el servicio fiel de Dios y de España.

Tal es la estructura de la ley, que hoy se presenta ante las Cortes. Mas no olvidemos que ello significa, no solamente que el Gobierno juzga necesario cambiar la calidad de estilo y raíz de la escuela española, sino que, además, y muy fundamentalmente a través del acontecimiento de hoy, se pone de relieve la madurez de un sistema legislativo que en el transcurso de los años viene siendo el cauce por el que España incorpora a su historia jurídica leyes de capital importancia, cual cumple a un Estado que se afana por afirmarse día a día en los linderos exactos de su soberana personalidad.

Significa, señores, que nuestro Régimen hace gala —porque le sobran optimismo y alientos para ello— de su poderoso espíritu constructivo, trabajando sin decaimiento ni vacilación por mantener en alto la firma arquitectura de su total empresa política. Significa, en fin, que dilatadas perspectivas de seguridad y de confianza alumbran en la lejanía de nuestra mirada, como el retorno de la nueva aurora ilumina para el hombre el afán renovado de cada día con la fe alentadora de que su esfuerzo es útil y fecundo su sacrificio.

La Ley de Primera Enseñanza es un paso más que España quiere cumplir en la trayectoria segura y sin desmayo que Franco traza —desde la Jefatura del Estado— hacia la recuperación de nuestra grandeza tradicional. Es una nueva etapa que el Estado ha sabido cubrir fervorosa y encendidamente, cual corresponde a los que creemos que la política nada vale, según pensaba Donoso Cortés, cuando no la alienta como estímulo supremo la fuerza creadora del entusiasmo.

Con este signo, señores Procuradores, hace España su obra de Gobierno y realizan estas Cortes su noble misión legisladora. Y es de advertir que en cualquiera de los órganos del Estado que asumen sobre sus hombros la responsabilidad política de estos momentos, se cubre —y es justo proclamarlo así— un íntimo fervor, un incansable denuedo, un juvenil ímpetu inusitado, que vienen a confirmar todo lo que de entrega amorosa, abnegada y cordial hay en las generaciones que salvaron a España en su cruzada de liberación, y que ahora, en los anchos surcos de la paz, vuelven de nuevo a esparcir la semilla de su trabajo, con su limpia fe puesta en el servicio de España, para el logro de una Patria mejor.

Esta es, a mi juicio, la significación política del acto que estamos celebrando, uno más en el camino ininterrumpido de realizaciones que, promovidas en su iniciación por el celo ejemplar de nuestro Caudillo, realiza el Gobierno con la satisfacción íntima de quien contempla a su Patria reintegrada a las rutas permanentes de su eterno destino histórico. Que si hoy para España Franco representa la continuidad de la Historia y no la contingencia de la circunstancia política, es porque él ha sabido incorporar a la vocación histórica de nuestra Patria en su momento actual el espíritu de aquellas ambiciones tradicionales que dieron a nuestras empresas el carácter metafísico por el que habrían de quedar inscritas como ciclos de excepcional esplendor en la órbita iluminada de un pasado glorioso.

Por eso, hoy el Estado español tiene más que nunca brío e ilusión para considerarse como proyectado hacia horizontes futuros de trabajo y de fe. Es como si en la proximidad de la fecha memorable del 18 de julio, España renovara su firme esperanza de un futuro mejor y aún contemplara en la lejanía crecer fructificada y lozana la semilla de esta ley que hoy cae en el surco y que será fecundo germen de hombres mejores que nosotros, porque supimos enseñarles con más fervor y ellos pudieron aprender con más fe a amar a Dios y a su Patria».

2. SIGNOS DE LA FALANGE. VOZ DE LOS PRELADOS

LAÍN ENTRALGO, P., «Educación del ímpetu. Revisión de un ensayo de Ortega y Gasset», en *Revista Nacional de Educación* 4 (1941) págs. 7-26.

EDUCACIÓN DEL ÍMPETU

A los Maestros del Sindicato español del Magisterio.

La historia arranca del año en que cierta orden ministerial hizo preceptiva en las escuelas la lectura del Quijote. El vacuo pragmatismo de Antonio Zozaya alzó su voz de protesta, exigiendo la sustitución del Quijote por los periódicos, porque son éstos y no aquél los que en verdad «preparan para la vida». Aquí terció Ortega, publicando su ensayo *Biología y Pedagogía,* encaminado a reivindicar los fueros de la auténtica vida y a defender lo que podría llamarse el derecho del niño a su mundo (o a su paisaje, como él decía). Pretendía con ello introducir entre los pedagogos españoles las primicias de una posible pedagogía vitalista, basada en la obra biológica de Roux, Driesch y v. Uexküll, y en una psicología con ella congruente. Antes de revisar, sin embargo, vayamos a lo que Ortega mismo dijo. Dedicóse, de una parte, a precisar lo que en verdad debe entenderse por vida. La cual no es, como pretendió el darwinismo, simple suma de una serie de adaptaciones al medio; esto es, lo que aspiraba a pensar la vacuidad darwinista de Zozaya y sus periódicos. No es lo más vital aquello que está tan exactamente adaptado a su medio, como la horma a su zapato o como el especialista a su especialidad; sino lo primitivo, precisamente lo que no emplea su actividad en una escueta adaptación al medio; lo que posee mayor cantidad de repertorios vitales; como el seudópodo de la amiba —que progresa, digiere y expulsa, sin estar fijamente adaptado—, o como, en oposición al técnico especialista, el salvaje, ante el cual toda vida cultural y técnica es posible. O, en fin, como el niño. El Quijote, según Ortega, no sirve como lectura infantil, y no porque su antigüedad no prepare para la vida actual, sino por demasiado *moderno,* porque corresponde a época cultural posterior a la primitividad vital, antigua y creadora del niño.

Todo hombre adulto, en efecto, posee una serie de *mecanismos* técnicos, políticos, etc., que constituyen su civilización moderna, especializada y cotidiana: su zona de adaptación al medio. Por debajo de ellos, en un extracto menos diferenciado y más vital, están las *funciones culturales* del pensar científico, de la moralidad y de la creación artística; funciones madres de los mecanismos anteriores y plasmadoras de lo que llamamos la cultura del hombre en cuestión. Por fin, en el fondo de la personalidad, como sustrato vital suyo, están los *ímpetus primarios* de la psique, que dan al hombre su espontaneidad: el coraje, la curiosidad, el amor y el odio, la agilidad intelectual, el afán de gozar y triunfar, la confianza en sí y en el mundo, la imaginación, la memoria. Esta zona es justamente la vida más vida, la *natura naturans,* la menos adaptada y la más unitaria y creadora: es la que da vigor al héroe legendario, el «hombre» de Plutarco, al bárbaro que Platón —en el fondo— admiraba, al primitivo salvaje. Es también la que domina en la psicología infatil y hace que el niño sea más niño. En ella arraiga, por ejemplo, el deseo, modo de volición anterior al querer concreto y especializado: el deseo es el manantial nutricio de los diversos quereres con objeto propio, como la raíz vital que les da fuerza. En ella también eso que Ortega llama emoción matriz de ideas, sentimientos y actos, o pulso de vitalidad propio de cada alma; del cual depende el sentimiento primario de simpatía generosa o de resentida antipatía que surge en nosotros a la vista de una persona o de un hecho, germen emocional que luego se diversifica en una serie temporal de sentimientos, ideas y actos. También se enraiza en aquel estrato de la psique el sentimiento —inútil respecto al medio, para confusión de la estrechez darwiniana— que vitaliza todo nuestro ser, fundiéndole en entusiasmo, en dolor y en heroísmo a la vista de tal escena o durante la audición de cual relato.

Aparte de dar esa imagen vital de la vida como ímpetu primario y creador —como potencia prospectiva, que dicen más técnicamente los biólogos de las escuelas citadas—, introdujo Ortega en la pedagogía el concepto de medio o paisaje vital, inventado por v. Uexküll. Cada ser vivo sólo toma del medio que le rodea determinadas notas; el resto resulta para él en absoluto inexistente. La medusa sólo recoge del mundo marino en que vive, variaciones de presión; y todo lo demás, formas, colores, salinidad, luz, les es totalmente ajeno. El ser vivo se adapta perfectamente a su medio vital, y sin conocer éste no puede comprendérsele. El cazador tiene en el campo un mundo vital diferente del labrador, y justamente más rico, por lo mismo que su versión hacia el mundo es menos utilitaria, más deportiva. El niño, por su parte, tiene un mundo vital que no es el del adulto: el niño vive en y de los deseable, así como el adulto de lo real y el viejo de lo pasado. Así como el adulto vive de la historia, de la fluencia real del mundo, el niño habita siempre en la leyenda, en la fluencia *deseada,* o, como decimos los mayores, imaginaria. El alma del niño es la varita de virtudes que logra siempre el milagro del «¡mesita, componte!». El cuento y el mito valen para él tanto como para el financiero las cotizaciones, o para el médico la historia clínica de sus enfermos.

Estas dos series de ideas: concepto vital de la vida y medio vital del niño, le sirven a Ortega para elaborar unas cuantas conclusiones pedagógicas. Es preciso que la pedagogía enriquezca la fontana vital del niño, de la cual saldrá luego toda su potencia cultural y especializada: que «potencie el *salvajismo* con la educación». Salvajismo, no en el sentido de Rousseau, sino como fuerza primaria para acometer las tareas de la cultura, como salud vital primigenia. Una pedagogía —escribía entonces Ortega con expresión de moda— de secreciones internas, avivadora de aquel deseo germinal mencionado. Hay que hacer que los niños, y luego los hombres, posean lo que Ortega llama *vida ascendente,* generosa, creadora, incapaz de resentimiento ni de rencor, como la propia de los pueblos jóvenes y en creciente. Hay que educar la salud vital, incluso antes que la salud ética, dice Ortega. Después de que el hombre sea sano vitalmente, vendrá el tiempo de hacerle bueno moralmente, sabio, técnico o buen ciudadano. La fuerza del salto de agua es antes que su aprovechamiento en la turbina. Es preciso, en fin, «fomentar con desinterés y sin prejuicios el tono vital primigenio de nuestra personalidad». El niño, en consecuencia, debe ser envuelto en un ambiente «perennemente antiguo, primitivo, siempre entre luces y rumores de aurora», so pena de deformar grosera e inútilmente su medio vital con una pedagogía referida al medio vital del adulto. Máxime cuando, al crecer el hombre en edad, no anula su madurez al niño que fue. Queda el niño en el hombre como la pedrezuela interior del cascabel, envuelto en una cáscara de vida civilizada, adecuada al medio real. Los actos del hombre creador en arte, ciencia o imperio, son como consecuencias reales de un choque del núcleo pueril que lleva, siempre pronto al ansia festival o deportiva, con la cáscara de su madurez. Todo lo pasado perdura en nosotros, y muchos hombres deformes psíquicamente, lo son —como Freud enseñó— por llevar dentro un niño con plomo en el ala. Esta potenciación del medio infantil, de su vida primaria y creadora, se consigue educando el sentimiento. Hércules y el toro, Ulises y el Cíclope, tendrán siempre —en relato o en estampa— una acción avivadora, hormonal, sobre la psique infantil, que la llenará de entusiasmo, de afán heroico y de ímpetu creador. El mito ha sido, es y será, instrumento ineludible de educación vital, que es la primera y más eficaz educación. De ahí que el Quijote no sirva para la escuela, como también quería Zozaya, pero por causas bien diversas: no por antiguo, sino justamente por demasiado cultural y demasiado poco primitivo. Cuando los niños salgan de la escuela vitalmente fuertes y sanos, entonces toda educación ulterior será posible.

En qué acertó Ortega

Cuando un nacionalsindialista se ocupa de la obra de Ortega debe apelar a una estudiosa discriminación. Su puesto no está entre el corifeo que creía resolver toda su tarea cultural bebiendo dócilmente las aguas de la obra orteguiana y el energúmeno seudotradicional —o neopatriota— que no se conformaría con menos de quemarla, sino sobre unos y otros, en cuanto su propia concepción del mundo supera con mucho ese angosto partidismo cultural. Que en el ensayo «Biología y Pedagogía» hubo aciertos de consideración, eso no puede escapársele a ninguno de cuantos realmente viven y piensan el Nacionalsindicalismo. No es el menos importante la revaloración de la vida como tal que en él aparece. Durante todo el Ochocientos, en contraste con la invocada y pretendida vuelta roussoniana a la naturaleza, vivía el hombre artificialmente escindido. De un lado, su mundo del conocimiento, sometido a la ley de una Razón mecanizada y divinizaa, le daba de sí y de su ambiente una imagen físico-mecaánica: en lo biológgico, la vida fue adaptación al medio; en lo psicológico, asociacionismo radical, que, en fin de cuentas, es mecanicismo del alma; y en lo pedagógico, salvada la escuela rural —en la cual perduraban sin vida rutinas falsamente tradicionales—, se educaba al niño en una especialización juiciosa y manchesteriana, como si el hombre cumpliese sus fines sabiendo distintos tipos de leyes mecánias y haciendo las tareas de su especialización técnica. Al muchacho humilde le señalaban su ideal en aquel grave e hirsuto sujeto con su mandil de cuero ante el yunque, al cual la ironía de Xenius llamó «el obrero de la orla». El menos humildc —por talento o por dinero— soñaba con la ingeniería. Niños circunspectos, lectores del «Juanito», que cumplían su papel preguntando con toda seriedad por la máquina neumática. Mientras tanto, expulsada la vida del dominio de la ciencia y de la educación, se refugiaba en las formas que hoy llamamos Romanticismo; falsa vida sin norma ni ley en el arte, en las letras y en las costumbres; vida al mismo tiempo vergonzante y descoyuntada, febril y enfermiza. Tan torcida, que muchas veces creía cumplir su fin supremo en su misma negación: en el suicidio.

Frente a esta escisión ochocentista, había que levantar la bandera de la auténtica vitalidad. La vida como unidad primaria, como ímpetu creador, como fuente en la cual toman su lozanía todas las otras actividades humanas. Nietzsche, al cual —no obstante sus terribles descarríos— tanto debemos, fue el campeón de esta lucha contra su siglo. Luego vinieron todos los que, acaso con distinto signo, llevaron la vida a la filosofía y a las costumbres, esto es, a la vida misma. A lo abstracto se opuso lo concreto; al formalismo, la forma; a lo razonado, lo visto; a la legalidad, la legitimidad. Ortega representó en España, con estilo propio, esta postura filosófica, siquiera algunas veces se quedase en el camino y otras lo emprendiese equivocado. Nosotros, los nacionalsindicalistas, que invocamos como una de nuestras virtudes el ímpetu y aspiramos a devolver a tantas cosas su ser primario —al Estado, a la Economía, a la Cultura misma—, no podemos renegar de este sentido vitalizador del ensayo de Ortega. Eso sí; ahora como siempre, hemos de imponer nuestra norma, y de ello será luego ocasión.

Otro acierto de Ortega, congruente con éste, fue su propuesta de vitalizar al niño en la escuela por medio del entusiasmo. A la escuela se va —dicen las gentes— a aprender. Para quienes piensen con esa limitación, el «instruir deleitando» cumple todos los *desiderata.* Yo opondría a ésa esta otra fórmula: «Formar entusiasmando». El niño no va a aprender simplemente, sino a que la educación informe en él, *dé forma* en él, a ese germen indiferenciado de resortes vitales que luego han de servirle en el trabajo, en la lucha y en el servicio. La auténtica educación está en conseguir que el niño, tratado como tal niño, sepa devenir hombre. Hombre entero y verdadero, como suele decirse. Y para ello no sólo hay que enseñar, pero también entusiasmar. El niño al cual se deleita en la escuela ha pasado agradablemente las horas lectivas, y nada más. El niño al cual se entusiasma de modo que quede en su alma chiquita, llena de posibilidades, una semilla de ilusión en orden al bien, a la verdad o a la belleza, sale de la escuela tenso el brío primerizo de su psique y dispuesto a dar sobre la vida el salto que le haga —si Dios le dio medios y coyuntura histórica— un Ignacio de Loyola, un César, un Newton o un Rafael. Todo ello no sería posible si no se educase el sentimiento. Cuidado, que esto no es educar en el sentimentalismo, ni siquiera lo que suele llamarse «afinar los sentimientos» o la femenil e inútil «educación de adorno». Educar el sentimiento vale tanto como conseguir que la participación afectiva del niño en el mundo sea recia y vivaz. Si no conseguimos que su sentimiento respecto a los hombres sea intenso y generoso, nunca podrá ese niño ser un buen sacerdote, un buen médico o un maestro eficaz. Si no logramos que el sentimiento de la naturaleza sea vivo e ilusionado, nunca el niño podrá ser naturalista, astrónomo o geógrafo. Si la obra que salga de las manos infantiles no es sentida con vital sentimiento de creación, nunca será posible la artesanía. Y si, en fin, no cuidamos de que la postura del niño respecto a su medio —Familia, Patria y Fe, sobre todo— sea sentida íntima y agudamente, nunca ese niño será un hombre entero, un hombre que merezca tal nombre: lo cual, mucho antes que cualquier otra cosa, es lo que nos interesa a los nacionalsindicalistas. Todo esto es lo que podemos tener como un acierto —y no es poco— en el ensayo de Ortega sobre Pedagogía.

En qué erró Ortega

Antes de señalar por menudo la consecuencia útil que el maestro nacionalsindicalista debe sacar de estos pensamientos, en orden a su tarea diaria, es inexcusable señalar los errores que contiene el ensayo que nos ocupa. Tanto más, cuanto que ello permitirá sentar algunas afirmaciones de puro linaje nacionalsindicalista y llegar luego por camino franco a la conclusión que me propongo. Y para no andar, como suele decirse, por las ramas, voy a dividir este apartado crítico en cinco porciones discretas y separadas.

1.ª Después de la revaloración de la vida, como viento que hincha todas las velas de la psique, Ortega trata de dar sentido inicial al ímpetu puro, y para el sentido primero de la vida encuentra esta palabra: deportividad. Querría Ortega que el sujeto vitalmente sano se entregase al mundo sin miras utilitarias, o, como se dice, deportivamente. El medio vital del cazador es más rico que el del labrador, por lo mismo que es menos utilitario, menos especializado, más deportivo; y lo mismo podría decirse en cuanto al paisaje del conocimiento. Años más tarde había de elaborar Ortega toda una teoría acerca del origen deportivo del Estado.

Pues bien, el nacionalsindicalista debe hacer aquí un reparo fundamental. Tanto como Ortega y Gasset, nosotros repudiamos la especialización utilitaria como sentido primario de la educación y de la vida. La especialización y el utilitarismo son consecuencias de un liberalismo victoriano contra el cual vamos con tanto coraje como contra el marxismo. Pero el sentido primario de nuestra vida no es el deportivo-festival, sino el religioso-militar. «Lo religioso y lo militar son los dos únicos modos enteros y serios de entender la vida». Nos llevaría bastantes páginas examinar el sentido metafísico de esta frase de José Antonio. Baste ahora decir que nuestra *gravedad alegre* de españoles nos impide dar a la vida un sentido deportivo, siquiera sea en aquella acepción meliorativa y generosa que Ortega le da. Nuestra vida es servicio militante al último fin del hombre. Ni la especialización ni el utilitarismo, pero tampoco la deportividad festival que Ortega propone, nos sirven como nortes de nuestra vida; queremos para ella, como se nos dijo, un sentido militar al servicio de nuestro fin español y de nuestro fin humano. Obsérvese, por lo demás, que esto no reduce el medio vital, como lo hace el utilitarismo, antes bien lo amplía. Descubre por un lado zonas de nuestro «paisaje humano», que, por su sentido trascendente, escapan a las acepciones habituales del término «vital»; zonas de las que el niño, a su manera, no debe estar ausente. Aguza y robustece, por otro lado, aquel sentimiento con que el hombre indaga en su medio escuetamente vital. Si el cazador atisba en el campo más notas que el labrador, es justamente porque hay en él un militar en pacífica caricatura, que sustituye la *conquista* por la *caza.* El auténtico militante en campaña recibe del campo todavía más rumores significativos que el cazador, por lo mismo que su participación en la propia tarea —participación extremada hasta la muerte misma— es más íntegramente humana. Santo Tomás decía que todo filósofo es *venator,* cazador. Pero más que cazador, es conquistador. Las conquistas de la filosofía, de la ciencia o de la técnica, suele decirse. Newton, colocándose como militante al servicio del conocimiento físico-matemático, *conquistó* de la naturaleza la ley de la gravitación. Platón conquistó para todos los hombres la noción de *la idea.* Y así todos los que han hecho algo en la Cultura o en la Historia. *Vita militia est.* En el conocer, en el vivir, en el mismo ser hombre, la norma nacionalsindicalista es la más enteramente humana e incluso la más productiva. Milicia frente a deporte. Si milicia y deporte se toman como estilos de vida, entonces el deportista es al militante lo que el «amateur» al artesano o lo que la beatería a la santidad. La antítesis utilitarismo-deportividad la resolvemos nosotros, superándola, con esta palabra: milicia.

2.ª Cuando llega la hora de educar el entusiasmo del niño, Ortega encuentra el medio en el mito. También creo que los nacionalsindicalistas debemos superar esta conclusión. Nosotros no educamos el entusiasmo con *el mito,* sino con *la creencia.* Entendámonos: no es esto un reparo contra la capacidad de entusiasmar de Aquiles o de Ulises —es más, yo creo que debe volverse a enseñar Mitología—, sino contra el empleo genérico, respecto a los fines del entusiasmo, de la palabra mito. El uso del término mito es, por extraño que ello parezca, un primer paso desde las abstracciones del idealismo, vitalmente insatisfactorias, al ser verdadero y lleno de cosas. El intelectual puro de hace unos decenios, que vivía de etéreas cavilaciones, cuando no de simples relaciones físico-mecánicas, necesitaba con necesidad vital que las cosas fuesen tales cosas, esto es: duras o blandas, frías o calientes, amarillas o azules, en el más elemental e irreductible sentido de tales adjetivos. Necesitaba también el calor de una Patria y el de un Dios que no sea mero concepto abstracto, sino realidad personal con la que se puede conversar. Pero como la *Patria* no puede ser reducida a categoría de razón sin admitir el destino —esto es, lo irracional—, y no es la razón discursiva la que conversa con Dios, sino la razón meditabunda y apasionada —la razón cordial, el *cor meum* agustiniano—, de aquí que el intelectual se viese obligado a llamar *mitos* a las realidades que su corazón pedía y su razón no encontraba. El mito de la Patria, del Caudillo, de la religión, dicen ellos. Mito, en su acepción usual, es una ficción cuya belleza nos capta; pero también, según lo visto, lo que deseamos sea real, por exigencias de nuestra vida, en contra de la razón discursiva. Pues bien: los nacionalsindicalistas no podemos hablar de mitos, al menos en este último sentido. Sabemos que la razón discursiva exige el suelo firme de algo que sirva de apoyo a nuestra vida. La Patria no es categoría de razón ni puede serlo, sino *realidad* anterior y superior a nuestra razón discursiva. Por eso, la Patria no es para nosotros un mito, sino una creencia. «Creemos en la realidad suprema de España», dice clara y firmemente nuestro Punto primero. Nunca hablaremos del mito del Caudillo, sino de la creencia en el Caudillo; ni del mito de la Religión, sino de la creencia en Dios. Hay que educar el entusiasmo, pero no sobre el puro mito —aunque el mito ayude e incluso convenga estudiar Mitología—, sino sobre la tierra firme de la creencia. Porque, de añadidura, y tenía que ser así, hay *creencias* suficientemente bellas para educar el entusiasmo del niño. Más aún, del niño nacionalsindicalista.

3.ª Conexas con estas reflexiones críticas y afirmativas, otras surgen frente al ensayo de Ortega. Refiérense a dos conclusiones suyas acerca de la educación de la *vida ascendete,* con aquel sentido, por mí transcrito anteriormente, que él daba a tal expresión. Según una de aquellas conclusiones, «antes de que hable la ética, tiene derecho a hablar la pura biología». Según la otra, el pedagogo debe «fomentar con desinterés y sin prejuicios el tono vital primigenio de nuestra personalidad». Vale la pena examinar de cerca este par de frases, de extraordinaria importancia humana y pedagógica, que en el ensayo de Ortega se deslizan como si fuesen acompañamiento obligado de aquel fondo de aciertos que antes señalé.

«Antes de que hable la ética, tiene derecho a hablar la biología pura», dice Ortega. Antes, por consiguiente, debe educarse la salud vital que la salud ética. Ortega, que tantas veces y tan acerbamente ha combatido al asociacionismo psicológico, se comporta aquí como un asociacionista; solo que, en lugar de considerar al hombre como una suma de elementos psicológicos —representaciones, voliciones, etcétera—, le tiene por una adición de un hombre vital, un hombre ético, un hombre pensante, etc., existentes por separado y por separado —sucesivamente— educables. Pero el hombre es irreductiblemente uno, como el mismo Ortega, con escasa consecuencia, sostiene. No existe un sentimiento fenomenológicamente puro; quiero decir, sin un germen representativo, judicativo y volitivo; sin germen ético, por tanto. Como no existen pensamientos ni representaciones exentos de afecto vital, ni voliciones quintaesenciadas. Todo esto, naturalmente, tiene una consecuencia inmediata en la educación. No se puede educar la vitalidad mediante el sentimiento, sin provocar éste mediante una representación —lámina, relato o escena—, y, del mismo modo, sin una valoración ética. No hay representación o juicio indiferente a nuestra estimativa de hombres; la cual exige, por lo menos, la vivencia implícita de una tabla de valores anteriormente dada. La educación de la vitalidad, por ley basada en la naturaleza misma de las cosas, impone una educación ética simultánea. Es cierto que la fuerza del salto de agua existe antes que su aprovechamiento en la turbina, como también existe en el niño una potencia vital, fuerte o débil, antes de su educación. Pero en cuanto queremos «educar» o potenciar con la técnica la fuerza inédita del salto, lo hacemos ya con ciertos intencionales *fines.* Es cierto que Ulises y el Cíclope depiertan entusiasmo en el niño; pero no sin que surja en él, con tanta fuerza primitiva como el sentimiento, la tendencia no inventada a llamar a uno *bueno* y a otro *malo.* Por fortuna, también aquí hay modo de armonizar la fuerza estética y vital de encantamiento con la calidad moral.

4.ª Tocan muy de cerca a estas reflexiones las que deben levantarse ante la proposición que hace Ortega de fomentar *sin prejuicios* el tono vital primigenio de nuestra personalidad. La necesidad de fomentarlo, ya está insistentemente afirmada; pero *sin prejuicios* es imposible. Esto de hacer o pensar sin prejuicios es un de los trucos del liberalismo —y luego, ¡oh paradoja! del marxismo— que más éxito ha tenido entre incautos. Frente a la legión de los «sin prejuicios», sabemos hoy, por vía rigurosamente científica, que nadie puede pensar estar exento de tales prejuicios. Todo juicio expreso, razonado, exige el pre-juicio de una certeza inicial dada, evidente, dogmática. Y lo mismo toda volición expresa exige una pre-volición vital no conscientemente querida (*Vorwollen* llaman a esto los alemanes), y todo saber un *Vorwissen,* una cierta creida presciencia. Todo ello en el plano psicológico y sin relación inmediata con el innatismo catesiano, perteneciente al plano metafísico. Si yo ordeno a un niño o a un adulto, puesto de espaldas a la entrada, que cierre la puerta de la habitación donde estamos, no es necesario, para que se vuelva y la cierre, que se produzcan en él juicios expresos de credibilidad y credentidad sobre mi orden —juicios que, por lo demás, concluirían sólo en verdades estadísticas—, sino que lo hace con un prejuicio de certeza, sin representación, de una *creencia.* Los alemanes llaman *Bewusstheiten* a estas evidencias primarias sin representación ni juicio previo. Sin la creencia inicial, no reflexiva, de que el mito de Hércules y el toro producirá en el niño una efusión sentimental —más aún, sin la certeza previa de que esa potencia afectiva es *buena*—, ni Ortega, ni pedagogo, ni hombre alguno, pondrían en práctica ese medio educativo. O, en fin, cuando uno dice «Andrés es bueno», no hace más que formular judicativamente un saber inexpreso, un saber que es, a medias o a enteras, sentir de la bondad de Andrés. Nadie procede sin prejuicios, sin evidencias, so pena de caer en la duda perpetua. «Nadie duda de lo que ve; todo lo más, de lo que piensa», decía Juan de Mairena a sus discípulos: de lo que se ve con los ojos de la cara o de lo que se «evidencia» ante los ojos de las más hondas exigencias existenciales, añado yo ahora. Los nacionalsindicalistas, antes que pensar discursivamente en España, creemos en España; antes que pensar en Dios, creemos en Dios; antes de educar el entusiasmo, creemos que existen fines buenos o malos indisolublemente unidos al entusiasmo. Tenemos ímpetu y prejuicios que llamamos creencias. Y luego, para que nadie hable, recios y profundos pensares.

5.ª Otro error, en fin, que yo encuentro en el ensayo de Ortega, es una consideración excesivamente biológica del perimundo o medio vital humano, y, en este caso concreto, del infantil; con la consecuencia obligada de cierto error pegagógico. Cuando, después de la frialdad racionalista del Ochocientos, volvió a los saberes el calor de la auténtica vida, prodújose en muchos una especie de *trop de zèle,* consistente en aplicar a todo una visión biológica. Una muestra de ello está en aplicar sin reservas al hombre la fructífera, genial concepción biológica de los perimundos. Es cierto que el hombre tiene, como ser vivo que es, su perimundo, medio vital o paisaje, pero también lo es que el perimundo humano posee siempre, sobre —y dentro de— las dimensiones meramente biológicas, otra trascendente. Es cierto que pueden encontrarse diferencias entre los mundos circundantes del niño, de la mujer, del primitivo, del adulto y del viejo; pero también lo es que entre todos ellos hay de común un *genus proximum* que les permite entenderse entre sí, en tanto son antes que nada hombres. De ningún modo son esos mundos circundantes distintos entre sí, como lo sean el de la medusa y el del cangrego. Si digo «el abeto es más alto que el pino», todos entienden lo mismo, salvo que sean dementes, aun cuando —por otra parte— el abeto pueda tener para el primitivo virtudes totémicas, o ser para el niño peculiar coto de leyendas, o constituir para el industrial madera aserrable. El medio vital del niño no es radicalmente distinto del medio vital del hombre adulto. Hay entre ellos unas zonas intersecantes, bocanas de comunicación mutua, por las cuales llega al adulto el sentido del deseo infantil y al niño la influenia educativa, y tan profundamente, que la educación es transformación y no simple adiestramiento simiesco. El hombre es el único ser cuyo perimundo puede ser transformado; lo cual es justamente la esencia de la educación. De todo ello emana una consecuencia. La de que, aun admitiendo que el niño viva en y del deseo, y que la educación requiera ponerse dentro de su medio, esto no excluye que se eduque al niño añadiendo a lo vital-entusiasmador lo real-normativo, porque también al medio del niño pertenece cierta dosis de lógica y de conocimiento real. Nuestra educación, en tanto nacionalsindicalista, no será sólo vital, aun cuando lo sea muy acusadamente, sino vital y normativa. Junto a la virtud del entusiasmo y del ímpetu, en los cuales tanto creemos los nacionalsindicalistas, ponemos siempre la virtud de la norma.

Conclusiones

Por muy cierto que sea cuanto llevo escrito, estaría desnudo de valor real si no tuviese consecuencias que se puedan llevar a la cotidianidad escolar. Para ello formularé escuetamente las afirmaciones surgidas de este trabajo de revisión. La primera, plena aceptación de la educación vital del niño, traducida por la creación en él de entusiasmo. Y luego, como complementarias, las que proporcionó la crítica: dar a esta educación de la vida como tal un sentido militante y no meramente deportivo; no entusiasmar simplemente con mitos, sino también con creencias; educar lo ético al mismo tiempo que lo vital; necesidad de convicciones iniciales —prejuicios—, antes de emprender un medio educativo de lo vital y, por fin, a tenor con lo exigido por el medio vital *completo* del niño, adición de la norma al entusiasmo: educación simultánea del conocimiento y de la conducta, de acuerdo con los modos clásicos. Todo lo cual permite formular las siguientes conclusiones prácticas:

1.ª El maestro nacionalsindicalista debe potenciar en el niño sus resortes e ímpetus vitales, orientados ante la vida y el mundo en sentido militante.

2.ª Esta educación se basa fundamentalmente en el relato y en la ostentación ante el niño de imágenes, preferiblemente coloreadas y murales, ejecutadas con el máximo decoro artístico.

3.ª Los relatos e imágenes se basarán de preferencia en nuestras *creencias* en la Patria y en Dios. En cuanto a las primeras, nuestra Revolución será motivo fundamental, vertido en el siguiente repertorio pedagógico: narraciones en prosa y romances sencillos, por un lado; láminas murales, por otro, referentes a los sucesos heroicos y ejemplares de nuestra Revolución; rebelión anterior al Alzamiento, el Alzamiento, la guerra y cuantos hechos notables se produzcan hasta la edición de las láminas. La creencia en Dios podría educarse por medios análogos. (Recuerdo ahora aquellos antiguos cuadros murales, con ingenuas escenificaciones en la Historia Sagrada, que, después de todo, tanto bien hacían).

4.ª Conseguida la edición de narraciones en prosa, romanceros y láminas murales —para la cual el S.E.M. debería abrir sendos concursos nacionales—, el maestro podrá utilizarlos como sigue: las narraciones, para las lecturas ordinarias; los romanceros, para que el niño los aprenda de memoria, y, en cuanto a las láminas, yo propondría que con cierto ritmo —semanal o bisemanal, aparte de los días conmemorativos—, el maestro, ante la clase formada a la vista de la lámina, hiciese un relato emocionado, entusiasta, a tono con nuestro estilo poético y con el alma infantil, acerca de lo representado por aquélla. Podría incluso llegarse a que niños mayores, bien escogidos, sustituyesen, en ocasiones, al maestro en esta tarea, pero siempre ante su presencia.

5.ª Del mismo modo que se educa la vitalidad fundamental mediante la solución indicada, podría hacerse otro tanto —si bien reducido el medio a la simple lectura de narraciones— en orden al entusiasmo vocacional científico, artístico y artesano. Por lo que hace al primero, me atrevería a sugerir algo semejante a la «Flos Sophorum», de Xenius, tan desconocida en las escuelas. En cuanto a lo artístico o artesano, es preciso encontrar lecturas idóneas pra la Escuela Nacionalsindicalista.

¡Arriba España!

Gavilanes, G., «Ensayo sobre una Pedagogía nacionalsindicalista», en *Revista Nacional de Educación* 14 (1942) págs. 27-29.

ENSAYO SOBRE UNA PEDAGOGÍA NACIONAL-SINDICALISTA

Nuestra posición falangista ante la Pedagogía actual nos coloca forzosamente en situaciones antinómicas, ante el pasado próximo y el presente. Claro es que dichas situaciones no bastan, si tenemos en cuenta que hemos de construir en todo instante, si queremos llegar a metas determinadas y concretas. La crítica es esencial, pero por sí sola no es suficiente para discernir problemas, cualquiera que sea su naturaleza, y muy en particular, cuando se refiere a problemas educativos, fundamentales en todo Estado constituido, y predominantes por añadidura, en todo totalitario que dirige y debe dirigir la educación política.

Nuestra concepción integral del Estado exige toda hegemonía educativa, siempre que la influencia política no descuide la cultural. En este caso, «las estirpes insisten con derecho en un aflojamiento del monopolio del Estado», como dice Behn.

El carácter individualista del pueblo español se significa por creer que la familia es el todo en el Estado. La familia, célula primal de aquél, vive única y exclusivamente de la comunidad de todas las células, es decir, del propio Estado. Y ello es así, por cuanto su destino y orientación en la vida es la de servirle. Servirle en la medida de sus fuerzas. Medida que, en general, será desigual. Por ello, el Estado ha de dirigir y encauzar la educación en el sentido que la convenga. En primer término, con el fin de encauzar las nuevas generaciones en el sentido religioso, indispensable a todo ser humano, pues sin fe no se concibe el amor, y sin amor huelga la justicia; en segundo lugar, con objeto de conseguir un valor cultural determinado y una libertad crítica común que dignifiquen y vigoricen la autoridad.

Libertad crítica que queda determinada en el sentido de una extensa e intensa autoeducación del hombre, que le permite, por él o por sus superiores, concretar cuáles son las autoridades cuyas acciones no son ni pueden discurtirse, en bien del Estado y de la Doctrina que le sustenta; y aquellas otras, cuyos actos pueden y deben criticarse justificadamente.

En mi opinión, tal crítica no presupone indisciplina, sino todo lo contrario. La franca y verdadera camaradería implica en todo momento un derecho y libertad de crítica. Derecho y libertad de crítica que en ningún caso debe exteriorizarse, sino dirigida al propio interesado o, en último término, a sus superiores jerárquicos, con el fin de que explique sus modos y maneras de proceder, y en el caso extremo, que rectifique su conducta.

El hecho de exigir toda hegemonía educativa para el Estado, permite con el tiempo anular esa masa amorfa que —en el mejor de los casos—, bien sugestionable, es dirigida a un fin determinado por elementos extraños a la política estatal. Por ello, es preciso infiltrar en las nuevas generaciones el espíritu y sentido de las normas Nacionalsindicalistas, con el propósito de llegar a un resultado medio de defensa de aquél, por un lado, y por otro, resolver el problema de los mandos futuros, que indudablemente pueden salir de cualquiera de los estamentos nacionales. Si dejáramos a otras estirpes la educación primal y política de la juventud, es muy posible pudieran perderse valores de tipo nacional.

Toda educación que no comprenda el sentido de la obediencia y la disciplina, dentro de las rígidas normas falangistas, nos llevará forzosamente a situaciones inestables, en el mejor de los casos. Nuestro problema vital de incomprensión a las órdenes que emanan de nuestros mandos y jerarquías son debidos esencialmente a la falta de espíritu, de sacrificio, de obediencia y disciplina. No ocurriría así si el Estado dirigiese la Enseñanza en su fase primaria.

Cuando nuestros jóvenes —que, por su preparación intelectual, han de ser los futuros hombres de Estado— llegan a la Falange, es demasiado tarde. Su indiferencia es tal, que sólo les interesa su vida profesional. El castigo por la indisciplina que pudiera existir es baldío. El castigado no perdonará. Sólo se castiga a aquel que es capaz de mejoramiento en nuestra propia esencia falangista. Y ello es posible siempre y cuando se vivan en común los momentos de vida sensitiva que nace por todos los estamentos sociales de una nación.

Así, pues, la primera conclusión que podemos presentar es la siguiente: La Enseñanza oficial del Estado, en su fase primal, será obligatoria para todos los españoles —puesto que el Estado tiene derecho a que todas las estirpes y estamentos sociales le sirvan, a cambio de una libertad cristiana, dirigida y encauzada por la Iglesia—, pero bien entendido que siempre y cuando que la influencia política no descuide ni olvide la cultura, con el fin de que la educación estatal no desmerezca de aquellas otras dirigidas por elementos extraños a aquél.

He aquí mi primer ensayo sobre posibilidades de una Pedagogía Nacionalsindicalista. Pienso insistir, pues esta pequeña investigación es bien superficial.

Quizá sea audaz y peligroso. No importa. Mussolini dijo: «la roca es la masa; la mina, la voluntad. La mina hace saltar las rocas. Poned una voluntad de acero tensa e implacable entre una masa y conseguiréis despedazarla. Darle valor al individuo. No frenar a los audaces. No dejar nada a medias. No rehuir ningún riesgo, ningún peligro. No dejar prevalacer los criterios estáticos de la burocracia sobre los impulsos dinámicos del individuo. Hay que fijar, a priori esta verdad: nada es imposible».

Pudiera ser que algunos no quieran comprender mis palabras, intenten interpretarlas en sentido doble. Me es indiferente. Con Bech afirmo. Quien cree, comprenderá.

¡Arriba España!

Editorial, en *Revista Nacional de Educación 16* (1942) págs. 3-8.

EDITORIAL

De la manera cómo se armonice la participación de las sociedades totales —familia, Iglesia y Estado— en los problemas culturales o educativos, depende en gran parte el espíritu de las futuras generaciones.

Inicialmente parece que entre dos elementales conceptos —Estado e individuo— ha de resolverse este problema. En un régimen liberal —se dice—, el individuo lo es todo frente al Estado. La afirmación, sin embargo, no es exacta, porque expresa sólo una verdad aparente. En los sistemas totalitarios, el individuo no es nada frente al Estado —se añade—. Mas tampoco es absoluta la realidad de este supuesto. En uno u otro caso ninguna de estas dos soluciones, diametralmente inconciliables, se dan en toda su plenitud.

En los Estados democráticos, el viejo estribillo de los derechos individuales sólo servía, en el fondo, para que el individuo se muriese de hambre. La imaginaria libertad de éste era un mito. Y si por desgracia dejaba en un instante de serlo, era para convertirse en el libertinaje abisal de la plebe.

Pero un nuevo sistema de jerarquía política rige ya los destinos de los más fuertes países del mundo. En este orden nuevo —que España ha reconquistado en el dramático escenario de Europa a costa de su propia sangre—, el individuo ha dejado de tener un simple valor estadístico para los censos electorales. El «ciudadano» de la Revolución Francesa (percha simbólica sobre la que el racionalismo europeo «colgó» la doctrina de los Derechos del Hombre) ha reconquistado su auténtica dimensión humana dentro de los Estados totalitarios. En España es, desde luego, así. Y esto es lo que importa. Porque España, es decir, «un interés español, una posición española», es siempre lo que, con frase de José Antonio, debe inspirar y mover todos nuestros pensamientos.

Las relaciones entre el individuo y el Estado se resumen siempre en el problema de la libertad humana. Sobre ésta hay entre nosotros una copiosa doctrina auténticamente falangista. José Antonio ha definido con claro pensamiento este problema: «Frente al desdeñoso ¿libertad para qué?», de Lenín —decía—, nosotros comenzamos por afirmar *la libertad del individuo, por reconocer al individuo. Nosotros, tachados de defender un panteísmo estatal, empezamos por aceptar la realidad del individuo libre, portador de valores eternos* [1]. Y en otra ocasión afirmaba: «Mañana, pasado, dentro de cien años, nos seguirán diciendo los idiotas: queréis desmontarlo (el Estado) para sustituirlo por otro Estado absorbente anulador de la individualidad. Para sacar estas consecuencias, ¿íbamos nosotros a tomarnos el trabajo de perseguir los últimos efectos del capitalismo y del marxismo hasta la anulación del hombre? Si hemos llegado hasta ahí y si queremos evitar eso, *la construcción de un orden nuevo, la tenemos que empezar por el hombre, por el individuo, como occidentales, como españoles y como cristianos*» [2]. Es decir, que la Falange tiene ya una clara ortodoxia sobre este problema. Y esta es precisamente la antitética del marxismo. Por-

[1] Conferencia titulada «Estado, Individuo, Libertad».
[2] Discurso del 19 de mayo.

que no sólo Lenín negaba la necesidad de la libertad, sino que —como también nos recuerda José Antonio[3]—, Lenín afirmó que «El Estado tiene la misión de oprimir». Es decir, que aceptado el primer supuesto, llegar a la conclusión del segundo es de una indudable perfección lógica. Pero, ¿es admisible esta postura política en la que el propio Estado reconoce que no será libre ni justo? No. José Antonio justifica ese respeto estatal a la libertad del individuo en consideración a que éste es portador de valores eternos. Antes, el hombre podía tener un exclusivo valor numérico para las tablas demográficas de la población o para el posible recuento de votos en los partidos. «Un hombre, un voto». Es decir, un voto más, un número más, que era lo que en último término, decidía en las batallas de la democracia, que eran siempre ridículas contiendas aritméticas donde la cantidad se anteponía a la calidad, y donde la mayoría podía decir, en un momento dado, sobre el suicidio colectivo del Estado, la inmortalidad del alma o la existencia de Dios.

José Antonio —que siempre pensaba y sentía en español —repite en diversos momentos de su vida política este pensamiento: *«Nosotros consideramos al individuo como unidad fundamental, porque este es el sentido de España, que siempre ha considerado al hombre como portador de valores eternos»*[4].

Y en efecto, España y José Antonio han considerado al hombre así, porque lo auténticamente español ha tenido siempre un fondo teológico insobornable. El Fundador de la Falange, al insistir con obsesión sobre este pensamiento, hacía suya la doctrina de la Iglesia, resumida en estas palabras del Pontífice León XIII en el año 1888[5]: «Resulta de

[3] En el discurso pronunciado en el Círculo de la Unión Mercantil de Madrid.

[4] José Antonio: «España y la barbarie».

[5] León XIII: Encíclica «Libertas».

todo lo dicho que la naturaleza de la libertad, de cualquier modo que se la mire, ya en los particulares, ya en la comunidad, y no menos en los imperantes que en los súbditos, incluye la necesidad de someterse a una razón suma y eterna que no es otra sino la autoridad de Dios que manda y que veda, y tan lejos está este justísimo señorío de Dios en los hombres de quitar o mermar siquiera la libertad, que antes bien la defiende y perfecciona, como que el dirigirse a su propio fin y alcanzarle es perfección verdadera de toda naturaleza, y el fin supremo a que debe aspirar la libertad del hombre no es otro que Dios mismo».

Coincidiendo con este criterio, decía José Antonio que *«sólo se respeta la libertad de un hombre cuando se le estima, como nosotros le estimamos, portador de valores eternos, cuando se le estima envoltura corporal de un alma que es capaz de condenarse y de salvarse. Sólo cuando se le considera así, se puede decir que se respeta de veras su libertad»* [6].

No es indiferente recordar esto ahora, porque cualquier posible tesis que se quiera formular en torno a los factores de la educación no podrá desentenderse de tales principios. José Antonio, que se defiende contra la acusación formulada en los primeros tiempos contra la Falange, de fomentar un supuesto panteísmo estatal, reivindica en toda su alta dimensión la importancia del valor humano del individuo, dando rango y jerarquía de elemento básico y primario al factor espiritual. Por eso se descubre a través de todo el pensamiento político del Fundador de la Falange una corriente fecunda de religiosidad. «Nosotros, los jóvenes —decía—, los que no nos movemos por impulsos espirituales, libres del egoismo zafio de los viejos caciques, nosotros aspiramos a una España grande y justa, ordenada y *creyente*» [7].

[6] Madrid.—Discurso de proclamación de la Falange, el 29 de octubre de 1939, en el Teatro de la Comedia.

[7] José Antonio: «Juventudes a la intemperie».

Por otra parte, hay una doctrina católica sobre la valoración política de la familia dentro de la vida del Estado. Y esta doctrina coincide con aquellas que en el campo del Derecho público pretenden encontrar con más fundado razonamiento filosófico el origen de la comunidad estatal. Cuando se dice que la familia es la célula primaria del Estado se reconoce una realidad que encierra una doble estimación histórica y actual. Actual, porque el Estado ofrece el complejo de su organización presente como un organismo donde la célula última, el elemento inatomizable, es la sociedad familiar. E histórica, porque el hecho positivo que da origen a la primera agrupación política de los hombres no es otro que el de la existencia de la familia. La idea roussoniana del pacto social se habrá de considerar en el futuro como la invención filosófica más abstracta y menos aproximada a la realidad humana que ninguna otra. Y al lado de las demás teorías huecas y formalistas que se han construido artificialmente sobre el origen del Estado, ocupará un lugar cada vez más olvidado en los rincones de las bibliotecas.

Importa en este caso resaltar que la Falange tiene también sobre este punto una posición terminante. Constituyen esta doctrina las palabras expresadas con su bella y sencilla claridad habitual por su Fundador. Ir contra ellas equivaldría a rebelarse contra un dogma político que un hombre excepcional supo propagar a costa del sacrificio nobilísimo y generoso de su propia vida. Por ello nunca sería justo construir frente a ella pensamiento alguno que la desconociese. *Nadie ha nacido miembro de un partido político* —ha proclamado abiertamente José Antonio—; *en cambio, todos nacemos miembros de UNA FAMILIA* [8]. Así, la familia, fundamento y raíz del Estado, reivindica su verdadero rango como socie-

[8] Madrid.—Discurso de 29 de octubre de 1933, en el Teatro de la Comedia.

dad total, en la que cumple el hombre los más altos fines de su vida humana en su doble dimensión física y espiritual.

Se ha reconocido, por último, entre nosotros, a la Iglesia la suprema jerarquía que le corresponde, en orden a la educación. El Crucifijo ha reconquistado la Escuela. Recupera la cultura nacional el hondo sentido religioso que en los siglos áureos de nuestra historia hizo de España el pueblo paladín de la Teología católica.

Así ha dicho el Ministro de Educación en la inauguración del Consejo Superior de Investigaciones Científicas [9] estas palabras llenas de acierto y de profundo contenido espiritual: «Queremos una ciencia católica, esto es, una ciencia que por sometida a la razón suprema del Universo, por armonizada con la fe «en la luz verdadera que ilumina a todo hombre que viene a este mundo» alcance su más pura nota universal. Nuestra ciencia, la ciencia española de nuestro Imperio, la que desea impulsar con vigor máximo la nueva España, repudia la tesis kantiana del racionalismo absoluto y no se degrada en reconocer que el hombre no puede llegar por continuo progreso a la posesión de toda la verdad. Vive dichoso de aplicar su esfuerzo intelectual cotidiano a llevar a Dios dentro de sí, a cifrar en Él como aspiración máxima de su existencia, las ideas de belleza, de arte, de filosofía y de Patria, a la par que los ideales de las virtudes evangélicas, cual compendio de la ciencia de la vida. El árbol imperial de la ciencia española creció lozano en el jardín de la catolicidad y no se desdeñó de aposentar en su tronco como esencial fibra y nervio la ciencia sagrada y divina, de cuyo jugo se nutrió al unísono todo el espeso ramaje. La genialidad teológica española, que floreció para servir a la catolicidad de la fe, ha de ocupar también en este supremo instante la primera jerarquía del renacimiento científico».

[9] José Ibáñez Martín: «Hacia una nueva Ciencia Española». Madrid, 1940.

Pedimos, pues, a Dios, soberano poseedor de la ciencia esencial, independiente, intuitiva, una, infinita e infalible —decía el señor Ibáñez Martín—, que envíe sobre España su Santo Espíritu, para que en esta hora heroica en que, recobrada la sustancia nacional, nos lanzamos otra vez a nuevas aventuras de pensamiento, haga «amar la lumbre de la Sabiduría a los que presiden nuestro pueblo» (Sab. VI-23) y nos regale el don de la ciencia verdadera y eterna».

«Que el Estado proteja con su alto mecenazgo el estudio de la ciencia teológica española —afirmó también el señor Ibáñez Martín en el discurso de inauguración del año académico en la Universidad de Barcelona—, equivale casi a una solemne profesión de fe. Por eso España, que nunca ha dejado de ser católica, vuelve, como en los mejores tiempos de su Imperio, por los eternos fueros de la Teología, y en su lucha contra el positivismo racionalista, se esfuerza en fomentar y difundir la doctrina de aquella rama científica que más acerca al hombre al conocimiento de Dios. Mas no termina ahí el sentido religioso que inspira toda la legislación de nuestra educación nacional. No sólo se subvenciona la Universidad Pontificia de Salamanca y la de Comillas, no sólo se realizan ejercicios espirituales en una gran parte de las Universidades e Institutos de España, y se inauguran Capillas en la mayoría de los Centros universitarios que antes carecieron de ellas, o las tenían en el mayor abandono, haciendo que la Universidad vuelva otra vez en proyección de acercamiento hacia la Iglesia, dentro de cuyo ámbito nació, sino que se inicia una era monástica de protección a gloriosas y antiguas Órdenes religiosas, tan ligadas a la historia imperial de nuestra Patria» [10].

Con razón ha dicho nuestro Ministro de Asuntos Exteriores que «todos los movimientos de los llamados Estados autoritarios, son movimientos nacionales, y por lo tanto lle-

10 José Ibáñez Martín: «Un año de política docente». Madrid, 1941.

van el sello de su idiosincrasia nacional, y lo que caracteriza a España es el hecho de que la unidad española fue, antes que nada, unidad católica, y el espíritu católico es hoy principio de unidad de nuestro Movimiento»[11]. Y ya antes había dicho José Antonio: «Queremos que el espíritu religioso, clave de los mejores arcos de nuestra historia, se respetado y amparado como merece»[12]. Con estos postulados se habrá de construir el gran edificio de la educación nacional que, por ser española, está diciendo a voces que en su raíz y en su esencia habrá de ser honda, tenaz e irrenunciablemente católica.

[11] Declaraciones del Excmo. Sr. Serrano Súñez a un redactor del «Volkischer Beobacter», en el año 1939.

[12] José Antonio: Discurso del 29 de octubre de 1933.

MAÍLLO, A., *Educación y Revolución. Los fundamentos de una educación nacional.* Madrid, Editora Nacional, 1943, cap. VIII, págs. 73-90.

EDUCACIÓN POLÍTICO-NACIONAL

1. LOS FINES

Tengo el convencimiento de que el signo distintivo del tiempo nuevo en lo que respecta a los problemas educativos recae directamente sobre la crítica y revisión a que han de ser sometidas las cuestiones relacionadas con la formación general del *pueblo,* entendiendo por tal, no la porción socialmente inferior de la comunidad nacional, sino, con nuestra genuina tradición [1], la del Rey Sabio, Emperador de la Cultura Española, «el ayuntamiento de todos los homes comunalmente, de los mayores, et de los menores, et de los media-

[1] ¿No adolecerá de parcialidad y de miopía el hecho corriente de centrar nuestra tradición sólo en los siglos áureos, cuando la personalidad racial y político-cultural de España apunta mucho antes y tiene exponente valiosos —para citar sólo algunos— en el siglo XII, con el Poema de Mío Cid; en el siglo XIII, con el universalismo de Alfonso X; en el XIV, con el Arcipreste de Hita, el Infante don Juan Manuel y López de Ayala, y en aquella ebullición magna del siglo XV, con Santillana, los Manrique, la Celestina y el gran ciclo pre-renacentista?

nos» (Partida 2.ª, Título X, Ley 1.ª). Este concepto de pueblo es literalmente el mismo que ha tomado gran auge en la Alemania nacional-socialista, con su vigorosa doctrina de la «Volkgemeinschaft», la *comunidad nacional,* ya claramente intuida por la España del siglo XIII.

El empeño central de los Estados nacientes es hacer concordar al Estado, como construcción política, con la nación, orgánicamente trabada en viva comunidad, o, como formuló rápidamente José Antonio, en «unidad de destino en lo universal». Ello implica la necesidad de imprimir a todos los miembros de la entidad nacional una nueva actitud mental y cordial ante los problemas político-históricos, incorporándoles una nueva *sustancia espiritual.* Empeño de índole política, ciertamente, pero de linaje educativo, también.

Es en esta raíz esencial del viraje que el mundo está realizando donde descubrimos la fusión perfecta entre política y educación. Sólo educando al pueblo podremos convertirle en auténtica *comunidad de vida y de destino,* trocando en organismo fecundo la «masa» amorfa y fragmentada en mil porciones enemigas que nos legó el liberalismo.

De estos supuestos se deducen dos claras conclusiones: primera, la formación general del pueblo, como cuestión capital de las preocupaciones docentes; segunda, esta educación popular ha de ser eminentemente política, en el más alto y noble sentido de la palabra, tanto en lo que respecta a los órganos que han de dispensarla, como en lo que se refiere a sus métodos y a su fin.

Para lograr estas exigencias es necesario realizar en las mentes de cuantos intervengan directa o indirectamente en esa gigantesca labor formativa, una previa operación de limpieza, trayendo de ellas esas reminiscencias liberales que les llevan a elogiar al apoliticismo. Cuando oigáis proclamar, como mérito nacionalmente cotizable, la pretérita y actual posición apolítica de cualquier profesional de la Cultura, estad seguros de encontraros delante de gentes absolutamente incapaces para encarnar los mandatos de la hora. Ese «destino de guerra en la que hay que dejar la piel y las entrañas», que nos ha tocado vivir, impone actitudes netamente políticas, no sólo a quienes, por ocupar un puesto en la administración docente, constituyen piezas de la máquina estatal, sino aun al mismo investigador, que, rodeado de fichas y papeletas, quiere permanecer encerrado en la torre de marfil de un cientifismo neutro, al que no lleguen los vagidos y dolores del mundo que nace. Esa actitud apolítica es puro y simple liberalismo antinacional.

De este mal suele nacer otro, que es su obligada consecuencia. La incapacidad para percibir la amplitud y hondura del inaplazable problema de la educación popular. Hay muchos ineptos para recoger los mensajes del momento que sólo aciertan a «pensar» pedagógicamente a través del viejo tinglado institucional de la docencia democrática. Para ellos (¡cuán numerosos, desgraciadamente!) no hay más educación que la desarrollada en los tres gados clásicos: primario, secundario y superior. A lo mucho, llegan a admitir un aditamento cuyo alcance y sentido se les escapa: el de la enseñanza técnica, y unos cuantos expedientes inanes de formación popular, tan parcial, esporádica y apendicularmente planeados, que son, en la realidad del encauzamiento general del espíritu del pueblo, muy poco más que nada. Tal es la consideración tradicional, profesoral, del problema educativo español.

Frente a estas inútiles y nocivas posturas urge plantear en toda su extensión y trascendencia político-histórica la cuestión candente de la educación del pueblo. Como hemos insinuado más arriba, este quehacer es, tanto en su estructura interna como en sus procedimientos prácticos, de naturaleza política, pues sólo llega a la entraña del pueblo el aliento cálido de una forma política capaz de darle, más que frías y muertas enseñanzas, entusiasmos nuevos para vivir una vida ascendente y promisora, sabiéndose íntimamente solidarios todos los miembros de la comunidad nacional en el logro de altas y acuciadoras metas. Para esta labor no sirven el profesor ni el maestro corrientes, sino el político animado de una fe y un estilo vital capaces de influir contagiosamente, intuitivamente, en el corazón de esos aldeanos y campesinos que son el cogollo racial de España. Que ésta es faena creadora, juvenil, mal avenida con las calvas académicas que suelen lucir su dispepsia psicológica en las solemnes conmemoraciones culturales.

Es al Partido a quien compete misión tan delicada e importante. Tres órganos deben servir a su realización: Educación y Descanso, para cuanto atañe a la dirección espiritual y política de los ocios de los productores; la Secretaría de Educación Popular, y el Frente de Juventudes, para impregnar a grandes y chicos, mediante la «radio», la prensa, el «cine», las charlas político-nacionales y la vigorización integral de cuerpo y alma, en las esencias y jugos históricamente creadores del nacionalsindicalismo.

La primera gran tarea que compete realizar a todos estos organismos, al igual que a las diversas instituciones educativas, cualquiera que sea su grado, su posición en la jerarquía docente y su consideración social, es la que se refiere al cultivo profundo y bien orientado del patriotismo de los españoles.

Esta cuestión, aparentemente fácil de resolver, es, sin embargo, más complicada de lo que a primera vista se ofrece. Para arribar a soluciones acertadas comencemos por plantear el problema de la educación patriótica en sus verdaderos términos. En primer lugar, hay que partir del estado lamentable en que el liberalismo y el socialismo han dejado la conciencia y la emoción patriótica de los españoles. Después pasaremos a enumerar las componentes psicológicas de tal educación y los tipos de actuación que reclama cada una de ellas.

El partidismo de la política liberal condujo a una visión parcial, fragmentada, de la realidad nacional y de los valores españoles. Mientras los de un grupo partían de una posición optimista que propendía a considerar todo el pasado y el presente patrios como un conjunto de bienes sin mezcla de mal alguno, con lo que se invalidaba en su raíz todo posible conato de actuación elevadora y superadora, faena capital de la política y de la educación, los del grupo opuesto se colocaban en una tesitura hipercrítica y negativa, en virtud de la cual apenas existían excelencias españolas, ni en la historia, ni en la vida presente, con lo que se hacía imposible cualquier género de educación patriótica, que tiene que partir, como de una premisa inconmovible, de la fe ciega en las virtudes nacionales, de aquella conciencia de que habló José Antonio al decir que «ser español es una de las pocas cosas serias que se pueden ser en el mundo».

Por otra parte, el internacionalismo socialista, eliminando de su programa todo propósito de afirmar espiritualmente a los obreros sobre el suelo de las realidades patrias, para cultivar aquella solidaridad horizontal de la clase proletaria, frente a la clase capitalista, produjo un vacío completo en el alma de las masas envenenadas por sus doctrinas, en cuanto se relaciona con la idea y la emoción de la Patria.

Por el lado liberal-socialista, más que un patriotismo positivo, se daba un verdadero propósito anti-patriótico; pero del lado contrario en modo alguno se evitaban tales estragos, pues abundaban en sus programas y modos de acción aquellas «interpretaciones gruesas de nuestra historia» de que José Antonio habló, que venían a parar en un tipo de patriotismo retórico, desmedrado y vacío. Ello se prueba, entre otras muchas maneras, con sólo citar el concepto y valor que las derechas españolas daban a la tradición. Entendían a ésta mal, no como entrega sucesiva de un depósito cultural y espiritual acrecentado por cada generación, sino como contenido concluso de formas históricas ya perfectas y, por ello, invariables. Es decir, que su concepto de la tradición era estático pasivo, anti-histórico, ya que la esencia de lo histórico es esa fidelidad al *hic et nunc,* el *aquí* y el *ahora,* que no sólo permiten sino que imponen a cada momento adaptaciones, transformaciones, vivas y cambiantes encarnaciones de los valores, modos y exigencias heredados. La tradición, o no es nada más que pura fórmula fantasmal, o es entendida como proceso, transmisión y herencia que cada generación entrega a la siguiente, al modo como los atletas atenienses se comunicaban la antorcha simbólica en las carreras de relevos.

Nuestro patriotismo es diferente porque, como dijo José Antonio, «ha venido por los caminos de la crítica». Ella nos impide, por una parte, recaer en la falta de fe en lo español del liberalismo, y en el panglosismo esterilizador de las derechas. De aquél, porque paraliza toda actuación viva y fecunda en la organización de la vida nacional. De éste, porque se sitúa en un lugar imaginario, a-histórico, falto de adecuación a los mandatos de la circunstancia.

Pero precisamente por reconocer el estado lamentable en que el español corriente viene desenvolviendo sus vivencias patrióticas, concluimos que es urgente llegar a él blandiendo ardorosa y ahincadamente las razones y las emociones de un patriotismo amplio y profundo, que le sitúe mentalmente en su tiempo, como hombre que ha recibido una serie valiosísima de elaboraciones de vida y cultura que debe transmitir, si es posible mejoradas o, al menos, aptas para ser herramientas del tiempo, a las generaciones que le sucedan sobre el área de la patria.

El patriotismo es esencialmente una emoción, un sentimiento de amor y reverencia a lo nacional, «porque es lo nuestro». Pero reposa sobre una idea, pues de otro modo se convertiría en pura hiperestesia sin contenido o en retórico clamor. Ese elemento intelectual, que le da jugo y rigor y valor, poniéndole al abrigo de las veleidades, es el concepto de la patria como *comunidad de vida político-social* que ha de cumplir en la historia una misión, un destino, peculiar y distinto del que están llamados a cumplir los demás pueblos.

Por tanto, el patriotismo se apoya sobre la idea y el sentimiento de la *comunidad nacional-popular.* Ahora bien: nadie ignora que este concepto y este sentimiento son cabalmente opuestos a los que han venido rigiendo y operando en los cerebros y los corazones de los hombres de España y de Europa durante los últimos cuatrocientos años. Por ello, a las dificultades de orden puramente político-nacional que la existencia de los partidos políticos han supuesto para la realización de una verdadera educación patriótica, hay que sumar las aún más hondas y complejas derivadas del clima individualista en que ha vivido el hombre europeo desde el Renacimiento, y particularmente, desde la Revolución francesa.

La noción y la vivencia eficaz de la comunidad fueron realidades históricas del medievo. Tanto en lo económico (gremios), como en lo sociológico (municipios), como en lo político (Imperio), como en lo religioso (Iglesia), el hombre de la Edad Media vivía orgánicamente trabado con otros en conjuntos vivos, llenos de valor y sentido transpersonales. El movimiento renacentista cortó los nexos que unían a cada hombre con sus semejantes, derruyendo, en un proceso lento, pero incesante, las comunidades vitales de la Edad Media. Desde entonces el individuo, que no el organismo colectivo, pasó a ser titular de todos los derechos y centro de todas las exigencias jurídicas y morales. Ya no era la *comunitas,* sino el individuo el depositario de todos los valores. A la disciplina, hecha a base de obediencia y servicio, de voluntario anonimato y oscurecimiento del «yo» tenido casi por pecaminoso, demoníaco, sustituyó el principio opuesto de la libertad, de la emancipación de todo poder sobre-individual y el corte de las ligaduras que encadenaban las determinaciones de cada uno, ya eje y centro de la totalidad espiritual óntico-estimativa. Al *teocentrismo* medieval, hijo de aquel sentimiento de dependencia del hombre respecto de Dios, sucedió el *antropocentrismo* desenfrenado que, en el orden pedagógico, convertía en objetivo supremo el cultivo y logro de la *personalidad.* Un alemán, Ulrico de Hutten, lanza en el siglo XVI el grito de júbilo ante el nuevo mundo mental: «¡Los espíritus crecen! ¡Es un placer vivir!». Otro alemán, Goethe, lanzará, a fines del XVIII, la frase congruente con aquel clamor inicial, que resume los anhelos de la *Ilustración:* «el mayor tesoro del hombre sobre la tierra es la personalidad».

Para mí es claro que el europeo, a partir del Renacimiento, ha vivido el mundo afectivamente *desde* y *para* su hipertrófico «yo». La política, la economía, la convivencia, la oración, todo en él se teñía de poderoso, avasallador, individualismo.

Radica aquí, a mi entender, el nudo de todas las dificultades que el «orden nuevo» encuentra en las conciencias. Se trata sencillamente nada menos que de una versión psíquica, en virtud de la cual las realidades y los valores individuales sean de nuevo sometidos, como antaño, a las realidades y los valores ultrapersonales de la «comunidad». Ello es, sin duda, empresa difícil, y a la que, dicho sea en verdad, no se dará cima sino cuando el tiempo haya madurado la conciencia de los hombres. Antes de eso sólo podrá prepararse el terreno, mediante una actuación político-pedagógica insistente y ardorosa. Pero como esa preparación y *colaboración con el tiempo* es estrictamente la médula esencial de toda pedagogía y toda política («partida con el tiempo» llama a ésta genialmente José Antonio), la anterior consideración relativizadora no es una invitación a la pasividad ni al pesimismo, sino a la humildad, pero a la humildad férvidamente activa.

Todo esto quiere decir que la restauración del *sentimiento y el concepto de comunidad* es premisa indispensable para llegar a un tipo de patriotismo auténtico. Precisa para ello que los oídos españoles escuchen con reiteración nunca escesiva la exposición calurosa de la idea de comunidad nacional, concebida como la realidad histórico-política clave de las emociones y de los deberes patrióticos.

El patriotismo, pues, que debe ser predicado a las gentes todas, en los campos, en los talleres, en las escuelas, por medio de la palabra, la prensa, el libro, el cine y la radio, estará constituido por tres elementos:

a) Un concepto claro de la comunidad nacional como «unidad de destino histórico *(Componente intelectual)*.

b) Una cálida emoción de los valores españoles, tanto pretéritos como actuales *(Componente afectiva)*.

c) Un sistema amplio y exigente de deberes en que ha de traducirse el *patriotismo activo,* único verdadero *(Componente volitiva)*.

Sólo así podremos curar las heridas psíquicas producidas por el individualismo y el liberalismo post-renacentista, sentando las bases de un patriotismo lleno de vigor y fecundidad.

La componente intelectual estará formada, primordialmente, por la exposición de la interdependencia que la comunidad impone a todos sus miembros, limitando la órbita del apetecer individual, que queda subordinado a las conveniencias totales del grupo nacional. Y como las líneas fundamentales de estas conveniencias y aspiraciones son de orden político, quiere decirse que es necesario inculcar en la mente de todos los españoles la primacía de lo político respecto de las otras manifestaciones vitales.

Esencia de la política es discernir los medios conducentes a la realización del bien común y conducir a los miembros integrantes de la comunidad, ya mediante la convicción y la educación, ya por medio de la coacción, a la puesta en marcha de las energías nacionales con vistas a la consecución de los objetivos de engrandecimiento histórico descubiertos como imposiciones del momento. Dos características esenciales cabe aislar en lo político: la primera se refiere a su relativización temporal, de donde su inevitable y constitutivo oportunismo («los cascos del caballo de César tuvieron que pisar las aguas del Rubicón en un minuto exacto de la Historia». José Antonio). La segunda se relaciona con el uso del poder coactivo para obligar a los individuos a caminar por las sendas del tiempo, con el ritmo y dirección señalados por el bien común nacional. De donde se deduce la legitimidad con que el Estado puede corregir toda desviación individual que vaya en detrimento del logro de las mencionadas metas históricas.

Esta licitud del empleo del poder, siempre que vaya orientado por miras ético-religiosas de plenificación de la comunidad nacional, es tanto más patente cuanto más necesario sea, por motivos de circunstancia, poner dicho poder al servicio de nuevos y más altos ideales político-históricos. Esto ocurre en las coyunturas renovadoras como la que ahora vive España.

Puede preverse que, dada la inercia psicológica humana, que lleva a la divinización de los modos vitales y puntos de vista sidos, pertenecientes a otras épocas sean numerosos los individuos incapaces de la flexibilidad y agilidad mental suficientes para captar intuitivamente los mandatos de la época *comunalista* que se inicia, disponiéndose a vivir con arreglo a ellos. Ha de haber muchos espíritus viejos, momificados, para los cuales no haya otro modo de concebir el mundo, la política y la convivencia nacional que el propio de la ideología liberal. Espíritus no susceptibles de entender ni vivir los nuevos credos que se basan en la disciplina político-social, la represión de la espontaneidad y los postulados del servicio y el sacrificio en aras de valores y realidades superiores a los de la existencia individual. Cada uno es hijo del clima espiritual que respire durante el período plástico, formativo, de la edad juvenil, y sus pliegues deciden ya, para toda la vida, el giro y el tono de las reacciones y anhelos.

No es por eso una casualidad, sino exigencia profunda de la realidad histórica que, prescindiendo de unas cuantas mentalidades maduras suficientemente permeables a los avisos y augurios de la hora, sean las juventudes los protagonistas encendidos de la renovación histórica que está operándose en los senos más hondos de la vida universal. Son la pujanza.

frescura virginal de incontaminación juveniles los factores psíquicos que pone en juego la Historia para producir el cambio gigantesco de concepción y vivencia que imponen los tiempos. Y estamos asistiendo al espectáculo inédito de que las generaciones recién llegadas al palenque político sean las que toman con ardor y fatalidad de «destino» (no con frivolidad de deporte, según creen las gentes incapaces de otear los signos de la hora) la dirección política de los pueblos en trance de renovación integral. Radica aquí uno de los hechos más sorprendentes del actual momento histórico-universal, que consiste, esquemáticamente, en que los hijos han de convertirse en educadores, en conductores de los padres, porque éstos no alcanzan a percibir las exigencias providenciales de la nueva época. A lo más interpretan los «Movimientos» juveniles como una revancha y contragolpe reaccionarios, que situarán las cosas al estado que estaban hace veinte, cincuenta, doscientos años. Pero se precisa una mínima cantidad de intuición política y una modesta información histórica, para comprender que la sangre moza que está regando ahora con generosidad poco comprendida las desoladas estepas de Rusia no se inmola meramente para una restitución de la vida económico-política al estado que tenía en el pasado. La juventud es siempre promesa fecunda, simiente prolífica de nuevas y más justas formas de vida. Lo saben bien, porque se lo dicta el corazón que no engaña jamás, esos muchachos que aceptan satisfechos el «destino de guerra que nos ha correspondido vivir, en la que hay que dejarse la piel y las entrañas».

De aquí que la educación política general deba corresponderles a ellos, no a los profesores acartonados, que han sentado los reales de su pensamiento sobre la tierra vacilante del liberalismo y se encuentran en una situación trágica de íntima inseguridad, totalmente opuesta a las evidencias arrolladoras que dan tono y nervio, certeza y aplomo para encararse con la vida en trance de muerte y resurrección.

La camaradería espontánea y vigorosa que une a estos mozos, adalides y parteros del tiempo nuevo, su arrojo y «dedicación» al destino que les ha correspondido vivir, son prenda segura de fecundidad histórica y espejo en que deben mirarse las generaciones maduras. Y si éstas insistiesen en su vuelta a las maneras fenecidas, a los modos políticos y psicológicos del liberalismo, no quedaría a las juventudes cargadas de futuro más recurso que imponer coactivamente sus puntos de vista, ya que de lo contrario habríamos de aceptar el suicidio histórico de España.

La educación patriótica es, por tanto, faena estrictamente política, con mayor razón en el momento revolucionario que vive el mundo. Ella hará comprender a los españoles el *espíritu de comunidad* que el liberalismo sepultó; encenderá de entusiasmo y veneración los corazones para cuanto significa el esfuerzo y el valor español a través de la historia; impondrá, frente a la pasividad decadente del que se conforma con añejas glorias, el deber inexorable de contribuir a resucitarlas, actualizándolas, como justificación histórica de nuestro paso por el mundo; dará a los españoles una conciencia imperial, hecha de conocimiento de nuestra grandeza pretérita, fe en nuestras propias fuerzas y actividad para dotar a la Patria de los medios conducentes a tal propósito; iluminará las mentes con el conocimiento de la situación y táctica de los enemigos de la grandeza hispana, ya internos, ya externos, y les imprimirá, en fin, una ardiente y combativa *moral patriótica,* basada en el servicio y el sacrificio por la unidad, la grandeza y la libertad de España.

Ingredientes de una conciencia imperial serán tanto la elevada valoración estimativa de lo español, en sus vetas más auténticas y puras, como la preparación de las mentes para el conocimiento de los medios que devolverán a la patria la grandeza perdida. Entre otros: la fe religiosa profunda, el espíritu y las virtudes castrenses y el avivamiento de la vocación marinera que llene de quillas españolas otra vez las rutas universales, enviando a todos los rumbos de la rosa de los vientos el mensaje de universalidad, de catolicidad y espiritualidad de la mejor España. Y, al lado de todo esto, desde la última escuela rural hasta las plantas primeras de los periódicos, desde el cuartel a la Universidad, la propaganda y educación necesarias para que todo español sepa cuáles fueron las posesiones y colonias que la rapacidad mercantil y protestante usurpó a España; para que nazca en todos el afán de rescatar una parte de nuestro Imperio colonial, o extenderle por rutas nuevas, pues no hay imperio sin territorio, y una conciencia imperial moderna es ante todo *un espíritu y una conciencia colonial.*

Por ello, junto a la intensificación de la enseñanza histórica, debe ir también una intensificación paralela de los conocimientos geográficos, para combatir esa involución aldeana, localista y miedosa de la mentalidad española, tan opuesta a la concepción de la comunidad nacional como al logro de un apetito de Imperio que lance otra vez las energías de la raza sobre los parajes del mapa mundi que convengan al engrandecimiento histórico de España.

2. Los medios

El cambio en los supuestos psicológicos del hombre moderno ha de ser tan hondo, que a lograrlo han de contribuir cuantos medios de educación y conducción de las multitudes ha puesto a disposición nuestra el progreso de la Pedagogía y la Técnica. Por una parte, las instituciones educativas, y por otra, los recursos de esa cátedra popular, que utilice la prensa, la radio, el cine y la propaganda oral.

Por tratarse de un viraje en las convicciones y modos psíquicos de la total población, junto a la actuación educadora sobre las selecciones ha de ir una bien orientada táctica de masas. Esto no prejuzga la cuestión relacionada con el hecho de si la organización político-social futura ha de ser de «élites» o de masas. Yo personalmente creo que vamos a una forma política, cultural y social en la que serán las minorías rectoras las que lleven el papel primordial en la conducción del pueblo, como exige el anti-democratismo radical de los actuales movimientos revolucionarios. Pero no hay que olvidar que hasta aquí han predominado las masas y que, por ello, cualquier actuación eficaz sobre la totalidad nacional para imprimirle un rumbo diferente debe partir de esta situación, al objeto de que la nueva sustancia espiritual impregne las conciencias de todos. La resultante final de este proceso será que las masas, en virtud de la propaganda educativa insistente efectuada sobre ellas, se dispongan después a aceptar, convencidas, una estructura política en la que ellas apenas tengan otra misión que la de apoyar y robustecer las líneas de fuerza emanadas de las minorías dirigentes.

Entre los instrumentos de educación y propaganda que la época democrática ha creado, y que los movimientos actuales deben utilizar en su beneficio ocupa, sin duda, uno de los lugares más destacados, la prensa, el llamado «cuarto poder», que crea un ambiente propicio a la germinación de determinados estados de conciencia en las masas populares mediante la reiteración de motivos y maneras de pensamiento y de emoción. El periódico diario, que ha alcanzado una difusión insospechada y se ha convertido en una necesidad para el hombre moderno, es una palanca insustituible de propaganda y educación general. Ponerle al servicio de las ideas nuevas, de modo que a la demagogia anterior suceda una etapa de influencia constructiva en el sentido del tiempo que se avecina, es objetivo previo a la consecución de los valores políticos y espirituales que deseamos ver hechos realidad.

Acaso esté en la entraña de la evolución cuyo inicio presenciamos la desaparición de la prensa en sus formas actuales, no sólo (lo que para mí es incuestionable) en lo que se refiere al gran periódico de Empresa, probablemente reñido, en principio, con las exigencias que el periodismo está llamado a cumplir, sino incluso en lo que dice relación a la enorme amplitud y difusión alcanzadas por la prensa diaria. De todos modos, es evidente que en la etapa presente el periódico es y será un resorte político-educativo que el Estado debe, no ya solamente controlar por medio de la censura previa, sino inspirar en gran medida señalando los derroteros que ha de seguir la exposición de los temas político-nacionales. Cuando las consignas del momento vayan tomando cuerpo en la conciencia popular, porque hayan sido vencidos los puntos de vista liberales y democráticos, y al afán de política activa de todos y cada uno de los ciudadanos haya seguido el convencimiento de que la misión primordial de las masas es la de secundar las inspiraciones de las minorías rectoras, será llegado el momento de otorgar a la prensa (la prensa que entonces subsista, sin duda, en forma y en fondo muy diferente de la actual) un margen de libertad que no redundará en perjuicio y dispersión de las energías nacionales, sino que coadyuvará a fortalecerlas y centrarlas en los rumbos nacionales apetecibles.

Otro tanto puede decirse de la radio, último medio que la técnica ha puesto al servicio de la educación política de la masa nacional. Su gran influjo sobre las gentes es, sin duda, poderoso, aunque no pueda compararse por su fugacidad con el que ejerce el periódico ni por su poder sugestivo con el que tiene el cine.

En cuanto a éste, no cabe duda que es el arte multitudinario por excelencia y el que, por las circunstancias de oscuridad, rapidez del desfile de imágenes, apoyo de la música, etc., posee un halo sugestivo que le permite influir poderosamente sobre el espíritu de los espectadores. Si fuera esta ocasión oportuna para ello, yo expondría mi opinión sobre el cine en cuanto espectáculo y en cuanto medio de educación popular. Indudablemente que en ambos aspectos tiene un valor excepcional; pero creo que la sugestión que ejerce sobre las multitudes, al menos en su forma actual, es sencillamente nociva, sobre todo teniendo en cuenta la afición morbosa que le han tomado las juventudes, y más aún la juventud femenina. Mucho de esa influencia morbosa, la que alude al lado moral de la cuestión, es debida a la factura frívola, antiespañola, de los argumentos y al realismo enfermizo, sexualizante, de las escenas. En este orden de cosas es evidente que el cine ha causado verdaderos estragos sobre esas doncellitas de la clase humilde que sueñan con ser «estrellas» y adoptan en su atuendo y embellecimiento las formas ultramodernas de la vida de Hollywood. Observad hasta el tipo y actitud de las juventudes actuales y veréis cuán honda ha sido la influencia del cine. Desde el depilado de las cejas y la pintura de los labios hasta la silueta «tabla» y el minúsculo bigote de los muchachos, casi toda la moda juvenil procede del cine.

En este aspecto, una vigilancia de tipo educativo... y político que desee una mocedad vigorosa y unas mujeres recias y cristianas debe impedir a rajatabla la continuación de ese influjo deletéreo y malsano, debilitante y morboso de las películas extranjeras, que, por otra parte, imbuyen en las multitudes un tipo de vida y un repertorio de ideales y aspiraciones que pueden dar al traste con los propósitos renovadores de una política auténticamente española.

Particular atención merece en este mismo orden de realidades el cine para niños. La censura actual de las películas es insuficiente. Muchas de las declaradas «aptas para menores» no lo son, en verdad, no sólo por el extranjerismo radical de que están impregnadas, sino porque el aire general de sus argumentos es totalmente anti-infantil, planteando problemas eróticos que excitan, si no la fisiología, al menos la psicología de los muchachos en un sentido precoz y nocivo. Cierto que, de extremar un poco el rigor de la censura, quedarían poquísimas películas aptas para ser presenciadas por los niños. También lo es que debe evitarse una dirección «pedagogizante», escolar, pedantesca, del cine infantil, limitado a documentales de tipo y costumbres exóticos y a dar una visión «ralentificada» de los fenómenos naturales, tales como el crecimiento de las plantas, la evolución de determinadas enfermedades, etc., etc. Ese cine tiene su indicación puramente científica en las clases de escuelas e institutos; pero no puede pensarse en un espectáculo a base de sólo semejantes producciones. El tedio sería la obligada respuesta de los pequeños espectadores.

Mas entiendo que es un imperativo obligado de índole político-educativa cortar de raíz la deformación que el espíritu de los niños y niñas está sufriendo con la contemplación de tanta película radicalmente inmoral o al menos antiinfantil declarada «apta para menores».

Y es preferible que nuestros niños no vean cine antes que padezcan sus almas con los espectáculos nocivos de un cine descarriado. Entretanto preparemos películas verdaderamente infantiles, en las que se resuciten episodios importantes de nuestra Historia y se lleven a la pantalla argumentos de aventuras, en los que florezca ese *espíritu heroico* que deben tener las juventudes del presente.

Pero hay en el cine un aspecto de fondo que pocas veces se enjuicia, polarizada la atención por el aspecto moral de los «films». Para mí, el cine, considerado en sí mismo, cualquiera que sea la licitud moral de sus películas, es un espectáculo *estupidizante y embrutecedor.* Calificativos duros, es verdad, que chocarán a numeros partidarios del «séptimo arte», pero que vienen impuestos por su propia estructura. La misma índole mental y social de los habituales frecuentadores de las salas oscuras, que se reclutan sobre todo entre las gentes de escaso rigor intelectual, son una contraprueba de estas afirmaciones condenatorias. La prueba directa la proporcionan particularmente los elementos integrantes del cine: la oscuridad y la vertiginosa rapidez con que se suceden las escenas. La falta de luz proporciona al espectáculo cinematográfico un halo de misterio y sugestión que adormece las *fuerzas claras* de la conciencia, predisponiendo a los espectadores a la recepción subconsciente o semi-inconsciente de todas las impresiones. La rapidez con que se suceden las imágenes no da tiempo a que el espectador se forme un juicio personal de las escenas contempladas ni adelante una previsión de lo que ha de venir, como ocurre en el teatro. Esto origina dos hechos, cabalmente opuestos al discernimiento intelectual: primero, el simplismo mental, hijo de la absoluta falta de análisis consciente de lo visto; segundo, la actitud puramente pasiva, receptiva, opuesta a la elaboración personal de los contenidos mentales.

Cuando el cine, tomado como espectáculo, no trabaja habitualmente la conciencia del espectador o éste posee ya una formación intelectual completa o una edad en la que no cabe un influjo formativo (o deformador), por estar fraguadas las líneas del pensamiento, su influjo no es tan nocivo. Pero cuando opera reiteradamente sobre masas de ínfimo bagaje intelectual o sobre las juventudes, que aún no tienen dispuestas y cristalizadas las vías y mecanismos mentales, el simplismo y la receptividad son frutos seguros de semejante espectáculo, que rebaja sistemáticamente el nivel intelectual de los espectadores.

Esto no quiere decir que deba ser suprimida de raíz la exhibición de películas, pero sí que debe reglamentarse un espectáculo tan adentrado en las costumbres de ciertos amplios sectores sociales, que encuentran en él una especie de «opio artístico» propicio al ensueño, a la sugestión y al «trance», actitudes todas opuestas a la claridad y serenidad de espíritu e intelecto, propias de una consciencia normal.

Pero es obvio que puede y debe utilizarse ese poder sugestivo que ejerce sobre las masas para exhibir ante ellas películas de fuerte contenido político-nacional, contribuyendo así a la formación patriótica de los españoles.

GUERRERO, E., *El aspecto filosófico de la enseñanza religiosa,* en *Razón y Fe* 113 (1938) págs. 33-45.

«EL ASPECTO FILOSÓFICO DE LA ENSEÑANZA RELIGIOSA»

1. Las órdenes de la Junta de Defensa Nacional y de la Junta Técnica del Estado sobre la enseñanza de la Religión en el bachillerato merecerían sinceros encomios desde puntos de vista diferentes: católico, técnico, español, cultural. Nosotros vamos a justificarlas desde el puramente racional, filosófico, o, si se quiere, del sentido común precatólico, con algunas de las muchas razones que en su favor podrían aducirse.

Es claro que enseñar la religión católica no es formalmente *imponer la fe.* Como explicar lenguas o matemáticas no es obligar a los oyentes a profesarlas y ganarse la vida en su ejercicio. Será, a lo sumo, predisponer en su favor a los no creyentes, confirmar a los que ya creen en ella.

Todos los hombres están obligados a profesar el catolicismo, porque es la religión que Dios ha revelado e intimado, por Jesucristo, como única en que se complace, y medio necesario para obtener la eterna salud; y por lo mismo, no es *moralmente* libre, pero lo es *físicamente;* esto es, poseen las almas fuerza suficiente para negarle su asentimiento aun después de conocer los títulos que la hacen razonable, la muestran verdadera. El acto de fe cristiana, dice el Concilio Vaticano, es «una obra saludable con que el hombre presta al mismo Dios libre obediencia, consintiendo y cooperando a su gracia, cuando podría resistirle». «Si alguno dijere que el asentimiento en que consiste la fe no es libre, sino que es predeterminado necesariamente por humanos argumentos, sea anatema» [1].

Por ser, pues, la fe católica un acto libre, la coacción sería medio harto ineficaz para provocarla. «Otras acciones puede realizar el hombre sin querer; pero creer, sólo queriendo» [2]. La coacción podría entonces arrancar un acto exterior de hipocresía y las consecuentes ficciones sociales, con el séquito de inmoralidades que implicarían. Hasta podría en ciertos casos influir beneficiosamente en crear disposiciones subjetivas favorables a la aceptación de la fe; pero, generalmente hablando, ni inmediata ni mediatamente la suscitaría.

Por esta desproporción y aun oposición entre la violencia y la interna creencia, la Iglesia siempre ha utilizado la persuasión como medio para convertir al mundo, y no ha permitido más violencias que las necesarias, indispensables, para defender a sus hijos de la perversión, para asegurar la libertad de la predicación apostólica, que es un derecho superior a todo derecho, y para castigar a sus súbditos herejes y apóstatas; pero ninguna ha hecho a los propiamente infieles para que abrazaran el catolicismo. El canon 57 del IV Concilio Toledano reza así: «A propósito de los judíos, prescribe este santo sínodo que a ninguno se le haga fuerza para creer». Y Santo Tomás, comprendiendo en breves palabras la doctrina católica sobre este punto, pudo responder a la cuestión de si los infieles pueden ser compelidos a creer: «Hay algunos infieles que nunca recibieron la fe, como los gentiles y judíos; y éstos de ningún modo pueden ser constreñidos a creer, pues el creer depende de la voluntad; pero sí deben ser compeli-

[1] DB. 1791 (1640) 1814 (1661).

[2] S. AGUSTÍN, Tract. 26 *in Jo.*

dos por los creyentes, si ello es posible, a que no pongan obstáculos a la fe con blasfemias, seducciones, o abiertas persecuciones. Ésta es la causa por que los cristianos frecuentemente hacen la guerra a los infieles; no para violentarlos a creer, cosa que no podrían hacer aun en el caso de vencerlos y cautivarlos, sino para impedirles poner obstáculos a la fe de Cristo. Pero hay otra clase de infieles que antes recibieron la fe y la profesaron, como son los herejes y cualesquier apóstatas; y estos tales deben ser compelidos, aun con penas corporales, al cumplimiento de sus promesas» [3].

2. Pero aunque la fe católica no pueda ni deba imponerse a los infieles por la fuerza exterior, todo hombre, máxime culto y europeo, debe estudiarla con seriedad en su origen, en sus dogmas, en sus instituciones, en su influencia histórica.

Porque todo el que llega al uso normal de la razón en el seno de cualquier sociedad humana, tropieza indefectiblemente con la cuestión religiosa. Sin necesidad de escudriñar y *mirar, verá* escritas con dedo invisible en su conciencia una serie de interrogaciones sobre *el más allá,* sobre el sentido de la vida presente, sobre la situación, ya autonómica, ya servil de la propia personalidad, sobre la existencia y naturaleza de Dios, sobre sus relaciones con el mundo y, en particular, con la criatura racional; sobre la honestidad o malicia de las acciones: esencia, motivos, consecuencias de la virtud; naturaleza, sanción del mal; armonía entre la existencia de Dios y de la iniquidad y el dolor en las sociedades humanas; y, en fin, sobre la autoridad de la Iglesia Católica, que se exhibe en el mundo como depositaria de una divina revelación, maestra de la verdad religiosa y moral, santificadora del género humano, conductora fiel de las almas a la región de la paz y de la dicha eterna.

[3] SANTO TOMÁS, 2. 2. q. X. a. VIII; SUÁREZ, *De Fide,* disp. XVIII, s. I-IV: disp. XX, s. III.

Todos estos problemas, más o menos distintamente, han salido siempre y, hoy sobre todo, salen al paso de la humana razón en seguida que ella da los primeros; porque, cuando no surgieran espontáneos, serían suscitados por el influjo del ambiente. Ya, sencilla y dócil, acepte en el niño la solución dogmática de padres y maestros, ya, más curiosa y preocupada, medite, inquiera, acaso diuturna y angustiosamente, siempre habrá de posar su atención en tan graves asuntos y formarse algún criterio más o menos razonado y consciente. El partido de desinteresarse de todos ellos antes de estudiarlos, y abandonar su vida a la deriva en el agitado mar de las pasiones, sin previa y racional persuasión que la oriente, es el más insensato imaginable [4].

Bien se echa de ver que la solución a todos esos enigmas será diferente en el seno de las diversas familias e instituciones que se ocupan en la educación e instrucción del niño, del adolescente, del joven, según su respectiva ideología religiosa; pero es indudable que toda solución dada a la ligera, sin estudio serio, proporcionado a las condiciones culturales del interesado, sería irracional y dogmática en el peor sentido de esta palabra; y, lo que es manifiesto, insuficiente, al fin, para satisfacer las exigencias de luz que tan de ordinario a tales almas trabajan, cuando menos en algún período crítico de su vida.

La actitud religiosa es de suyo totalitaria: comprende la subordinación perpetua de todo el psiquismo: la idea, el afecto, la acción, a la fe profesada; como asimismo ha de serlo la actitud irreligiosa en quien conscientemente la ha elegido. ¿Y cómo sería razonable una orientación así integral y definitiva en quien no la ha motivado con justa ponderación? En muchos casos, ¿cómo sería posible?

Es, pues, evidente que a todo joven, máxime si está destinado al trabajo intelectual, deben ofrecerse facilidades para

[4] BALMES, *El Criterio,* cap. XXI, I-II (*Obras completas,* vol. XV). *La Religión demostrada al alcance de los niños,* cap. X (*Obras completas,* vol. IX).

que estudie seriamente las cuestiones religiosas, y en particular el Catolicismo, que entre todas las religiones campea, y así pueda motivar sólidamente, según las necesidades de su espíritu, la posición religiosa que ya hubiese adoptado o hubiere de adoptar.

Nótese que prescindimos de la filiación confesional. Lo mismo a un católico que a un protestante, judío, mahometano y aun ateo, se impone, en el plano de la razón, un serio análisis de las razones porque adoptó tal postura y de las que por ventura puede haber para cambiarla por otra. A falta de ese análisis, nadie podría justificarse ante su propia conciencia; no sentirá firmeza bajo sus pies, no podrá en determinados ambientes de hostilidad vivir tranquilo, ni los demás podrán tenerlo por hombre razonable.

Esto no es suponer que todas las religiones sean aceptables, ni admitir la posibilidad de que en cualquiera de ellas o en la total irreligión pueda un hombre sensato y recto hallar la paz de su espíritu, después de oportuna reflexión. Tratamos una cuestión de puro método, y afirmamos que una actitud inmotivada racionalmente frente a la religión y la moral, es el crimen de mayor trascendencia y el desorden más patente.

Ahora bien, esas facilidades para estudiar el problema religioso no se ofrecerían al joven si, desde el Instituto a la Universidad, no se le impusiera como una importante asignatura, la religión católica en su doctrina y en su historia. La *doctrina,* así en el dogma como en la moral, contiene inconmesurable riqueza de ideas, muchas de ellas accesibles, sí, aun a los sencillos, según las módicas exigencias de su dormido entendimiento; pero, todas, de incomprensible amplitud para los mismos sabios. Los más difíciles conceptos y problemas filosóficos forman parte esencial de ese tesoro, ya como verdades en él incluidas, ya como elementos explicativos de puntos obscuros, misteriosos. Y existe ciencia más difícil que la Filosofía?

Pues la *historia* es complicadísima, porque la influencia de la religión se extiende a todos los sectores de la vida, así individual como social, y condiciona la constitución de la cultura, de las costumbres, de las organizaciones sociales privadas y públicas; hasta el punto de que apenas se hallará suceso de importancia en el curso de la historia universal, así interna como externa, en cuyos determinantes no se incluya. La historia de la Europa civilizada, por ejemplo, desde el siglo IV sobre todo, ¿qué viene a ser más que una historia de la religión católica?

Pues, ¿cómo será posible un conocimiento profundo de esta religión a quienes por mucho tiempo no se ocupen en su estudio con medios eficaces personales y reales: libros y maestros competentes? ¿Y cómo podrían ocuparse en tal estudio si, eliminada la Religión de los cuadros oficiales, o relegada, como antaño, a la categoría de libre, sin exámenes ni género alguno de estímulos, todo el tiempo de trabajo fuera absorbido por la onerosa balumba de las demás disciplinas?

He aquí la primera razón que plenamente justifica, aun en el plano de la Filosofía, la Orden del 7 de octubre, y las anteriores de la Junta de Defensa Nacional sobre el mismo asunto: Se da facilidad a los hombres cultos, católicos y acatólicos, para resolverse conscientemente el problema religioso, que pide ser resuelto con mayor urgencia y acierto que el de las *subsistencias*.

3. Los portavoces de la pedagogía sectaria disimulada con atuendo de neutra, han sostenido como ideal el silencio absoluto sobre el problema religioso en el período formativo: infancia, adolescencia, juventud universitaria, a fin de respetar la independencia del educando y dejarle en libertad de responder él por sí mismo a sus propios interrogantes, sin prevenciones ni dolorosas coacciones.

Tal criterio, juzgado según los principios católicos, es evidentemente absurdo; porque, según ellos, la religión católica es la verdad religiosa revelada a intimada por Dios al mundo. Todos los hombres están obligados a vivirla, desde que apunta en ellos la razón, y a progresar en su conocimiento y en su práctica. Ninguno puede conocerla, si no se le enseña competentemente. Es, pues, obligatorio a los padres y a quienes está encomendada la educación o instrucción del niño, del adolescente, del joven, que pongan en juego todos los medios oportunos para enseñársela cual conviene.

Pero aun examinando ese criterio en el plano meramente filosófico, es totalmente reprobable. El hombre es un ser social: nace en sociedad y sólo en la sociedad halla los agentes de su evolución progresiva. Todos aquellos bienes, de una parte, necesarios a su conservación y perfección; de otra, inaccesibles a sus individuales iniciativas y adquisitivas posibilidades, deben serle suministrados por la solicitud de sus padres, maestros, superiores, aun a costa de proporcionados sacrificios. ¿Quién, so pretexto de respetar la libertad del joven, llevaría a mal que sus padres o cualquier otra persona autorizada le orientara con oportunas advertencias sobre la elección de carrera y de estado? ¿Y no es más difícil acertar en la solución del problema religioso? Luego, excluida la coacción, justo es, y aun necesario, suministrar la completa y objetiva instrucción religiosa, sin la cual nadie puede comprenderlo, ni mucho menos resolverlo.

Se podría objetar que instruir bien a los niños, adolescentes y jóvenes, en la religión católica, implica ya prácticamente la solución del problema religioso en sentido católico, y, por tanto, la predeterminación hacia ella de cuantos son sometidos a esa enseñanza, máxime si es dada por católicos, con intención proselitista y con tonalidades parenéticas y exhortatorias.

Así es, en efecto, no sólo por las razones apuntadas, sino por la hermosura incomparable de la religión católica que, cuando es *convenientemente* conocida en su Fundador, en su doctrina metafísica y moral, en su historia, en sus instituciones, en sus exquisitas y sublimes personalidades, es indefectiblemente amada y aceptada por los hombres de buena voluntad, aun sin mediar especiales exhortaciones.

Pero, en primer lugar, que en una comunidad totalmente católica sean predeterminados los niños al catolicismo y éste exaltado en los adolescentes y jóvenes, es la cosa más razonable. Ya han hallado los padres y los abuelos, los artífices de la patria, que el catolicismo es la Verdad y el Sumo Bien; porque estudiaron y vieron demostrada científicamente su credibilidad, y vivieron sus saludables frutos de paz, de moralidad, de amor. Transmiten a sus hijos esa convicción, esa experiencia, como les comunican otras muchas sobre la virtud curativa de ciertas substancias, eficacia contagiosa del tifus y de las viruelas, sobre las ciencias, las artes, los oficios, las costumbres. ¿Habían de aguardar los rectores de una sociedad doméstica, civil, a que sus miembros, por propia iniciativa y experiencia, descubrieran y alcanzaran ciertos valores indispensables, para que gozasen de ellos, pudiendo desde luego suministrárselos? ¿Es que todo hombre ha de revalidar por sí la ciencia y rehacer la historia, y no ha de servirse de verdad alguna que él no haya inventado? ¿No ha de montar nada en el consorcio humano la tradición, la autoridad de los antepasados? ¿En qué disparates no nos precipitaría tal criterio? Puesto que el hombre es racional, espontáneamente procurará cada uno hacer la crisis de lo que por tradición de sus mayores recibe. Sobre todo, si es cultivado o trabaja en serlo, deberá en materia religiosa hacerla y podrá llegar a discernir lo verdadero de lo falso, y asentar su criterio resultante sobre bases, a lo menos en su opinión, estables. Pero que antes de poder él juzgar por sí mismo se prive de la ciencia y experiencia de las generaciones pasadas y de la enseñanza de sus coetáneos, en materias religiosas como en asuntos profanos, es un desaforado despropósito. Lo único razonable es, primero, recibir con ánimo dócil la religión de sus padres, de sus abuelos, de la flor de veinte siglos de historia; después, según la capacidad y medio ambiente hicieren posible, estudiar en serio los fundamentos de la Religión por autoridad adoptada. Entonces *verá* el hombre recto y bien informado, no sólo *creeerá,* que la religión católica es la única verdadera.

En una comunidad heterogénea podría aconsejar la prudencia que la religión en general, o bien una determinada, no se enseñe, o no con particular solicitud, o se use, al hacerlo, la máxima cautela, para no herir la susceptibilidad de los oyentes; pero nadie debería molestarse de que la más influyente, como energía propulsora y especificativa de la civilización europea, se explicase a todos con singular detenimiento, para facilitar así el juicio que sobre ella habían de formarse al revisar y racionalizar sus creencias religiosas, o, si se quiere, su absoluta infidelidad.

4. Pero no sólo es necesario el estudio de la religión para resolverse científicamente el problema religioso; lo es también para alcanzar la parte más preciosa y trascendental de la cultura. Prescindamos ahora del concepto filosófico preciso del espíritu; ni hace falta suponer aquí que el auténtico sea el de escolásticos y católicos. Pero es evidente la distinción entre la materia: realidad cuantitativa, impersonal, sensible, sujeto de todas las modificaciones del movimiento, y esa otra más sutil y eficaz que la modifica y la utiliza con imperio, mientras ella se substrae en sí misma a los cálculos matemáticos y a las precisiones del mundo físico. La causa de la literatura, de la música, de todas las bellas artes, de la ciencia, de la elocuencia, de la virtud, de la religión, es diferente de las que producen los fenómenos objeto de las ciencias naturales. Es el espíritu.

Ahora bien, ¿quién, si es hombre sensato y culto, no confesará como evidente que lo más importante del individuo humano, lo más bello, lo más selecto de la historia y de la cultura son el espíritu y sus obras? La prestancia de un ser racional se mide, ante todo, por su ingenio, su capacidad científica y artística, su bondad moral en sí y en sus manifestaciones; esto es, sus *valores espirituales*. La estatura, la salud, la fuerza, la agilidad y los efectos de aquí procedentes, serán, sin duda, valores muy estimables y, aun en cierto modo, indispensables; pero de inferior jerarquía. Lo inteligible, pues, de la realidad cósmica total es, en su parte más excelente, más útil, más eficaz, espíritu u obra del espíritu. Luego toda cultura que aspire a ser completa y calificada, debe incluir la ciencia de lo espiritual y el sentimiento y gusto de su valor preeminente en la realización del perfeccionamiento humano. Esto es evidente, y sólo en una humanidad materializada, que es lo mismo que degenerada, cual la marxista, puede ser negado.

Más aún: la misma realidad material de cualquier fenómenos es ininteligible sin referencia al espíritu, que le asigna finalidad y le da sentido.

Pues bien, la religión católica es el valor espiritual más influente en el desarrollo de la historia europea y regiones por Europa influenciadas: el determinante principal de la mentalidad civilizada, la razón explicativa de lo más bello de las artes y de gran parte de la ciencia, del derecho; motor de la actividad privada y pública en los más salientes y trascendentales sucesos de la vida racional.

Por lo que a España se refiere, esto es tan patente que no necesita demostración. Por la energía vital y asimiladora de la fe católica, los hispanolatinos, vencidos en los campos de batalla, conquistan a los visigodos en el de la *verdad;* y en las asambleas religioso-políticas de Toledo dan contextura orgánica y homogénea a la patria española, infunden el espíritu de Cristo en sus costumbres y en sus leyes, y sitúan la vida civil española en el plano de armonía entre ambas potestades que no había de abandonar hasta los desventurados tiempos del regalismo borbónico.

Nuestras empresas bélicas son de finalidad y carácter preferentemente religioso; la reconquista, la colonización americana, las épicas luchas contra la reforma protestante, la guerra de la Independencia, la santa cruzada en que hoy somos campeones...

Nuestra literatura, obra de curas, frailes y monjas, o personas penetradas del espíritu católico, es eminentemente religiosa, y, hasta en obras de carácter profano, de visible relación al espíritu. Nuestra pintura y escultura, arquitectura, música, versan principalmente sobre temas sagrados y emiten puros rayos de espiritualidad católica [5].

La historia, pues, de España es incomprensible sin el conocimiento profundo de aquella religión que era objeto de estudio para nuestros eximios teólogos, inspiración de nuestros literatos y artistas, norma de nuestro derecho, aliento de nuestros héroes pasados y presentes, vida de nuestros santos. Ella ignorada, nuestra vida nacional se revela como un caos falto de unidad y de sentido, y los protagonistas de nuestra historia no pueden ser comprendidos. Serán hasta despreciados y aborrecidos, como lo han sido y son por los descastados del 98, ejemplares selectos de supina ignorancia teológica. ¿Cómo van a comprender estos tales a Felipe II consumiendo tesoros y ejércitos para conservar en los Países Bajos la fe católica; los autos sacramentales, las moradas de Santa Teresa, la monumental obra de Menéndez y Pelayo? Aunque el espíritu religioso de los artífices de nuestras gestas y de nuestra cultura no fuera un timbre de gloria —y debe ser el más ilustre—, todo buen español debe conocerlo y estimarlo como en sí es, y para ello es indispensable la ciencia de la religión católica, sin la cual tal comprensión es absolutamente imposible, como así mismo la de las creaciones culturales y hechos históricos en que interviene.

5. Pero, además, el hecho mismo de la religión católica, en su Fundador, en su doctrina, en su institución vital: la Iglesia Romana; prescindiendo de sus conexiones y aun identificación en gran parte con la vida civilizada histórica, real del mundo, es un primordial objeto de la ciencia, dignísimo de estudio sobre todos los que jamás ocuparon la atención.

[5] Precisamente cuando este influjo espiritualista empezó a decrecer con la dinastía borbónica, se aceleró el ritmo de nuestra decadencia en todos los sectores de la vida nacional, y en particular en el de la cultura.

Jesús de Nazareth sale al encuentro de la humanidad, que camina errante y desfallecida en busca de luz, paz, felicidad; y con voz a un tiempo dulce y categórica le dice: Yo soy la luz del mundo; el que me sigue no anda en tinieblas, sino que le guiará una luz vivificante [6]. A continuación propone una doctrina sublime, de verdad y belleza sensibles en el fondo de toda alma recta, indefinibles en términos de humano lenguaje y, por ello, propuestas en los Evangelios *sin forma;* pero de patente, exclusiva eficacia para remediar todos los males morales y atenuar los físicos, y satisfacer todas las nobles aspiraciones del espíritu.

Proclama solemnemente que esa doctrina no es suya, sino del Padre celestial que lo ha enviado, cuya divinidad participa; y abona la verdad de esta declaración con la excelencia de su sabiduría *sobrehumana,* con la idealidad de su virtud sencilla, amable, pero integral, divina; con la omnipotencia de sus milagros hechos precisamente por Dios para acreditarlo como veraz legado suyo a Hijo de sus complacencias. Añade que ha venido para dar su vida en remisión de los pecados y reconciliación de los hombres con Dios, y predice todas las circunstancias de su pasión y muerte; pero anuncia para el tercer día su resurrección. La pasión, muerte y resurrección llegan a ser realidades según sus categóricas profecías, y antes de alejarse de la vista de los suyos, para vivir una vida inefable de dicha, sí, pero también de providente solicitud por la humanidad, encomienda a una Institución fundada por Él, asistida siempre por Él, dotada por Él de competencia e inapelable autoridad, la enseñanza, santificación, gobierno espiritual del mundo; y ordena a todos los hombres que a ella como al mismo Dios se sometan, y en ella a Dios. Esta Institución, de hecho, comienza a realizar su misión en Jerusalén, y extiende sus actividades apostólicas a Palestina, al Imperio romano, a todo el mundo, frente a todas las potesta-

6 Jo., VIII, 12.

des y pasiones terrenas e infernales, destituida de todo auxilio humano, con las únicas armas de la luz, del amor, de la santidad, de la confianza en la protección de su Fundador divino. Esta Institución, que es la Iglesia, no ha cambiado de programa ni de táctica, pero jamás ha sucumbido. Al contrario, de día en día ha dilatado su maternal y saludable imperio sobre las almas, dominándolas con *verdad* y *caridad*, santificándolas, beatificándolas, y hoy aparece, como siempre, idéntica a sí misma, pletórica de vida espiritual, único faro del mundo, única esperanza. La porción escogida de la humanidad la llama con hondo cariño *madre;* legiones de escritores y hombres de ciencia ilustran y defienden su doctrina; multitudes de santos acreditan su moral; la pureza, la inocencia, el amor santo, el trabajo honrado, el arte elevador, la ciencia objetiva y humilde se ponen bajo su tutela y le entonan himnos de gratitud, de esperanza, de cariño.

He aquí un hecho de actualidad perenne, de trascendencia suma, de visibilidad patente, que, aun prescindiendo, por lo pronto de su verdadero sentido, incluye lo más interesante para el hombre. ¿No merece este hecho, no *debe* ser estudiado, hasta que sea percibido con toda claridad en su autenticidad histórica, en su significación profunda, en sus consecuencias prácticas? ¿Y no se impondría sólo por este título, sin contar otros muchos, que la Sagrada Escritura, la Teología y la Historia Eclesiática ocuparan en las Universidades un distinguidísimo lugar? Aún en la absurda hipótesis de que el catolicismo no acreditara su origen divino y su real finalidad trascendente, debería ser estudiado, gustado y añorado como ideal de una condición humana más perfecta. El contacto íntimo de las almas con ideas tan luminosas, sentimientos tan exquisitos, modelos tan amables, sería la mejor escuela de pulimento espiritual y la más copiosa fuente de puras complacencias y jubilosas emociones.

El Estado, pues, no sólo puede, sino debe organizar la enseñanza en todos sus grados, de manera que *primero* no se impida, antes se facilite a todos los ciudadanos, la satisfacción del derecho, que todos tienen, y el cumplimiento del deber, que a todos urge, de resolverse racionalmente el más importante de los problemas, el problema religioso; y *además* se capacite a los hombres de estudio para conocer los valores más significativos de la realidad histórica, y en particular de la patria como unidad vital y humana. Esa conveniente organización implica necesariamente la inclusión de la religión católica como asignatura primordial en todos los grados de la enseñanza; y de la Teología propiamente dicha, en la Universidad. Las órdenes, pues, de que tratamos, consideradas en el plano de la pura filosofía y del sentido común, sin predisposición alguna confesional, son sabias, justas, patrióticas.

«La educación de la juventud», y «Errores sobre pedagogía», Editoriales de la Revista *Ecclesia* 23 (1941) 3-4, y 39 (1942) 3-4, respectivamente.

La educación de la juventud

La insistencia con que el Sumo Pontífica, en medio de sus gravísimas preocupaciones, viene aludiendo en sus alocuciones a los recién casados a los deberes de los padres en la educación de sus hijos, despierta en nosotros una vigilante atención y nos meuve a recordar los principios cardinales de la doctrina de la Iglesia en este orden de cosas, trascendental para la vida de los hombres. En nuestros tiempos también crece la cizaña en medio del trigo y los errores se infiltran con facilidad a pesar de los mejores deseos, de tal modo que es conveniente traer a colación algunas ideas claras, apoyadas en textos autorizados.

La doctrina de la Iglesia, expuesta por innumerables doctores y muy especialmente por el gran Pontífica Pío XI en su Encíclica *«Divini Illius»,* establece la absoluta necesidad de la educación cristiana para guiar al hombre a su fin último, y declara que los operarios de esta educación completa del hombre, indiviual y socialmente, en el orden de la naturaleza y en el de la gracia, son la Iglesia, la Familia y el Estado, cada uno en medida proporcional según la coordinación de sus respectivos fines en el orden de la Providencia. En la tríada de esa jerarquía, a la Iglesia le pertenece la educación de un modo supereminente, por razón de su magisterio divino y de su maternidad sobrenatural, pero en el segundo peldaño de la escala surgen los derechos y los deberes de la familia, sociedad que, por tener prioridad de naturaleza, tiene también cierta prioridad de derechos respecto a la sociedad civil, en orden a la misión educativa. El Código Canónico establece en su canon 1.113 que «los padres están gravísimamente obligados a procurar con todo empeño la educación, ya religiosa y moral, ya física y civil, y a proveer asimismo al bien temporal de la prole». En frase de Su Santidad Pío XI, «la misión de la educación toca, ante todo y sobre todo en primer lugar a la Iglesia y a la familia, y les toca por derecho natural y divino, y, por tanto, de manera inderrogable, ineluctable e insubrogable».

Claro es que al Estado le corresponde, en cierta medida, la misión educadora, en orden a la promoción del bien común temporal, que es su fin propio, pero su función no es otra que la protección de los derechos de la familia y la Iglesia en la educación de los jóvenes, salvo la específica educación patriótica. Es muy cierto que la concepción liberal del Estado-gendarme ha quedado definitivamente arrinconada y las más sólidas corriente filosófico-jurídicas preconizan la intervención del Estado para promover el bien común, pero en modo alguno cabe atribuirle la absorción de actividades que, por derecho natural, le son ajenas. «Es injusto e ilícito —dice rotundamente Su Santidad Pío XI— todo monopolio educativo o escolar que fuerce física o moralmente a las familias a acudir a las escuelas del Estado contra los deberes de la conciencia cristiana o aun contra sus legítimas preferencias... No es inútil repetir aquí en particular esta advertencia, porque en nuestros tiempos... se suele pasar más allá de los justos límites al ordenar militarmente la educación así llamada física de los jóvenes, y a veces de las jóvenes, contra la naturaleza misma de las cosas humanas, y aun con frecuencia usurpando más de lo justo, en el día del Señor, el tiempo que debe dedicarse a los deberes religiosos y al santuario de la fida familiar».

Basten estas palabras del gran Pontífice para que los pedagogos y los estadistas cristianos se esfuercen en mantener la jerarquía de los derechos que la Iglesia proclama en materia de educación de la juventud.

ERRORES SOBRE PEDAGOGÍA

Hablando en otras ocasiones sobre la educación de la juventud, hemos hecho notar que en nuestro ambiente, a pesar de todos los buenos deseos, los errores se filtran con facilidad y es menester desarraigarlos, como la cizaña entre el trigo. Nuestro deber es combatir el error donquiera se manifieste, dando ocasión para que lo remedien los que incurrieron en él sin intención y trabajando en todo caso contra la difusión de los falsos criterios.

La doctrina católica sobre la educación es clarísima, y nadie que sea católico sincero la podrá desconocer. «La misión de la educación toca, ante todo y sobre todo, y en primer lugar, a la Iglesia y a la familia», dice la encíclica «Divini illius magistri», de Su Santidad P. XI. El derecho educativo de la Iglesia y la Familia es anterior al del Estado, correspondiéndole a éste como misión propia la educación ciudadana o patriótica y como función secundaria, la de favorecer, proteger o completar la obra pedagógica de la Familia y de la Iglesia.

Estos principios son de derecho natural y de doctrina católica. Ningún Estado católico encontrará peligro para su estructura interna en el hecho de que la infancia sea educada por la familia bajo la guía de la Iglesia; antes bien se beneficiará grandemente con la llegada de las generaciones nuevas, cristianamente educadas, cuando los adolescentes salgan del círculo familiar para recibir la educación patriótica encaminada al bien común.

MORCILLO, C., «Educación religiosa en la Enseñanza Media», en *Revista Española de Pedagogía* 1 (1943) 99-116.

«EDUCACIÓN RELIGIOSA EN LA ENSEÑANZA MEDIA»

Si por primera vez hubiera tenido que pensar sobre el tema de la educación religiosa de los jóvenes, a fe que no hubiera osado aceptar la invitación que se me ha hecho para hablar ante una asamblea de catedráticos, que me impone, por su ciencia y experiencia, demasiado respeto. Habitualmente solicitado por atenciones de muy diversa índole que las docentes y sin haber tenido tiempo de recoger los datos de la experiencia de los profesores de Religión de los Institutos, mi contribución a vuestra tarea de reajustar y perfeccionar el plan de estudios del moderno Bachillerato, ha de resultar, por fuerza, demasiado endeble.

Y, no obstante, los organizadores de este Claustro pleno —que tal puede llamarse— no han querido que la voz de la Iglesia dejara de oírse aquí sobre el tema de la educación religiosa que a ella, más directamente que a nadie, compete. Entro, pues, en materia con clara conciencia de la honra que me hacéis y de la humillación al que me someto al erigirme en maestro de quienes lo son por derecho y vocación.

Vosotros, profesores de los Institutos de Enseñanza Media de España, tenéis planteado, para resolverlo, nada menos que el problema más grande y difícil de la vida humana: el de la formación de las generaciones jóvenes más selectas. En él se incluyen problemas de trascendencia tal como el porvenir de nuestro pueblo, como el de la justicia entre los pueblos y entre los hombres de una misma patria; como el de la disciplina y el estilo en la vida ciudadana, como el de la dirección de la sociedad, como el del porvenir de la ciencia española, como el de la salvación del alma.

Cada uno de estos problemas tiene de por sí profundidad y amplitud suficientes para merecer la atención sostenida y estudiosa de los hombres más preparados. Y es evidente que la solución de casi todos ellos dependerá, en parte considerable por lo menos, de la solución que se dé al problema de la educación religiosa.

Lo cual es ciertamente una razón más para que al comenzar mi lección y desarrollar unas cuantas ideas acerca del sujeto y del objeto de la educación religiosa y acerca del plan vigente de estudios religiosos, sienta casi abrumadoramente el peso de mi responsabilidad.

A) El estudiante de bachillerato, sujeto de la educación religiosa

He aquí una etapa difícil de la vida del hombre; indiferenciada y diferenciada; infantil y adulta; irreflexiva y crítica; sumisa y rebelde; disociada y una; anárquica y totalitaria.

El estudiante entra niño en el Instituto y en sus aulas se hace adolescente y de ellas sale pasando o a punto de pasar el puente de la pubertad.

El adolescente es el niño que quiere ser hombre, que se anticipa a ser hombre, que empieza a ser hombre. Sus notas psíquicas, como sus caracteres fisiológicos, difícilmente se pueden discriminar para clasificarlas como un valor substantivo; son indiferenciadas y acaso indiferenciables y en esta su indiferenciación está precisamente su nota individuante. La adolescencia se individualiza de las demás edades de la vida del hombre por su característica indiferenciación. Mas no sólo por ella, sino también por su rápida progresividad: la adolescencia es una edad de tránsito, y, como las etapas de transición de una civilización a otra, se complace en someter a su crítica todo lo que encuentra hecho o se construye ante sus ojos. Sus conclusiones, puestas por él mismo en continua revisión, no dejan de ser certeras muchas veces y casi siempre sedimentan en el alma para influir durante mucho tiempo, acaso durante toda la vida. No hay edad más vertiginosamente progresiva ni más fácilmente perfectible. Lo recibe todo y asimila no poco.

Rompe fácil y alegremente —irreflexivamente— con su tradición personal; se rebela contra el magisterio de todos aquellos que él considera inferiores, y para él lo son todos los que no han cursado estudios superiores o especiales. Por fortuna, reconoce sumisamente la autoridad de sus actuales maestros porque ellos saben más que él.

Para el adolescente, en la vida y en la ciencia apenas hay relación ni de continuidad, ni de mutua influencia, ni de causas y efectos. Generalmente, todo lo disocia y aísla: la vida familiar de la estudiantil, la vida religiosa de la vida social, la Matemática de la Filosofía, la Historia de lo Presente. Tendrán que venir los años adultos para descubrir las relaciones y harmonía de las ciencias y de las cosas. Sin embargo, sobre este fondo de anarquía el joven estudiante, acaso más que nadie, construye su criterio de unidad y bajo su imperio totaliza todos sus juicios. Si ha logrado comprender un principio moral y religioso, con él mide las acciones de cuantos le rodean, quizá con más atención y mejor, y desde luego con menor tendencia a la disculpa que los adultos. Si ha acertado a entrar en posesión de una ley científica o de una suma de conocimientos, los aplicará con rigor en cada caso que se le presente. ¡Magnífico alumno el adolescente con su espíritu abierto a todos los vientos del saber y del vivir!

Hasta matricularse en el Instituto el niño fue niño y no más que niño, es decir, fue discípulo de su madre. El mundo exterior y el mundo interior violos el niño con los ojos de su madre. Ideas, sentimientos, reacciones, transfundiéronse de la madre al hijo sin que éste acusara su propia personalidad. Su maestro de primeras letras ocupó una parte del trono de la autoridad reconocida por el niño, pero no desalojó totalmente a la madre. Los conceptos religiosos del niño, elaborados sobre las lecciones maternales, no trascienden apenas del mundo imaginativo, desarticulado y desvinculado de todos los problemas ideológicos y vitales.

En los años del Instituto, el niño se hace adolescente y, entre otras crisis, pasará por la de su independización de la tutela materna. Comienza a saber más que su madre y tanto como sus maestros de primeras letras. Comienza a explicarse por sus causas fenómenos cuya naturaleza le era desconocida. Comienza también a vivir su vida de compañero y de estudiante, lejos de la vigilancia materna, con la cual él se sentiría ya empequeñecido.

Y, lógicamente, nuestro adolescente desemboca en una actitud revisiva. El mundo de las ideas adquiridas en su infancia es demasiado pequeño y demasiado inconsistente para sostenerse en él, llegada la nueva era de la vida. Se impone la revisión implacable de todo a la luz de una inteligencia más cabal de las cosas, la cual, sin embargo, no desplaza totalmente a la imaginación y al sentimiento. El proceso revisionista adopta en el adolescente unas veces la forma continuativa, pero ocasiones hay —y muy frecuentes— en que se encierra en un círculo subjetivo y subjetivante, con interferencias y reacciones sentimentales y pasionales, que se proyectan sobre el mundo de su filosofía.

Tal acontece porque en los años últimos del Bachillerato el joven estudiante comienza a hervir en el fuego de pasiones nuevas, más violentas que las sentidas hasta entonces. Sus primeras condescendencias con ellas son de ordinario cronológicamente simultáneas a la psicalgia, del proceso revisivo de sus ideas. El choque entre las ideas antiguas de su infancia y las ideas concupiscentemente apetecidas por las nuevas pasiones suele ser violento y, muchas veces, se resuelve en favor de las últimas. Cierto es, sin embargo —y para el pedagogo lo más importante—, que en problemas de tamañas dimensiones no son puras ideas las que se mueven sobre el tablero del alma, sino, más bien, sentimientos erigidos en categoría de ideas, sin base racional intuitiva ni discursiva. Los sentimientos fácilmente se desalojan unos a otros si el que sobreviene gana en intensidad, en interés o en consecuencias al que le precedió. Sólo las ideas de mantienen en las grandes crisis, y para la vida solamente son eficaces aquellas que han logrado incorporarse como esclavos al sentimiento.

La revisión del mundo de las ideas infantiles y la emersión explosiva de las nuevas pasiones colocan al joven estudiante ante un panorama metafísico y social que no suele o quizá no puede soslayar. Como antes hemos notado, el totalitarismo psicológico del adolescente, dentro de una paradójica tendencia disociadora, polariza todas sus preocupaciones metafísicas en función de sí mismo. Él vive y en el mundo viven otros seres innumerables; a su vida nació ayer y no querría dejarla mañana. La humanidad pervive sobre la ininterrumpida fluencia de los individuos. El se siente miembro de una sociedad en la que los problemas que él se plantea están ya oficialmente resueltos, por más que muchos de sus miembros vivan dislocados y caminen contra corriente. La preocupación metafísica le lleva a enfrentarse con el concepto trascendente del mundo y de la vida; la procupación social le relaciona con los seres que a su lado lucha, trabajan, triunfan y mueren.

Por ambos motivos y por exigencia de su naturaleza, entonces ascendente, el joven bachiller sitúa sus pensamientos y sus propósitos en un actitud heroica y ambiciosa, que es quizá la nota más noble de la primera juventud. A todo se atreve, lo puede todo, ante nada se detiene. Ambiciona las empresas más dificultosas, sueña con realizar quimeras irrealizables, desprecia los caminos fáciles y asendereados. ¡Dichosa edad que no sabe de tacañerías y cómodas posturas! ¡Qué gran vasallo cuando le manda gran señor!

B) El objeto de la educación religiosa

Cuanto llevamos dicho, dicho está del adolescente que estudia Letras o Ciencias, Arte o Artesanía, porque en dondequiera el adolescente se manifiesta con caracteres de un fondo común. Por lo que a su educación religiosa se refiere, todos los factores enumerados deben ser habidos en cuenta, tanto más cuanto que en su ámbito es donde las oscilaciones de la edad se presentan más nítidas y más peligrosas.

La experiencia personal de cada uno de nosotros registra lo penoso de nuestra crisis en sus diversas etapas: el mimetismo psicológico que nos arrastraba a ser hombres antes de tiempo, la revisión entre dolorosa y complaciente de nuestras ideas religiosas elementales, la sorpresa de los combates de la pubertad, la actitud preocupada —neurastenia metafísica podría llamarse— ante las ideas trascendentes, y, por fin, la entrega generosa al ideal si es que tuvimos la fortuna de encontrarlo.

Todos estos rasgos de evolución juvenil son, en el orden religioso, especialmente peligrosos porque todos ellos acusan un afán de independencia y libertad que mal se compadece con los rígidos preceptos morales a través de los cuales casi exclusivamente contemplábamos la religión, y todavía se herman peor con el concepto semifabuloso, semiimaginario que, cuando niños, nos formamos de la misma.

Presupuesto, pues, todo lo que antecede, fácil es precisar el objeto de la educación religiosa en la Enseñanza Media, porque, o, en su programa máximo, aspira a hacer del alumno un hombre católico de convicción y de conducta, o, en su programa mínimo, aspira solamente a darle un elemento primordial de Cultura, un sistema moral y metafísico, o un criterio histórico con el que interpretar los hechos de las generaciones que nos antecedieron. Cualquiera de los dos supuestos nos conducirían a parecidas conclusiones pedagógicas, pero es claro que en la hora católica de España que vivimos sonaría a tracición y cobardía toda conformidad con el concepto liberal de la educación y equivaldría a tanto como rebajar el concepto de educador y de educación. Digamos, pues, de la educación religiosa que no se limita a instruir con fines culturales, sino que, además de instruir, se propone formar normas de fe, de moral y de virtudes cristianas.

¿Cómo ha de ser según esto la educación religiosa en la Enseñanza Media, y más concretamente, en los Institutos oficiales del Estado?

La indiferenciación, base de la caracteriología de la adolescencia, y más típicamente de la primera adolescencia, que se hace disociadora y anárquica, por irreflexiva, nos lleva, ante todo, por ley de contraste que con frecuencia se da en la vidla del adolescente, a presentar la Religión panorámica, pasando por sobre toda el área de sus enseñanzas dogmáticas, morales, litúrgicas e históricas, conectando siempre la idea religiosa, como totalitaria y absorbente que por naturaleza es, con el mundo exterior creado y con el mundo interior redimido por Dios y ennoblecido por la Gracia. Visión panorámica, digo, para el primero o primeros cursos, sin grandes perfiles y sin muchas exigencias, porque ni el órgano visual lo consiente ni el panorama es obra de miniaturista. No es poco ganar en el alma del educando la batalla de la confianza en las enseñanzas que recibió de su madre y de sus primeros maestros. No es menos fijar desde el principio su atención en las relaciones que el mundo de las cosas y el mundo de su conciencia tienen con el Creador y Redentor, pues en rigor científico la Religión no se puede definir sino incluyendo el concepto de relación mutua entre criatura y Creador.

Mas aquella nota de rápida progresividad y de fácil perfectibilidad que atribuíamos al adolescente nos impone la necesidad de no cerrar el libro de la enseñanza religiosa en ninguno de los años en que el joven estudiante hace su camino progresivo en el estudio y se perfecciona en el cultivo del saber básico. Correríamos, de no hacerlo, el riesgo de producir un desequilibrio, de establecer una desproporción peligrosa entre el saber científico y el saber religioso del muchacho. Peligrosa porque desconceptúa a la Religión como asignatura, y más peligrosa aún porque recorta su ámbito científico y lo reduce a instrumento pedagógico de enseñanza o educación elemental. La educación religiosa en la Enseñanza Media debe, por tanto, desarrollarse en progresión cíclica al menos durante los primeros años, y extenderse a todos los cursos del Bachillerato, siquiera en los últimos se deje el plan cíclico para estudiar más detenidamente las partes más importantes de la ciencia religiosa.

Incontrovertible es el hecho de que en la adolescencia, por primera vez, hace el hombre revisión de sus ideas. El espíritu crítico se aplica sin restricciones a todos los conocimientos que viven remolcados de la etapa anterior. En el campo religioso la revisión es más severa por cuanto lo que el niño aprendió, envuelto lo aprendió en relatos históricos casi siempre mezclados por el que se los enseñaba con adornos de fantasía y de leyenda; casi siempre también su religiosidad infantil no rebasó la linde del sentimentalismo porque de sentimientos, y no de conceptos, vive el niño, y de sentimientos más que de conceptos le habló su madre, o le habló su maestro. Ante una actitud reflexiva hipercrítica, como la que el adolescente adopta frente al fenómeno religioso, el educador ha de pensar forzasamente en dar al alumno una enseñanza científica, que vale tanto como decir razonada, de la Religión. Tiene la Religión sus dogmas, sus preceptos morales y sus ritos. El buen educadcor ha de hacer la exposición completa de todo el contenido doctrinal de la Religión porque todo él es necesario, pero en su labor docente no debe faltar el rigor científico que ennoblece las disciplinas, ni, por consiguiente, debe estar ausente el matiz apologético para el joven estudiante —hipercrítico y revisionista por natural evolución— tiene un valor más decisivo que para los que, con la madurez de los años, aceptamos la fe como el medio más adecuado para saber de Dios y de sus misterios insondables.

Es ésta, a mi entender, razón bastante para propugnar por una parte instrucción religiosa del estudiante. Nuestra generación, educada con criterios liberales, cruzó los caminos de la adolescencia con un bagaje religioso que casi íntegramente se componía de sentimientos y ciertas prácticas externas; no dejaba de influir en aquel sistema la filosofía subjetivista de Kant, que era por entonces el filósofo de mayor magnetismo, y la filosofía religiosa de Schleiermacher, toda ella fundada en el sentimiento religioso y en la interna experiencia, con menosprecio y desestima del valor de la razón. Ritschl, en Inglaterra, y Sabatier, en Francia, trajeron a tiempos más recientes lals mismas afirmaciones sentimentalistas de Schleiermacher. Y de ellals al agnosticismo e inmanentismo de Loisy, de Le Roy, de Murri, de Tyrrell, de Schell y de todos los modernistas, dura y eficazmente condenado por Pío X en la Encíclica *Pascendi,* no hay sino un breve paso que fue dado por éstos y otros teólogos de principios de siglo. Nuestra generación acaso no acierte a comprender la razón de tan extensa y acabada educación intelectual y religiosa como propugnamos, pero, sin acudir a ejemplos extranjeros, contemporáneos que a todos son bien conocidos, séanos permitido recordar el intelectualismo religioso de nuestra gloriosa Universidad española, que no fue sino una colosal cátedra de Teología distribuida en las clases de Prima y Vísperas y resonando en todas las aulas del Imperio y en todos los estamentos del Estado.

A la misma conclusión se llega por otro camino bien extraño; por el camino de la Moral y de la moral más interna. La Religión, fundada exclusiva y casi exclusivamente sobre el sentimiento, no gana en interés ni en atracción a otros sentimientos que, en forma huracanada, brotan en el joven educando. Si la Religión es poco más que sentimiento, anulada quedará bajo estratos sentimentales más poderosos. Imantado el joven por una pasión de juventud a la que el sentimiento religioso manda sofrenar o, por lo menos, encauzar, si cae, no será sin dejar jirones de su religiosidad sentimental en la caída y cediendo de ella gran parte de su eficacia. Las caídas repetidas en tal proporción atenuarán el sentimiento religioso, que la fe, carente de ideas y principios firmes, naufragará sin esperanza apenas de resurgir un día, cuando el vendaval se encalme.

Estimamos, pues, que la enseñanza religiosa del Bachillerado debe ser tan extensa como lo pernitan los siete cursos de que éste consta, y tan científica o razonada como lo son las demás disciplinas de su plan de estudios.

No quiera esto decir que la educación religiosa del estudiante haya de limitarse al cultivo de su inteligencia. Ya hemos visto al bachiller adolescente sentirse hombre social porque empieza a entrar en el seno de una sociedad de la que se considera miembro; ya le hemos visto también agitarse en brava lucha con pasiones y tendencias que parecen incoercibles. La actitud social del joven resucita en nuestra mente un caoncepto de la Iglesia, y, por tanto, de la vida religiosa que no puede olvidarse en las tareas de la educación. La Iglesia no es sólo una sociedad que recnoce u otorga derechos e impone deberes; es también un organismo espiritual, místico, que tiene una vida sobrenatural propia y unas operaciones propias misteriosas, espirituales, pero reales; vida que va de la cabeza, Cristo, a los hombres que son sus miembros, por la vía de los sacramentos, y que se intercambia de unos miembro a otros por mutuas influencias, y que, llevada a sus últimas consecuencias, se refleja beneficiosamente en la misma vida material y temporal de la sociedad cristiana. Esta doctrina del Cuerpo Místico tiene su externa expresión y su fuerza vincular en la liturgia, en la que todos los fieles deben participar; mediante ella se renuevan las motivaciones sobrenaturales para bien obrar y se estimulan las razones de solidaridad cristiana que nos obligan a contribuir activamente, como miembros vivos, a la vida de todo el organismo y a no pesar sobre él como miembros muertos o paralizados o enfermizos. La Liturgia, la Historia Eclesiástia y la Vida Sobrenatural reclaman su puesto en la educación religiosa del adolescente; la Vida Sobrenatural para aprender a vivirla, la Liturgia para expresar la función social de la vida religiosa y el reconocimiento del supremo dominio de Dios; la Historia para conocer las vicisitudes por que ha pasado el organismo sobrenatural del que forma parte.

Finalmente, la lucha que el joven ha de sostener y la actitud heroica y generosa en que la edad le coloca nos pide la instrucción ascética de sus potencias y la invitación razonada y vibrante a un ideal de perfección sobrenatural que, si lo conoce, el joven lo deseará con ahínco y lo seguirá sin desfallecimientos.

Todas las razones pedagógicas nos invitan, por consiguiente, a llenar el Instituto de ideas religiosas que, sistematizadas, vayan dando al alumno un cuerpo de doctrina, y proporcionándole razones de inteligencia que, llegado el caso, se sobrepongan a las temibles razones del corazón, de que habló el filósofo. Solamente en el caso de que las aulas del Instituto fueran frecuentadas por alumnos de otra profesión religiosa ditinta de la católica, o por jóvenes ajenos —teóricamente no se dan— a toda preocupación religiosa, admitirían revisión las conclusiones a que una Pedagogía sincera y eficiente nos conduce. Y aun entonces, el estudio de la Religión Católica sería vehementemente aconsejable como elemento de cultura, como factor importantísimo de la Historia, como metafísica, y como vida y norma de vida.

El alumno de otra fe religiosa no deberá ser obligado a prácticas y cultos de la Religión Católica, por sí deberá serlo al estudio de su moral, de sus Dogmas y de su Liturgia para que, si es español o extranjero que vive y se educa en España, puede valorar en su justa estimación los hechos de nuestra Historia.

C) El plan de estudios vigente

No pueden recordarse sin emoción las circunstancias históricas en que se pasó del laicismo republicano a la nueva era de la enseñanza religiosa. Eran los días, cargados de dolor y gozo, del Alzamiento; eran los albores de la gran Cruzada. No eran transcurridos más de dos meses cuando, en 22 de septiembre de 1936, la Junta Nacional de Defensa ordena que la religión sea obligatoriamente enseñada en casi todos los cursos de Bachillerato. La Orden, con ser todavía imprecisa, tiene el valor singular que le dan las circunstancias: el naciente Estado nuevo vive días de pesadilla, entre la malla de mil problemas abrumadores y, sin embargo, estima que la educación religiosa de la juventud es tan apremiante como ganar las batallas militares; la Orden, además, rompe sus lanzas contra el catolicismo vergonzante de los tiempos liberales e impone la enseñanza obligatoria, y en casi todos los cursos, en vez de mantener la ficción aquella de los dos cursos de carácter potestativo para el alumno.

Otra Orden de 9 de diciembre de aquel año, y otra más de 7 de octubre del año siguiente (1937), precisan el alcance de la de septiembre de 1936, determinando las asignaturas que se han de explicar para la mejor instrucción religiosa de los alumnos.

Por ley de 20 de septiembre de 1938 se establece el nuevo Plan de Estudios del Bachilerato, y en él aparece la Religión como la primera asignatura de todo el Plan, obligatoria en todos los cursos. El Gobierno español acude entonces, como es natural a la Jerarquía de la Iglesia para que sea ella la que determine el modo y la extensión de los estudios religiosos, y en el propio Cardenal Gomá quien redacta los cuestionarios de la forma que todos vosotros conocéis, y distribuye las asignaturas en sus cursos correspondientes. El plan del Ilustre Cardenal experimentó una modificación, que fue sugerida por el Ministerio: aquél había puesto la importante disciplina de Apologética en el séptimo año, pero existiendo por entonces el propósito de hacer un Bachillerato más breve, de cuatro años, para carreras cortas, juzgóse más conveniente trasladar al cuarto curso la Apologética, con objeto de que todos los alumnos la estudiasen antes de abandonar el Instituto. Con ello se ganó en extensión lo que se perdió en intensidad.

El plan actual de enseñanza religiosa en el Bachillerato es completo en su género, como hecho por mano maestra. Comienza con el repaso general y ampliación de la Doctrina cristiana que el niño aprendió en su casa o en la escuela, y continúa con el estudio del Evangelio, de la Historia y la Liturgia, de la Apologética, del Dogma, la Moral y la Vida sobrenatural. El curso dedicado a cada asignatura corresponde sensiblemente a las diversas fases por las que pasa, según hemos visto, el adolescente.

El 31 de octubre de 1940 se publicó una Orden Ministerial sobre el régimen de internado en los Institutos de Enseñanza Media, y en ella se dispone que los profesores de Religión habrán de ser a la vez Directores espirituales del alumnado; y de su competencia será el organizar, dentro de las posibilidades del horario y de los medios de que dispongan, las prácticas cotidianas de piedad, la celebración de las fiestas religiosas y los ejercicios espirituales, de acuerdo con las Autoridades Académicas. Al Director Espiritual, por razones evidentes, se da entrada por la citada Orden Ministerial en el Consejo de Dirección del Instituto; y en el horario de la tarde se consigna, sin embargo, una sesión de no más duración que una hora, dedicada a disciplinas de no gran tensión psicofísica, como Dibujo, Música, Artes, Lenguas vivas o Religión.

Por último, en la educación artística se mencionan los Cantos Religiosos como parte integrante de la misma.

El plan de enseñanza religiosa en su conjunto no puede merecer más que alabanzas. Sus cuatro años de vigencia demuestran ya su eficacia, pues, aparte las pruebas oficiales, yo mismo he podido examinar trabajos escritos de los alumnos de diversos Institutos y comprobar en círculos de estudio su adecuada preparación. He visto también a los alumnos de Institutos oficiales asistir en masa a actos religiosos y hacer ejercicios espirituales, con el mismo recogimiento y compostura que los fieles más conscientes.

Mas aunque ésta no sea la ocasión ni el lugar de resolver problemas de esta índole, que el Ministerio, si el caso llega, habrá de estudiar poniéndose al habla con la Jerarquía Eclesiástica española, por medio de la Comisión Episcopal de Enseñanza religiosa, no nos está vedado hacer aportaciones que pueden ser útiles para la mejor formación de la juventud estudiantil. Se referirán nuestras observaciones a pormenores del Plan vigente, siquiera alguna de ellas —la que se refiere al Director Espiritual— nos parezca de excepcional importancia.

Y lo primero es que la disciplina de Apologética, supuesta la renuncia al Bachillerato breve, estaría mejor situada en el séptimo curso, último del Bachillerato, cuando ya el alumno ha recorrido las ciencias y la Filosofía, canteras de donde más frecuentemente salen las objeciones con la Religión, y cuando el alumno se ha formado una base filosófica y, más especialmente, criteriológica, de gran utilidad para los estudios apologéticos.

En el horario modelo publicado con la Orden ministerial de 31 de octubre de 1940 se incluye a la Religión entre las disciplinas que no exigen gran tensión psicofísica, equiparándola al Dibujo (que no puntúa), a la Música y Artes (que no existen como asignaturas) y a las Lenguas vivas (que se estudian menos ahincadamente que otras asignaturas). Como consecuencia de ello, en el citado horario se asigna a la Religión una hora solamente, y la menos apta para el trabajo intelectual, que es la primera de la tarde, contra hora y media (mitad para el estudio y mitad para explicar) que se concede a las restantes disciplinas. Sin duda, no se ha tenido en cuenta que con tal disposición se rebaja la Religión como asignatura a la categoría ínfima, a pesar de haber sido reconocido su estudio como fundamental en el Bachillerato; y se ha olvidado que la asignatura de Religión, verdadera Teología en pequeño, es ciencia, verdadera ciencia, inductiva y deductiva, especulativa y práctica, que exige tanto esfuerzo psicofísico, por lo menos, como la Filosofía, como las Metemáticas, como las Lenguas clásicas. De desear sería que, provocando la oportunidad —y esta vuestra Semana podría ofrecerla—, se rectificase desde el *Boletín Oficial* aquella disposición en lo que a la asignatura de Religión se refiere.

Esa misma Orden Ministerial introduce una acertadísima innovación, dotando a los Institutos de Director espiritual, con el cometido de dirigir, de acuerdo con las autoridades académicas, la vida religiosa de los alumnos. Responde la innovación a un concepto cabal y completo de la educación religiosa, que, si no puede ser exclusivamente intelectualista y teórica. Serán Directores espirituales, según la citada orden, los mismos profesores de Religión, cosa canónicamente aceptable, porque Director espiritual no es lo mismo que Confesor, y el Profesor, si no debe ser confesor de sus alumnos, puede ser, sin inconveniente, Director espiritual del Centro. No obstante, solución perfecta sería, por muchas razones, la que separase la persona del Director espiritual de la del profesor. En la práctica, sin embargo, el profesor que quiera cumplir sus deberes de Director espiritual —y debe cumplirlos—, habrá de consagrar a su doble tarea dentro del Instituto la mayor parte de su día, y vosotros sabéis que la exigua dotación que tiene no permite actitud tan inhumanamente desprendida. En la capilla del Instituto habría de celebrar, habría de atender a los problemas espirituales de los alumnos que a él se acercaran, habría de dirigir activamente los actos de formación piadosa, y habría de explicar sus clases de cada día. Creemo que este importante problema no se resuelve si no es elevando al profesor de Religión al rango de catedrático, con todas sus consecuencias de dotación y de derecho a voto en el Claustro. A ello se opone actualmente la diversa condición del catedrático, que no entra sino por la puerta de la oposición, y la del profesor de Religión, que lo es por nombramiento ministerial, a propuesta del Obispo del lugar; mas no sería difícil, ni por parte del Ministerio ni por parte de la Iglesia, convenir en un sistema de oposición, con intervención de los dos poderes, para la designación de catedráticos de Religión, mediante la formación de listas de candidatos idóneos, de las cuales habrían de extraerse los nombres de los propuestos al Ministerio, y siempre que se reconociese a la Iglesia el derecho de retirar al catedrático de Religión cuando su magisterio sea deficiente o cuando se den otros motivos canónicos de los que solamente la Iglesia puede juzgar.

Organizada con todas las garantías la dirección espiritual y la enseñanza religiosa en los Institutos oficiales, alcanzarían éstos toda la estimación que están llamados a tener en el concepto público y retornarían a ellos corrientes que, en tiempos de menor preocupación educativa, de ellos se desviaron.

Ha terminado, señores, mi intervención en este Claustro plenario que celebráis y al que para honra y humillación mía me invitasteis. Cedo a vosotros ahora la responsabilidad que, al comenzar, tanto me abatía.

En vuestra labor de educadores no olvidéis que el mundo todo está presidido y ordenado por una ley de unidad que subordina el orden natural al orden sobrenatural y las criaturas al Creador.

Al formar a vuestros alumnos poner en España los ojos del corazón, que son ojos de amor, y de España elevad a Dios el pensamiento, que España es la nao y el brazo de las empresas de Dios.

Conferencia pronunciada por el ilustrísimo señor don Casimiro Morcillo, Vicario general del Obispado de Madrid-Alcalá, el día 18 de diciembre de 1942 en la Semana de Enseñanza Media Oficial.

CASADO, H., «Por la unidad y la paz escolar. Necesaria convivencia de la Enseñanza Oficial y la Libre», en *Ecclesia* 530 (1951) págs. 11-12.

POR LA UNIDAD Y LA PAZ ESCOLAR. NECESARIA CONVIVENCIA DE LA ENSEÑANZA OFICIAL Y LA LIBRE

Desde que la Constitución del 76, en su artículo 12, proclamó la libertad de enseñanza, hasta 1938, los españoles apenas disfrutaron de otra libertad que de la consistente en una pura autorización de centros llamados libres, pero bligados a trabajar en condiciones de servidumbre. Porque una enseñanza libre sometida en todo, no ya al Estado en lo que es razonable, sino a la oficial de su mismo grado (los colegios a los institutos), verbigracia, en inspección, en pruebas de suficiencia, en cuestionarios, en libros y aun en métodos pedagógicos, y, no sólo legalmente excluida de toda participación sistemática y reglamentaria en el presupuesto de Educación Nacional, sino agobiada con contribuciones y cargas, no es libre, sino sierva. Con la servidumbre del profesional que no pudiera realizar ningún acto de su oficio sin la previa e indispensable autorización, concomitante inspección y subsiguiente comprobación de un colega en su mismo categoría, que, a su vez, actuara con independencia absoluta. Esta servidumbre impuso a la enseñanza no oficial el liberalismo del siglo XIX; subsistió en la enseñanza media hasta el año

1938, y subsiste aún, en parte, en la enseñanza media —mezclada ahora en algunos aspectos con libertinaje—, y totalmente, en la enseñanza superior, ya universitaria propiamente dicha, ya profesional y técnica. Porque en la enseñanza media preuniversitaria se ha logrado la independencia de los centros libres respecto de los institutos en materia de programas, textos y exámenes; pero todavía pesan sobre ella desigualdades injustas: en principio no participa del presupuesto de Educación Nacional, antes lo nutre con contribuciones múltiples; paga además matrículas como retribución de servicios que no recibe del Estado ni de los centros oficiales; no está representada equitativamente en el Consejo de Educación Nacional; sus estudios no son convalidados en la carrera de Comercio, siéndolo los de los institutos nacionales; ha de soportar además la imposición de instructores de educación política, física, deportiva y doméstica, que ella podría suministrar por sí misma. Y esta enumeración no es completa.

Desigualdad de trato

En la enseñanza media profesional se han sancionado, entre otras injustas desigualdades, dos: los alumnos de los centros libres han de dar sus exámenes finales ante tribunales formados, en la totalidad de sus miembros, menos uno, por los profesores de los centros oficiales; y los alumnos que desean pasar al bachillerato universitario no sólo habrán de ser examinados por jueces de los centros oficiales, sino que habrán de cursar los dos años restantes en un instituto nacional, no en un colegio reconocido, siendo así que éste está en todo equiparado al instituto en cuanto a su aptitud para preparar para la universidad al bachiller durante los siete cursos reglamentarios.

En la enseñanza superior puede afirmarse que, fuera del reconocimiento otorgado a los derechos docentes de la Iglesia, prácticamente inoperantes mientras no se regule su ejercicio por una disposición concordada, estamos ahora donde estábamos antes de la Cruzada nacional. Pueden abrirse centros de cultura superior y, en ellos, cursarse los estudios universitarios; pero a condición de dar exámenes por años y asignaturas en las universidades del Estado. Esos centros, llamados libres, se consideran siempre de pago, y, como tales, sujetos de cargas fiscales, y en modo alguno objeto de reglamentado apoyo económico estatal.

La excepción hecha el 10 de agosto de 1950 con el I. C. A. I. se refiere únicamente a los estudios de Electromecánica; y el grado de ingeniero del I. C. A. I., conferido después de sufrir un examen ante el tribunal donde figuran un presidente y dos vocales nombrados por el Estado y dos por el I. C. A. I., no queda equiparado totalmente al de las Escuelas especiales.

En la enseñanza primaria la libertad siempre ha sido mayor, y sigue siéndolo. Ello es notorio y no tenemos tiempo de señalar sus características ni los motivos que dan explicación al hecho.

Pero de lo antedicho consta que, en su conjunto, la enseñanza no oficial no ha conseguido aún su manumisión; esto es, su absoluta independencia de la oficial de su misma clase y su dignidad ante la consideración y protección del Estado.

Monopolio atenuado

Existen dos clases de monopolio: la prohibición absoluta de toda enseñanza no estatal, que es el monopolio radical y sin disimulos ni atenuaciones, y la autorización de centros no oficiales, pero con la sujeción antes mencionada a los oficiales de su grado. Este segundo monopolio, doblado con graves exigencias tributarias y exclusión de todo apoyo económico estatal, reglamentario y permanente al menos, ha sido y es el vigente en España, como situación legal de la llamada enseñanza libre, ya en su grado máximo en la superior, ya en grados intermedios en las demás, como queda indicado.

Si esa situación, como todo monopolio de la enseñanza, es antípoda de la libertad e ilegítima, a tenor de la Encíclica «Divino illius magistri», vanamente se pretenderá justificarla con la necesidad que tenía el Estado de impedir el libertinaje mediante el debido control. Porque ese libertinaje debía impedirse, pero sin sacrificar la libertad misma. Y la libertad queda siempre sacrificada cuando el órgano que ejerce el control no es un ente superior e imparcial por naturaleza respecto de las partes controladas, sino una de ellas. Ésta, unas veces por exagerado espíritu de cuerpo; otras, quizá, por ambición e interés, suele convertir instintivamente su privilegiada posición en instrumento de dominio sobre su émula, de forma que al par que pone trabas injustas a su acción y sofoca en ella las más nobles iniciativas y la conciencia de responsabilidad, se priva a sí misma del necesario acicate de la competencia.

CONDICIONES DE UNA EFICAZ LIBERTAD

La única manera legítima y eficaz de crear la libertad y, una vez creada, impedir que degenere en libertinaje, es: predefinir las condiciones que han de reunir los centros «todos», primarios, medios o superiores, de cualquier materia o profesión, para que el Estado, otorgue a sus estudios y grados valor público y profesional; una vez establecidas legalmente esas condiciones, reconocer la pública existencia de cuantos centros las reúnan; crear un organismo imparcial que compruebe su cumplimiento, ya mediante oportunas inspecciones, ya mediante discretos exámenes: organismo que ha de actuar con la misma autoridad sobre los oficiales que sobre los libres, y a nos y a otros ha de vigilar, amonestar y sancio nar con el mismo derecho; y, finalmente, dispensar a unos y a otros la protección, aun económica, que la naturaleza de cada uno y su eficiencia educativa reclamen.

La unidad escolar, a que aludía el señor Ministro de Educación Nacional en una de sus primeras manifestaciones, no puede consistir sino en la pacífica y cordial convivencia de la enseñanza oficial y de la libre; pero esa paz y cordialidad no podrá lograrse sino por un estatuto justo en sí; esto es, que garantice del modo dicho la libertad cristiana, sin la cual no puede haber justicia, y que sea sinceramente reconocido y aceptado como justo por la oficial. Justo en sí. Porque la paz estable, la verdadera paz, no puede fundarse en la injusticia. «Opus justitiae, pax». Y ya hemos dicho antes que la sujeción de los diversos grados de la enseñanza libre a los correspondientes de la oficial es la negación formal de la justicia y la expresión más sutil de la servidumbre y del monopolio. Es, pues, necesario que en todos los órdenes de la enseñanza desaparezca. Mientras subsista, en mayor o menor grado, la enseñanza libre —que en su mayor y mejor parte es de la Iglesia— se sentirá oprimida y no cesará de protestar contra sus opresores ni de reaccionar contra la ley injusta, y no habrá paz ni cordial unidad. En las actas de los congresos católicos españoles de fines del pasado siglo y principios del corriente, dirigidos y autorizados por los Obispos, en las cartas pastorales y otros escritos de los Prelados en las publicaciones de benemeritos adalides de la libertad de la enseñanza, en las actuaciones de la F. A. E., portavoz de toda la enseñanza libre española, y en particular de los institutos religiosos y en las asambleas de los Padres de Familia, vibran siempre los acentos de la más cordial indignación contra el monopolio oficial.

Asimismo, ese estatuto debe ser aceptado como justo por la enseñanza oficial. Porque mientras ésta, acostumbrada al privilegio, no asimile la verdadera doctrina que hemos expuesto y se crea humillada y postergada por el hecho de no reconocérsele la injusta hegemonía que aun hoy ejerce en algunos sectores, no cesará de conspirar contra las conquistas de la cristiana libertad, ni dejará a la libre gozar tranquila de ellas.

Vigencia de una cristiana libertad de enseñanza y aceptación cordial de esa libertad por la enseñanza llamada oficial, son los dos requisitos esenciales a la verdadera y deseable unidad escolar.

Contra prejuicijos y susceptibilidades

Esto no significa que mientras todos los elementos de la enseñanza oficial no se avengan con la libertad de enseñanza, ésta no deba implantarse. Entonces habría, probablemente, que aguardar hasta el fin del mundo, y, ciertamente, ni la Patria ni la Iglesia pueden aguardar tanto. Por otra parte, no se ve por qué no ha de implantarse la libertad, para no disgustar a los partidarios y beneficiarios del monopolio, y, en cambio, se ha de conservar el monopolio, disgustando e injuriando a la Iglesia y a todos los amigos de la cristiana libertad y causando a la Patria males gravísimos. ¿Por qué se ha de cotizar más el injustificado descontento de los secuaces del monopolio que el nobilísimo de los defensores de la libertad? Más razonable sería lo contrario y aun lo único razonable. Máxime, cuando el número de los que prefieren la enseñanza libre es, como en España, una enorme mayoría, mayoría que se ha de estimar no sóplo por la mayor población escolar concurrente de hecho a los centros libres donde quiera que existen, a pesar de ser más caros, sino por muchos otros padres de familia que la quisieran para sus hijos, pero no se la pueden procurar, ya por falta de centros, ya por saturación de alumnos, ya también por falta de recursos..

Creemos, por lo demás, que no hay medio más eficaz para convencer las inteligencias prevenidas con prejuicios y corporativos intereses contra la verdad de la libertad, que el hecho, sancionado legalmente, de la libertad misma, máxime si se justifica mediante sabia, continua y autorizada propaganda y se acredita en la práctica —como se acreditará— cual condición de progreso y bienestar. El monopolio, por contrario a la naturaleza, jamás podrá acreditarse de favorecerla en modo alguno. Más hacedero es justificar ante la pública opinión la cristiana libertad, una vez que existe, y estabilizarla, que convencer lógicamente de su conveniencia y necesidad a los partidarios del monopolio mientras de él gozan. Éstos nunca quieren que la liberetad sea verdad, y jamás se ve como verdadero lo que se quiere que sea falso, o a lo menos, lo parezca, para que siga pareciendo verdadero lo que es útil y agradable.

REQUISITO ESENCIALES DE LA LIBERTAD DOCENTE

Debe, pues, empezarse por imponer un régimen de libertad en todos los frentes de la enseñanza. Ese régimen implica, entre otras, las siguientes directrices fundamentales:

Primera. Ninguna clase de enseñanza debe reservarse al Estado, ni con monopolio directo ni con indirecto, salvo aquella o aquellas necesarias para la formación de ciertos especiales funcionarios suyos que realmente no pudieran formarse adecuadamente bajo la dirección de instituciones no oficiales.

Segunda. Todos los centros educativos y docentes de cualquier grado que reúnan las justas condiciones exigibles para que a sus estudios y grados o diplomas se les reconozca valor público y profesional —función propia del poder público—, tienen estricto derecho a que el Estado les otorgue ese reconocimiento, y el Estado, correlativamente, está obligado a otorgarlo.

El Estado puede y debe precisar esas condiciones, pero no caprichosamente, sino conforme a las exigencias del bien común, y, en todo caso, sin someter directa ni indirectamente los centros libres de un grado a los oficiales del mismo. para determinar cualesquiera condiciones que hayan de afectar a los centros de la Iglesia, un Estado católico debe consultarla y actuar de acuerdo con ella.

Tercera. Entre los múltiples medios apropiados para adquirir información sobre si se dan o no las condiciones requeridas para merecer el antedicho reconocimiento, y conservarlo una vez obtenido, pueden contarse la inspección seria e imparcial o el examen de todos los alumnos ante tribunales iguales para todos, con igualdad legal y efectiva; pero en modo alguno la comparecencia de los alumnos de los centros libres ante los profesores de los oficiales de su grado, constituidos en tribunal solos o en mayoría. Porque es esencial a la libertd de enseñanza la independencia absoluta de los centros libres respecto de los oficiales de su mismo grado, verbigracia, de los colegios, respecto de los institutos, de las facultades o universidades libres, respecto de las estatales. Una cosa es la sumisión de toda la enseñanza no puramente eclesiástica al Estado y otra la sumisión a la enseñanza oficial. La primera no es contraria a la libertad; la segunda, sí.

Cuarta. En los organismos legislativos, consultivos, inspectores y examinadores, se ha de dar a la enseñanza libre la representación y participación que le corresponda, y en ningún caso debe quedar en ellos y por ellos sometida a la enseñanza oficial de su mismo categoría.

Quinta. Se ha de elaborar un estatuto que regule conforme a la justicia distribuitiva la situación económica de los centros libres, que también tienen derecho al apoyo pecuniario estatal. Considerarlos por naturaleza como entidades de lucro, incapacitadas para participar reglamentariamente del presupuesto de Educación Nacional, es erróneo y contrario al derecho natural.

Sexta. ¡A los centros —libres u oficiales— que no reúnan las competentes características para merecer el valor profesional público de sus estudios y grados, se les ha de dar un estatuto especial que fije el ámbito de su autonomía y determine la forma de su inspección y exámenes, de manera que se evite la licencia dañosa a la buena formación, y no menos la servidumbre contraria a la iniciativa y a la evolución progresiva del centro.

Séptima. Se ha de evitar toda disposición legal por la que se impongan a los centros libres instructores estatales de cualquier clase de educación, verbigracia, política, física, deportiva y doméstica, que ellos, con medios propios, puedan y quieran dar.

Octava. Finalmente, discriminaciones que otorgan privilegio real no al mérito objetivo de las instituciones, sino a su carácter de oficiales, son contrarias a la justicia e incompatibles con la cristiana libertad.

Novena. Criterio fundamental del Estado ha de ser fomentar la enseñanza libre hasta el punto de que no sea necesaria la oficial ni exista sino a título de suplencia; no hacerla por sistema más difícil ni en punto a exámen e inspecciones ni en el aspecto económico.

CONCORDIA DE INTERESES Y EQUILIBRIO DE FUERZAS

Sólo así hará cuanto debe por la libertad, que es el único régimen de justicia y condición indispensable de la convivencia pacífica y fraternal.

Es un hecho renovado cada día que para defender la libertad de enseñanza se invocan los derechos de los particulares, de la familia y de la Iglesia, y para imponerse restricciones se apela a los derechos del Estado en cuanto tutor y promotor del bien común.

Reconociendo los derechos individuales, familiares y eclesiásticos se redactan artículos como el 12 de la Constitución del 76 y el quinto de Fuero de los Españoles, en que se afirma la libertad de enseñanza en general; pero recordando las exigencias del bien común y los derechos y deberes del estado a su respecto, se promulgan leyes, decretos y órdenes ministeriales que cincunscriben el margen de sus evoluciones y a veces la anulan por completo.

Que haya de haber tensión entre estos dos polos es indudable, porque la libertad sin control sería libertinaje, como el gobierno sin libertad es tiranía; y ni el libertinaje ni la tiranía son el ideal del régimen político.

«El Apostolado de la Educación y los derechos en ella de la Iglesia. Instrucción de la Conferencia de Metropolitanos», en *Ecclesia* 536 (1952) págs. 11-13.

EL APOSTOLADO DE LA EDUCACIÓN Y LOS DERECHOS EN ELLA EN LA IGLESIA. INSTRUCCIÓN DE LA CONFERENCIA DE METROPOLITANOS

Habiendo recibido la Conferencia de Metropolitanos Españoles el encargo de la Santa Sede de ocuparse del proyecto de ley de Enseñanza Media, de examinarlo y de tratar con el Gobierno español acerca de los artículos que afectasen a los colegios de la Iglesia, informando de todo a la Santa Sede, a la cual quedaba reservada la aceptación: estando obligado el Gobierno español por los convenios de 7 de junio de 1941 y 16 de julio de 1946 a llegar a un acuerdo antes de legislar sobre esta materia de enseñanza, una de las que más interesan a la Iglesia, entiende la Conferencia de Metropolitanos que al presentarse a las Cortes el proyecto definitivo, después de las negociaciones sostenidas con la Iglesia, debe dirigirse ella a todos los fieles españoles para adoctrinarles acerca del apostolado de la educación e instruirles acerca de los derechos principales de la Iglesia en esta materia.

La Conferencia de Metropolitanos no intenta proponer ninguna nueva doctrina ni tormar partido por alguna de las opiniones discutibles meramente técnicas o pedagógicas, sino que entiende que en el momento actual en que va a discutirse en las Cortes Españolas el proyecto de ley de Enseñanza Media, que tanto interesa a los padres de familia, a los alumnos y a cuantos se dedican a la enseñanza media, debe recordar y dibulgar las enseñanzas contenidas en la encíclica «Divini Illius Magistri», de Su Santidad Pío XI, encíclica fundamental y básica, para todo católico en la materia de enseñanza y educación cristiana, como lo fue la encíclica «Rerum novarum», de León XIII, en la doctrina social de la iglesia, y aplicar ls enseñanzas pontificias al actual momento español en que se trata de dictar y promulgar una nueva ley de Enseñanza Media.

Si en el quincuagésimo aniversario de su ordenación sacerdotal quiso tratar este tema Su Santidad Pío XI en su encíclica «Divini illius Magistri», si ahora en España la Conferencia de Metropolitanos la recuerda y urge sus principios, es considerando la educación cristiana de la juventud, como uno de los principales apostolados de la Iglesia. Jesucristo otorgó a los apóstoles y a sus sucesores, otorgó a la Iglesia la potestad del magisterio; «Euntes ergo docete omnes gentes» [1], y la potestad del Magisterio es la primera en la Iglesia y la Jerarquía eclesiástica. Esta potestad del Magisterio se ejercita con las definiciones de fe, con la predicación cristiana; pero también con las escuelas de la Iglesia. Ya Cristo Jesús quiso ejercitar su divino magisterio con predilección entre los niños: «Sinite pueros venire ad me» [2], y la Iglesia siempre se ha preocupado de la educación de la niñez y de la juventud, de su recta formación, teniendo bien presente la enseñanza del Espíritu Santo en el libro de los Proverbios: «Adolescens, iuxta viam suam, etiam cum senuerit, non recedet ab ea» [3]. Observa con verdad histórica Pío XI que muchos siglos antes de que se procupara el Estado de fundar escuelas de todos los grados se

1 Math. XXVIII, 19.
2 Luc. XVII, 16.
3 Proverb. XXII, 6.

preocupó de ello la Iglesia, atestiguándolo las escuelas fundadas en los obispados, en las catedrales, en los monasterios y en las parroquias, y fundaba estas escuelas como una parte de su apostolado, por derecho propio. Por ello está tan enraizado en los principios dogmáticos del magisterio de la Iglesia como en la práctica secular de la misma lo establecido en el canon. 1.375 del Código de Derecho Canónico: «Eclesiae est ius scholas cuiusvis disciplinae non solum elementarias, sed etiam medias et superiores condendi»; la Iglesia tiene el derecho de fundar escuelas no sólo elementales, sino también medias y superiores. La doctrina estatista del monopolio del Estado en la enseñanza sostenida prácticamente por el liberalismo en el siglo XIX y primeras décadas del presente no puede ser sostenida como contraria a las encíclicas pontificias, especialmente a la «Divini illius Magistri» y al Código de Derecho Canónico, por ninguno que quiera profesarse católico.

El Estado tiene también sus derechos y deberes en la enseñanza, derechos y deberes muy relevantes y de gran importancia práctica, pero que no pueden desconocer los derechos ni de los padres de familia, anteriores a los del Estado, ni de la Iglesia, de carácter sobrenatural y verdadera sociedad perfecta. El derecho y deber de procurar la educación de sus hijos pertenece primariamente a los padres de familia, ya que ésta es anterior a la sociedad civil. Por ello, el canon 1.113 del Código de Derecho Canónico establece que «los padres tienen la gravísima obligación de procurar según sus fuerzas la educación de sus hijos no sólo religiosa y moral, sino trambién física y civil, y de proveer también a su bien temporal». Condena Pío XI en su inmortal encíclica la obsurda pretensión de negar a los padres la libertad de elegir la escuela para sus hijos, aduciendo en favor de esta libertad la sentencia del Tribunal Supremo de los Estados Unidos de América, libertad consagrada también en España por el Fuero de los Españoles, cuyo artículo 5.º establece: «Todos los españoles tienen derecho a recibir educación e instrucción y el deber de adquirirlas, bien en el ser de su familia o en centros privados o públicos a su libre elección».

Sería un error considerar a las escuelas medias de la Iglesia como escuelas privadas, pues la división de las escuelas en públicas y privadas es por razón de su causa eficiente o fundación, y la Iglesia no es una entidad privada, no es sólo una coporación jurídica, sino una verdadera sociedad perfecta, como lo tiene reconocido el actual Estado español. En el proemio de la ley de Educación Primaria de 17 de julio de 1945 se establece: «La ley no vacila en recoger, acaso como ninguna otra en el mundo y en algunos momentos con liberalidad manifiesta, los postulados que consignó Pío XI como normas del derecho educativo cristiano en su inmortal encíclica «Divini illius Magistri». De conformidad con ellas y con los principios del Derecho canónico vigente, se reconoce a la Iglesia el derecho que de manera supereminente o independiente de toda potestad terrana le corresponde para la educación por títulos de orden sobrenatural, y la potestad que le compete cumulativamente con el Estado de fundar escuelas de cualquier grado, y, por tanto, primarias y del Magisterio, con carácter de públicas, en armonía con la naturaleza jurídica de la Iglesia como sociedad perfecta y soberana. Igualmente se reconoce a la familia el derecho primordial e inalienable de educar a sus hijos y, consiguientemente, de elegir a los educadores». Las escuelas de la Iglesia en cualquier grado no pueden ser consideradas como escuelas privadas.

Si en los primeros siglos del cristianismo y en la Edad Media la Iglesia tenía sus escuelas, como ya se ha indicado, cabe los palacios episcopales, catedrales, monasterios y parroquias, en la Edad Moderna el Espíritu Santo, que, como demuestra bellamente nuestro Balmes en su inmortal obra «El Protestantismo comparado con el Catolicismo en sus relaciones con la evangelización europea», ha hecho surgir en cada época en la Iglesia institutos religiosos que satisfagan las necesidades de la misma, ha hecho surgir en la épocla moderna casi innumerables institutos religiosos dedicados a la enseñanza, algunos de ellos exclusivamente. Las escuelas de la Iglesia son hoy, principalmente en la enseñanza primaria y en la enseñanza media, las escuelas en los institutos religiosos aprobados canónicamente para la enseñanza. ¿Hay por ventura algún Estado civil que cuente con el número de educadores oficiales que iguale a los centenares de millares de educadores religiosos de uno y otro sexo con que cuenta la Iglesia, distribuidos por todos los continentes y por todos los países así católicos como de misión con tal de que gocen en ellos de libertad? ¿Y quién como la Iglesia cuenta con millones de alumnos y alumnas enviados voluntariamente por los padres de familia a sus escuelas? En cambio, siempre que en un país se persigue a la Iglesia, no falta jamás la persecución contra las escuelas de los religiosos. Cuando en España la República dio a nuestra Patria una Constitución laicista, estableció que no podían las órdenes ni congregaciones religiosas dedicarse a la enseñanza; y cuando a la persecución legal sucedió la persecución sangrienta, tuvieron los instiutos religiosos docentes sus mártires en nuestra España. ¡Cuánto, sin embargo, favorece a toda nación la existencia de escuelas de la Iglesia, de escuelas de religiosos, sobre todo si se tiene en cuenta que tanto las escuelas primarias como aun las escuelas medias se han de proponer no sólo la instrucción, sino también la formación religiosa y moral de los niños y niñas y de los adolescentes de uno y otro sexo! ¿Quién que lo mire con ecuanimidad y serenidad no ha de reconocer el bien inmenso que a una nación, a un estado, reporta la recluta de un gran número de educadores por vocación, que se dedican a su labor con las ventajas que reporta la vida común y con el espíritu de sacrificio, de renunciamiento a formar familia propia, para más libremente consagrarse a la paternidad y a la maternidad espiritual, a los cuales bendijo Cristo con grande exaltación de esta misión, con aquellas palabras:

«Quien quiera que reciba a uno de estos niños en mi nombre, a Mí me recibe»? [4]. Y España, que cuenta con tan insignes fundadores de órdenes religiosas, cuenta en la educación y enseñanza con un San José de Calasanz, fundador de las Escuelas Pías, declarado por Breve de Su Santidad Pío XII de 13 de agosto de 1948 Patrono de todas las escuelas populares cristianas del mundo, y el Estado español ha puento el Instituto de Pedagogía del Consejo Superior de Investigaciones Científicas bajo el Patronto del mismo; y con un San Ignacio de Loyola, fundador de la Compañía de Jesús, que durante siglos se ha dedicado con gran éxito y renombre a la enseñanza de humanidades en las escuelas medias.

Sin embargo, la Iglesia no ha pretendido jamás el monopolio en la enseñanza; es más; los Prelados, que estamos obligados a defender las escuelas de la Iglesia, tenemos todo nuestro respeto para con las escuelas primarias, medias y superiores del Estado y nos interesamos vivamente por el prestigio y la decorosa retribución económica de los maestros y de los catedráticos de los institutos y de las universidades estatales. El derecho exclusivo de la Iglesia es sólo respecto de la autoridad e inspección de la institución religiosa en toda suerte de escuelas, aun en las estatales y privadas [5]; y por ello no puede desinteresarse la Jerarquía eclesiástica de ninguna escuela. Mas el derecho de la Iglesia como apostgolado a la educación integral y, por tanto, también como parte de ella a dar las enseñanzas profanas, se compagina muy bien con el derecho del Estado a procurar y promover que en la nación haya el número conveniente de escuelas de todos los grados; y el Estado tiene grandes medios económicos para ello. Mas estos medios no es justo, enseña Pío XI en su encíclica «Divini illius Magistri», que los emplee exclusivamente el Estado en sostener las escuelas por él fundadas, ya que su misión es

[4] Marc. IX, 36.
[5] Canon 1.381 del Código de Derecho Canónico.

promover y fomentar la recta educación y enseñanza para que haya el número de escuelas suficientes, y esto se logra también ayudando a las escuelas fundadas por la Iglesia o personas privadas. Por lo cual se puede ver cuán poco justo es y cuán poco promueve el bien común cargar las escuelas de la Iglesia con onerosas contribuciones fiscales por los edificios destinados a escuelas y por la misma enseñanza, considerando ésta como una industria, en vez de subvencionarlas por su provecosa función social, haciendo así que resulte excesivamente cara para los padres de familia la enseñanza de aquellas escuelas eclesiásticas que, por no contar con fundaciones, no son completamente gratuitas, que es lo que más ama la Iglesia y lo que praticaba antes de que las leyes desamortizadoras acabasen con las fundaciones de la Iglesia.

Nada más opuesto a la verdadera promoción del bien común en el orden de la educación y de la enseñanza que el monopolio o un totalitarismo por parte del Estado ya directa y abiertamente, ya con una excesiva reglamentación que ahogue toda iniciativa en el campo cultural y educacional, ya con improcedentes cargas fiscales que dificulten la creación y expansión de las escuelas no estatales.

* * *

Todo católico que sienta debidamente de las relaciones entre la Iglesia y el Estado debe considerar que la ordenación de las escuelas en una nación es una materia mixta, en la cual tienen grandes intereses tanto la Iglesia como el Estado. Un católico no puede en las materias de educación y enseñanza regirse por las doctrinas del laicismo político, que sostiene que el Estado no ha de reconocer a la Iglesia como sociedad sobrenatural y perfecta. La proposición XIX del Syllabus de Pío IX condena la doctrina que establece que «la Iglesia no es una verdadera y perfecta sociedad completamente libre, ni goza de sus derechos propios y constantes como los recibió de su divino Fundador, sino que pertenece al poder civil definir cuáles son los derechos de la Iglesia y los límites en que puede ejercerlos». Y León XIII en su encíclica «Inmortale Dei», a la vez que insiste en el carácter de sociedad perfecta que tiene la Iglesia no menos que la sociedad civil, deduce como consecuencia: «En los asuntos de derecho mixto es plenamente conforme a la naturaleza y a los designios de Dios no separar una potestad de la otra y mucho menos meterlas en lucha, sino más bien establecer entre ellas una concordia que sea congruente con las causas que engendran una y otra sociedad». Por ello Pío XI, en su encíclica «Divini illius Magistri», recuerda estos principios de León XIII para establecer que en la educación de la juventud debe el Estado tratar y convenir con la Iglesia; y así lo hizo el mismo Pío XI con el Estado italiano en el Pacto de Letrán [6]. Y ciertamente la historia de los concordatos y el mismo Concordato de Letrán muestra cuán grande es el espíritu de concordia y de benevolencia de la Iglesia, no urgiendo con todo rigor los derechos de la misma para sus escuelas, sino conviniendo con el Estado, según las circunstancias de lugar y tiempo, en un ambiente de concordia y de armonía. El Estado actual español, que se ha definido a sí mismo un Estado católico [7], no podía dejar de tratar con la Iglesia al proponerse dictar una nueva ley de Enseñanza Media; pero además se había taxativamente obligado por los convenios con la Santa Sede de 7 de junio de 1941 y 16 de julio de 1946, mientras no se llegase a la conclusión de un nuevo Concordato, a no nlegislar sobre materias mixtas o sobre aquellas que pueden interesar de algún modo a la Iglesia sin previo acuerdo con la Santa Sede. Y el Gobierno español ha hecho honor a su palabra, estableciendo desde el primer momento contacto con la Santa Sede. Ésta encomendó a la Conferencia de Metropolitanos

[6] Artículos 35, 36, 37 y 38.
[7] Ley de sucesión a la Jefatura del Estado.

que estudiase el Anteproyecto de ley de Enseñanza Media y propusiese las enmiendas que estimase oportunas, sometiendo el proyecto definitivo a la superior aceptación de la Santa Sede.

La iniciativa de preparar una nueva ley de Enseñanza Media ha sido en España del Estado. El Gobierno, al estudiar el Anteproyecto elaborado por el misnisterio de Educación, tomó el acuerdo de someter a la consideración de la Santa Sede y de la Jerarquía eclesiástica de España aeuellos extremos que por referirse a la enseñanza no oficial eran susceptibles de negociación y acuerdo con la misma respecto de las escuelas de la Iglesia, según lo prevenido en el Convenio de 7 de julio de 1941.

La Conferencia de Metropolitanos, después de solicitar el informe de la Comisión Episcopal de Enseñanza y de tener en cuenta el estudio del Anteproyecto de Institutos Religiosos Docentes, inhibiéndose respecto de los artículos del Anteproyecto que se referían a cuestiones meramente técnicas o a la organización del profesorado oficial, entendió que debía ocuparse especialmente respecto de los derechos de la Iglesia, de los principios jurídicos, de la clasificación y reconocimiento de los centros docentes, de la inspección de los centros, de la composición de los tribunales en orden a salvaguardar la paridad de condiciones para los alumnos de los distintos centros de enseñanza y de la protección escolar. El ministerio de Educación Nacional aceptó cierto número de las modificaciones propuestas por la Conferencia de Metropolitanos, no aceptando otras, después de prolijas negociaciones, siempre dentro de un ambiente de mutuo respeto y cordialidad. La Conferencia envió a la Santa Sede la «Redacción definitiva de los artículos del Anteproyecto de la ley de Enseñanza Media que fueron examinados por la Conferencia de Metropolitanos en sus reuniones de Madrid y Barcelona»; y la Secretaría de Estado de Su Santidad comunicó tanto al Gobierno como a la Conferencia de Metropolitanos que, aun cuando el proyecto no era del todo satisfactorio, no entendía poner dificultades, con tal que el texto de la ley de Enseñanza fuera el anviado por la Conferencia de Metropolitanos en los artículos que fuero objeto de negociación.

A la Conferencia de Metropolitanos toca en este momento, para orientar a los fieles, aclarar qué alcance tiene el acuerdo y la aceptación a que se ha llegado entre la Iglesia y el Gobierno español.

1.° Como el acuerdo y la aceptación han sido después de transacciones mutuas entre el Gobierno y la Conferencia de Metropolianos, sería exagerar el alcance de tal acuerdo y aceptación decir que el proyecto de la ley ha obtenido la «aprobación positiva» de la Iglesia.

2.° El mínimum de condiciones convenidas entre la Iglesia y el Gobierno español no pueden ser disminuidas sin romper dicho acuerdo y, por tanto, ningún católico respetuoso con la Santa Sede y la Jerarquía eclesiástica puede intentarlo. Habiendo sido aumentado el número de artículos y modificada la numeración de los artículos del anteproyecto de ley en el proyecto definitivo de ley presentado a las Cortes, los artículos de éste respecto de los cuales ha habido acuerdo con la Conferencia de Metropolitanos y aceptación por parte de la Santa Sede son los siguientes: 7, 8, 19, 22, 24, 33, 34, 35, 36, 37, 38, 39, 50, 56, 57, 60, 61, 62, 63, 64, 65, 66, 69, 93, 97, 98, 99, 100, 101, 101, 103, 105 y disposición segunda transitoria [8].

[8] En cuanto al artículo 117, que responde al 101 del Anteproyecto, es muy de notar que se ha variado no sólo la numeración, sino la redacción; y por tanto sólo ha habido acuerdo entre el Gobierno y la Conferencia de Metropolitanos respecto del artículo 101 del Anteproyecto con esta redacción: «Todos los Centros de Enseñanza Media, oficialels o no no oficiales, deberán reservar el número de plazas para becarios y tener el número de alumnos gratuitos que reglamentariamente se determine en proporción al número de alumnos de cada Centro. El Estado cooperará económicamente en la medida de las posibilidades presupuestarias y vigilará por medio de la

3.º Quedan los católicos en completa libertad respecto de los artículos del proyecto de ley que no han sido objeto de negociaciones entre la Iglesia y el Gobierno, como también respecto de procurar mejorar con la moderación y respetos debidos y por medios legales el mínimum de condiciones convenidas.

* * *

La Conferencia de Metropilitanos ha cumplido la misión delegada que le encomendó la Santa Sede, procurando conservar la plena serenidad en todos los momentos, inspirándose en las doctrinas de las encíclicas pontificias, especialmente en la «Divini illius Magistri» de Pío XI y en el Código de Derecho Canónico, buscando la armonía en España entre la Iglesia y un Estado que se aviene a negociar con ella y entre todos los que consagran su vida a la noble misión educadora, ya que en España todos hacen profesión de católicos, y teniendo como finalidad suprema el bien de la adolescencia y juventud española.

La Conferencia de Metropolitanos hace votos para que en semejante ambiente de serenidad, sin desconocerse por nadie que haga profesión de católico los derechos propios de la Iglesia en sus escuelas, buscando la armonía y cordialidad en-

Inpección el cumplimiento de esta obligación de todos los Centros. Para la fijación del porcentaje de becarios que cada Centro sostenga con sus propios fondos, el Estado oirá previamente el informe del Consejo Nacional de Educación, y a la Jerarquía eclesiástica cuando se trate de Centros docentes de la Iglesia. En los Centros de carácter no oficial subvencionados por el Estado, podrá el ministerio de Educación Nacional determinar los límites máximos del coste de la enseñanza, oído el Consejo Nacional de Educación y la Jerarquía eclesiástica en el caso de Centros docentes de la Iglesia». A este artículo 101 del Anteproyecto dio su conformidad la Conferencia de Metropolitanos previa la aclaración verbal del excelentísimo señor ministro de Educación Nacional de que lals becas para internos serán sufragadas por el Estado en todos los Centros de Enseñanza Media.

tre todos los educadores, y no olvidando que en las escuelas medias, si tiene importancia grande la formación intelectual no la tiene menor la sólida formación moral y religiosa, se discuta el proyecto de ley de Enseñanza media y a su tiempo se promulgue una ley que deje satisfechas a las familias, a la Iglesia en su grande apostolado de educación y al Estado español en sus nobles anhelos de promover el bien común en lo que más puede influir en el progreso y prosperidad de la Patria, que es la formación de una juventud sana y fuerte, bien desarrollada intelectualmente y bien fundamentada en cultura religiosa y práctica de la vida cristiana.

Por la Conferencia de Metropolitanos, 29 de septiembre de 1952.—El presidente, † Enrique, Cardenal Pla y Deniel, Arzobispo de Toledo.—El secretario, † Balbino Santos y Olivera, Arzobispo de Granada.

«La nueva Ley sobre Ordenación de la Enseñanza Media», en *Ecclesia* 608 (1953) págs. 3-7.

LA NUEVA LEY SOBRE ORDENACIÓN DE LA ENSEÑANZA MEDIA

Con fecha de 26 de febrero ha sido promulgada la nueva ley sobre ordenación de la enseñanza media. Al anunciarse el propósito del ministro de Educación Nacional de proponer, y previos los trámites legales implantar a su tiempo una nueva ley de Enseñanza Media, ECCLESIA, en un editorial de 8 de diciembre de 1951, hizo resaltar la grandísima importancia de las escuelas medias en una nación, siendo las que más influyen en el nivel intelectual de un pueblo si son lo que deben ser, y también las que más eficazmente contribuyen a la formación moral si no se desentienden de la misma, antes bien la consideran un fin esencial de las mismas.

Tratándose de España, ECCLESIA, inhibiéndose de cuestiones técnicas propias más bien de revistas de especialización pedagógica, y atendiendo a los derechos de la Iglesia en la enseñanza, propugnó desde el primer momento tres condiciones que debía tener la nueva ley que se formulase: primera, que, fiel a los compromisos contraídos por el Gobierno español en sus convenios de 1941 y 1946 con la Santa Sede, no dictase la nueva ley sin ponerse de acuerdo con la misma; segunda, que se reconociese el derecho de las Iglesia a fundar escuelas medias como en las leyes de educación primaria y de ordenación universitaria, distinguiéndolas de las escuelas privadas; tercera, que se salvase la igualdad entre los centros oficiales y los de la Iglesia dentro de cada uno de los grados de enseñanza.

El Gobierno español ha cumplido fielmente desde el principio sus compromisos y envió con diligencia directamente a la Santa Sede el anteproyecto de la ley, el proyecto que se proponía someter a las Cortes y, por último, las modificaciones propuestas por la ponencia de la Comisión de Enseñanza de las mismas en los artículos que decían referencia con los centros o colegios de la Iglesia. Conviene fijarse bien en que el compromiso del Gobierno era ponerse de acuerdo con la Santa Sede por tratarse de causa mayor, no con el Episcopado español ni menos todavía con los colegios de la Iglesia. La Santa Sede hubiese podido llevar directamente las negociaciones con el Gobierno; sin embargo, en su altísima prudencia, ordenó a la Conferencia de Metropolitanos, organismo representativo el más autorizado de la Jerarquía eclesiástica española, que estudiase el proyecto y procurase que quedasen salvaguardados los derechos de la Iglesia mediante las oportunas negociaciones con el Gobierno, pero reservándose siempre la Santa Sede la decisión definitiva en este importante asunto.

A algunos ha extrañado que después del editorial de 8 de diciembre de 1951, en que tanta importancia se reconocía al asunto de una nueva ley de Enseñanza Media, ECCLESIA se haya abstenido de tratar esta cuestión durante la gestación del proyecto de la nueva ley. La explicación del criterio adoptado por ECCLESIA es bien sencilla. En el aludido editorial se decía: «No siendo ECCLESIA una revista de especialización pedagógica, no le compete discutir temas ni fórmulas de carácter técnico que no son dogmas». A ECCLESIA le tocaba sólo defender los derechos de la Iglesia en esta cuestión; pero desde el momento en que cumpliendo el Gobierno con sus compromisos había entablado negociaciones con la Santa Sede, entendió ECCLESIA que debía aguardar el resultado de las mismas, pues, como luego ha expuesto la Conferencia de Metropolitanos en su autorizada instrucción *El apostolado de la educación y los derechos en ella de la Iglesia,* la historia de los concordatos y el mismo concordato de Letrán muestran cuán grande es el espíritu de concordia y de benenvolencia que la Iglesia, no urgiendo con todo rigor los derechos de la misma para sus escuelas, sino conviniendo con el Estado, según las circunstancias de lugar y tiempo, «en un ambiente de concordia y armonía». A la Iglesia jerárquica, a la Santa Sede en último término, es a quien compete determinar en cada momento qué derechos suyos y en qué grado y medida debe urgir. Los demás no deben pretender dictar a la Jerarquía o a la Santa Sede lo que debe hacer, sino regirse por su juicio. En este punto se debe seguir fielmente la regla decimotercera que para sentir con la Iglesia dio el gran maestro de espíritu San Ignacio de Loyola: «Debemos siempre tener, para en todo acertar, que lo blanco que yo veo creer que es negro si la Iglesia jerárquica así lo determina, creyendo que entre Cristo Nuestro Señor esposo y la Iglesia su esposa es el mismo espíritu que nos gobierna y rige para la salud de nuestras ánimas, porque por el mismo Espíritu y Señor nuestro que dio los diez mandamiento es regido y gobernada nuestra Santa Madre Iglesia».

Y ciertamente, la Conferencia de Metropolitanos, para corresponder a la confianza de la Santa Sede, no perdonó trabajos celebrando dos largas y detenidas reuniones: una en Madrid, en el mes de abril, y otra en Barcelona, durante el Congreso Eucarístico Internacional, dedicadas exclusivamente ale studio el anteproyecto de la ley. De la eficacia de la intervención de la Conferencia de Metropolitanos y de sus laboriosas pero cordiales negociaciones con el Gobierno son testimonio irrecusable las modificaciones introducidas en el anteproyecto de ley. Mas toda negociación, aun la más cordial, es siempre a base de mutuas transacciones. Sin que el Gobierno hubiese aceptado algunos puntos considerados esenciales por la Conferencia de Metropolitanos no habría habido acuerdo. A trueque de llegar a él, la Conferencia de Metropolitanos dejó de insistir en otros puntos y se elevó la «*redacción definitiva de los artículos del anteproyecto de ley de Enseñanza Media,* que fueron examinados por la Conferencia de Metropolitanos en sus reuniones de Madrid y Barcelona», a la Santa Sede. Ésta, por medio de la Secretaría de Estado, comunicó, tanto al Gobierno español como a la Conferencia de Metropolitanos, que aun cuando el proyecto no era del todo satisfactorio, no entendía poner dificultades, con tal que el texto de la ley de enseñanza estuviese conforme con el texto que se le había enviado. Así lo hizo público la Conferencia de Metropolitanos en su instrucción de 29 de septiembre último.

En el terreno canónico hay que distinguir entre un concordato y una ley civil que necesita la aquiescencia de la Santa Sede respecto de determinados puntos. Un concordato es una ley emanada de las dos supremas potestades, Iglesia y Estado, hecha, por lo tanto, de acuerdo por ambas. Mas la necesidad, sun nacida de un compromiso, de obtener el asentimiento de la Santa Sede respecto de ciertos puntos de una ley civil, no requiere una aprobación positiva por parte de la Santa Sede de toda la ley ni aun de ciertos puntos de ella; basta que la admita, que no presente dificultades a la misma. Esto es lo ocurrido con el proyecto de ley de ordenación de la Enseñanza Media y, por tanto, no sería exacto hablar de aprobación positiva; mas sí se puede hablar de aceptación de la ley, y sería temeraria presunción ofensiva a la Jerarquía eclesiástica y a la Santa Sede atreverse a afirmar que ni una ni otra hubiesen defendido debidamente los derechos de la Iglesia, habida razón de todas las circunstancias.

La luminosa instrucción de la Conferencia de Metropolianos cumplió una doble importante finalidad. Primeramente expuso doctrinalmente ante todos los fieles españoles *los derechos de la Iglesia en la educación,* y es que los que tiene en *la enseñanza,* en la fundación de escuelas de todos los grados se fundamentan en los derechos inconmovibles que tiene en la educación. Cuán poca ilustración en estas materias de derecho público eclesiástico tengan aún muchos españoles de profesiones intelectuales puede colegirse de los graves errores que se han escrito en estos meses en que se han tratado con apasionamiento los temas de la enseñanza. Muy recientemente en una revista profesional se defendía que «ni en el Evangelio ni por revelación se expresa un derecho eclesiástico a la enseñanza profesional de la Iglesia». Se comprendería esta afirmación en un protestante, para quien sólo la Sagrada Escritura, libremente interpretada, es criterio y norma religiosa, pero ciertamente no se comprende cómo puede surgir de la pluma de quien hace afirmaciones de catolicismo, pero ignora el Magisterio de la Iglesia, que en la encíclica de Pío XI «Divini illius Magistri» defiende este derecho de la misma e ignora el Código de Derecho Canónico (y en las leyes universales de la Iglesia no cabe error), que en su canon 1.375 establece: «*Ecclesiae est in scholas cuiusvis disciplinae non solum elementarias, sed etiam medias et superiores condendi*».

En segundo lugar, en el momento en que se presentaba a las Cortes el proyecto definitivo de la ley de ordenación de la Enseñanza Media la Conferencia de Metropolitanos expuso públicamente con toda claridad cuál era el mínimum convenido entre la Iglesia y el Estado respecto de la nueva ley para salvaguardar los derechos de la Iglesia, citando los artículos sobre los cuales había habito convenio e inhibiéndose respecto de los demás y, en su consecuencia, dejando a los católicos en completa libertad respecto de los artículos de la ley que no habían sido objeto de negociaciones entre la Iglesia y el Gobierno, como también respecto de procurar mejorar con la moderación y respetos debidos y por medios legales el mínimum de condiciones convenidas.

Es muy digno de notar y alabar el respeto que en las Cortes se ha guardado a la instrucción de la Conferencia de Metropolitanos y, en su consecuencia, al mínimum convenido entre la Iglesia y el Gobierno, lo mismo por parte de la ponencia al dictaminar sobre el proyecto de ley presentado, como en la Comisión de Educación Nacional como, por fin, en el pleno de las Cortes. Es más: al proponer la ponencia algunas enmiendas a algunos de los artículos convenidos (las más, simples retoques de estilo o de más precisa expresión), el Gobierno, cumpliendo con toda lealtad sus compromisos con la Santa Sede, comunicó tales enmiendas a la misma, la cual, antes de dar su asentimiento, quiso también que dictaminase la Conferencia de Metropolitanos, aceptando plenamente la Secretaría de Estado tal dictamen, en el cual se proponían algunas mejoras en los artículos que se modificaban, enmiendas que, tanto la ponencia como el Gobierno, aceptaron. Por ello, en las Cortes, pudo el señor Rodríguez de Valcárcel, al defender el dictamen de la Comisión de Educación Nacional, decir, citando palabras de una carta del Cardenal primado al ministro de Educación Nacional, que se había llegado a un completo acuerdo, completo acuerdo que se refería a *las enmiendas propuestas por la ponencia de la Comisión de Educación Nacional y las mejoras solicitadas, a su vez, por la Conferencia de Metropolinas.* Es muy de notar que la ponencia de la Comisión de Educación Nacional atendió plenamente la observación que la instrucción de la conferencia de Metropolitanos había hecho respecto del artículo 117 del proyecto (en la ley promulgada tiene el número 116), al cual no había prestado en su redacción conformidad la Conferencia de Metropolitanos por entender, en cuanto a ls becas, que si se cargaban a los colegios no estatales, era un gravamen económico para los mismos, y si se imponían nominalmente los becarios, era un peligro para la disciplina escolar, quedando redactado en la ley definitivamente aprobada en la siguiente forma: «Todos los centros de enseñanza media, oficiales y no oficiales, deberán reservar en sus residencias o internados un 10 por 100 de la totalidad de sus plazas con destino a alumnos beneficiarios de becas costeadas por organismos oficiales. En la selección nominal de los becarios se procederá de acuerdo con la dirección de los respectivos centros. Los centros no oficiales podrán optar por proponer al ministerio de Educación Nacional el cumplimiento de esta obligación mediante becas costeadas por el propio centro en las condiciones y según las normas especiales que al efecto se dicten».

Creemos que ECCLESIA no puede hurtar la manifestación de su criterio, no respecto de cuestiones pedagógicas discutibles o respecto de la organización del profesorado oficial, sino respecto del reconocimiento de los derechos de la Iglesia comparando la legislación anterior a la ley de Bases de 1938, esta ley la ley de ordenación de la Enseñanza Media que acaba de promulgarse.

La legislación española sobre enseñanza media anterior a la ley de Bases de 1938, aun cuando admite las escuelas medias privadas (y en ellas incluye a los centros docentes de la Iglesia), las sujeta a los institutos oficiales de segunda enseñanza, predominando en todo el siglo XIX y principios del presente la tendencia estatificadora y centralizadora. La primera República española trató de establecer, al menos teóricamente, la libertad de enseñanza. En cambio, la segunda República española, laicista y persecutoria, suprimió la religión en los planes de estudios de todos los grados docentes; en la ley llamada de confesiones y congregaciones religiosas prohibió a estas últimals tener colegios de enseñanza, y por el decreto de 26 de junio de 1934 acabó con toda independencia y autonomía de los colegios. Algunos elementos, al tratarse de promulgar una nueva ley de Enseñanza Media, hubiesen pretendido volver a la completa sujeción de los colegios privados y de la Iglesia a los institutos oficiales del Estado, no advirtiendo que esta orientación, importada de Francia en España, ha sido ya desechada en la misma Francia y no existe en los países más adelantados y florecientes hoy, como los anglosajones. Desea ECCLESIA que los institutos oficiales estén bien instalados, sus profesores decorosamente retribuidos, no pretende el monopolio de los colegios de la Iglesia, pero es contraria a la dictadura estatal, muy contraria a la justa y honesta libertad de enseñanza y al progreso de la enseñanza media.

La ley de Bases de 1938 representó para ECCLESIA un gran avance en la cultura religiosa de la juventud contra el laicismo de la República y la cultura religiosa, minimizada en la enseñanza media antes de la República; también un grande avance en la libertad de la enseñanza no estatal y aun merece elogios por su tendencia humanístioca. Por ello no pidió nunca ECCLESIA la derogación de tal ley. Mas no tuvo tampoco nunca un fetichismo exagerado por la misma por dos razones.

La principal deficiencia de la ley de Bases de 1938 es la absoluta ausencia del reconocimiento de los derechos de la Iglesia. No los menciona en absoluto, y dividiendo los establecimientos oficiales y colegios particulares incluye implícitamente entre éstos a los colegios de la Iglesia. Ahora bien, el gran maestro de canonistas de la edad contemporánea, que luego fue prepósito general de la Compañía de Jesús, padre Francisco Javier Wernz, enseña en su ínclita obra «Ius Decretalium» cuán ineptamente se adscriben las escuelas de la Iglesia a las escuelas privadas como si la Iglesia no fuese sociedad perfecta. Por ello la Conferencia de Metropolitanbos, en su reciente instrucción sobre *el apostolado de la educación y los derechos en ella de la Iglesia,* ha creído necesario recordar que «las escuelas de la Iglesia, en cualquier grado, no pueden ser consideradas como escuelas privadas».

En segundo lugar, la ley de Bases de 1938 calla completamente respecto de los derecho de la Iglesia en la enseñanza, y, sin embargo, éste es el único fundamento sólido ipara que sus colegios puedan desenvolverse debidamente. No negamos que en un régimen de absoluta libertad de enseñanza, que siempre trae consigo la nefasta libertad para escuelas neutras y laicas, puedan también vivir las escuelas de la Iglesia. Mas demostraría una ausencia de sentido canónico el considerar como mera literatura jurídica el aplicar a la importantísima materia de la educación y de la enseñanza las bases de un Estado confesional y aun de unidad católica.

Ni creemos que por ninguno de los que defendemos para España esta unidad y el régimen no de confusión pero sí de cooperación entre la Iglesia y el Estado, pueda defenderse en la materia escolar como preferible el que en las leyes se establezca la absoluta libertad de enseñanza sin hacer mención de los derechos de la Iglesia ipara que no sean éstos interpretadosa como privilegios, pues no se trata de que pida la Iglesia privilegios para sus escuelas, sino de que se le reconozca a ella como sociedad perfecta y con derecho propio a tener sus escuelas. Este reconocimiento es la base del compromiso adquirido por el Estado español en anteriores convenios con la Santa Sede de no legislar sin ponerse de acuerdo con la misma en materias mixtas o que de algún modo puedan interesar a la Iglesia. Ésta ha sido la base sólida para lograr con eficacia cuanto en la nueva ley se ha logrado, que no es todo, porque en toda amistosa negociación hay mutuas concesiones. Mas tenemos como segurísimo que muchísimo menos se habría logrado con solos artículos de diarios y revistas y muchísimo menos con campañas de tonos violentos, para las cuales, por otra parte, no había motivo.

La nueva ley de ordenación de la Enseñanza Media no es sólo una ley o un convenio para los colegios de la Iglesia. Muchos artículos de la misma no afectan a los derechos de la Iglesia; otros afectan sólo al profesorado oficial. Claramente dijo la Conferencia de Metropolitanos en su instrucción que en ellos la misma se inhibía y citaba nominalmente los artículos sobre los cuales había habido negociaciones y finalmente acuerdo. Tienen importancia las cuestiones pedagógicas y metodológicas y conviene que ellas sean tratadas competentemente por profesionales. Lo que hay que evitar es confundir opiniones defendibles y respetables con doctrinas de la Iglesia. Por ello ésta no se ha inmiscuido en cuestiones opinables, como en la unicidad del bachillerato o su división en grado elemental y superior, en los años de duración de uno y otro, en la completa separación de la función docente y examinadora, que, por otra parte, ella no ha aplicado en sus seminarios y universidades pontificias. De lo único que se han ocupado la Santa Sede y la Conferencia de Metropolitanos ha sido de salvaguardar los derechos de la Iglesia y la necesaria libertad de sus colegios, coordinándolo con los derechos del Estado, que también los tiene en la enseñanza. *Iuventutis educatio est quidem ex lis rebus quae ad Ecclesiam Statumque pertinant, quamquam aliter atque aliter,* afirmó León XIII en su encíclica «Inmortale Dei» y reafirmó Pío XI en la «Divini illius Magistri». Por ello creemos que por algunos se ha enfoado mal lo que debía tratarse entre la Iglesia y el Estado español al dictar una nueva ley de Enseñanza Media, cual si fuese una cuestión que debiese tratarse entre térnicos y pedagogos especialistas, cuando era una cuestión canónica de relaciones entre la Iglesia y el Estado.

Para enjuiciar debidamente un estudio comparativo entre la ley de 1938 y la que acaba de promulgarse deben cotejarse serenamente los artículos de una y otra. No habían faltado personas doctas que hubiesen estudiado bien la ley de 1938 y que reconocían que, habiendo constituido un gran avance en el camino de la librtad de enseñanza, no era, sin embargo, ni mucho menos, de completa libertad. Mas no eran pocos quienes, sin un estudio directo y objetivo de la ley y ante la intangibilidad, si no total, sustancial de la ley de 1938, defendida por personas doctas y respetables, consideraban la ley de 1938, en gran parte inaplicada, como una ley poco menos que de absoluta libertad de enseñanza. Por ello ECCLESIA, ante tamaña desorientación, se limitó, al ser enviado el proyecto de la nueva ley a las Cortes, a publicar a dos columnas los artículos que se referían a la exigencia de títulos, a las enseñanzas, cuestionarios y métodos docentes que en cada materia deben seguirse, a la inspección de las escuelals, a la obligación de un tanto por ciento de plazas gratuitas, etc. La base primera de la ley de 1938, al dividir los centros de enseñanza y definirlos, dice textualmente: «El bachillerato podrá ser cursado en establecimientos oficiales o en colegios particulares (entre los cuales dicha ley colocaba a los de la Iglesia) *debidamente autorizados e intervenidos por el ministerio de Educación Nacional*». En cuanto a la exigencia de títulos, la base XV exigía como mínimum siete profesores titulados en cualquier colegio y se debía mejorar el número de titulados hasta conseguir la equivalencia con la enseñanza oficial. La base XI establecía la inspección en todos los establecimientos, tanto oficiales como privados. Ésta no se cumplió, pero el examen comparativo de las leyes ha de hacerse teniendco en cuenta lo que ellas disponen, no su cumplimiento o incumplimiento. Como la ley de 1938 en todos sus artículos considera los colegios de la Iglesia implícitamente como colegios de enseñanza privada, es fácil colegir los muy graves peligros a que según el texto de la ley de 1938 estaban expuestos los colegios de la Iglesia. En la nueva ley de ordenación de Enseñanza Media, el número de títilos que se exigen se proporciona a la categoría y al número de alumnos del colegio, comenzando por exigir a los colegios elementales autorizados hasta cincuenta alumnos el mínimum de un licenciado en Filosofía y Letras y otro en Ciencias, y el máximum en los colegios reconocidos, cualquiera sea el número de alumnos, de cinco licenciados en Filosofía y Letras y tres en Ciencias. Según el número de alumnos se exigen sobre los profesores titulares profesores auxiliares, pero éstos pueden ser quienes tengan estudios completos de carrera sacerdotal cursados en seminarios diocesanos o equivalentes en casas religiosas de formación.

En cuanto a la inspección, la nueva ley distingue ya la manera de hacerla en los colegios de la Iglesia, estableciendo: «Artículo 58. Por razón de la materia, inspeccionarán en todos los centros de enseñanza media: a) el Estado, todo lo relativo a la formación del espíritu nacional, educación física, orden público, sanidad e higiene y el cumplimiento de las condiciones legales establecidas para el reconocimiento o autorización de cada centro; y b) la Iglesia, todo lo concerniente a la enseñanza de la religión, a la ortodoxia de las doctrinas y a la moralidad de las costumbres. Artículo 59. En los centros oficiales y en los de patronato y privados, la inspección del Estado comprenderá también todos los demás aspectos del funcionamiento académico y pedagógico. En los centros docentes de la Iglesia la inspección sobre estos aspectos será ejercida por inspectores designados por la Jerarquía eclesiástica, de acuerdo con el ministerio de Educación Nacional, quienes aplicarán las normas dadas por el Estado con carácter general e informarán del resultado de aquélla a la Jerarquía eclesiástica y al ministerio de Educación Nacional».

Es ciertamente curioso que, tanto los más apasionados adversarios de la ley de Bases de 1938 como los más entusiastas defensores de su conservación sustancial, hayan coincidido en atgribuir el gran número de alumnos que de hecho tienen hoy en España los colegios de la Iglesia a la ley de 1938. No negamos que, sobre todo tal como se ha aplicado, haya tenido su parte en ello. Mas teniendo, como tenemos, a la vista no sólo la estadística del número de alumnos en los colegios de segunda enseñanza de los religiosos en España, sino también la estadística del número actual de seminaristas en los seminarios españoles y de novicios en los noviciados religiosos, del resultado espléndido de las colectas en el Día del Seminario y en el Día de las Misiones, de la multiplicación del número de bulas que hoy se toman en España, no podemos atribuir como causa principal del número de alumnos que hoy tienen los colegios de los religiosos a la ley de Bases de 1938, ECCLESIA es contraria a la dictadura estatal sobre todos los colegios de segunda enseñanza, pero cree sinceramente que aun sin la ley de 1938 estarían hoy repletos los colegios de enseñanza media de los religiosos, siendo su causa principal *el clima de altura propicio a la vida cristiana* que se vive hoy en España, de que tan elocuentamente el señor Cardenal Cicognani, que tanto conoce el estado de nuestra patria, habló el día en que le fue impuesta la birreta cardenalicia por el Jefe del Estado. Los padres, hoy como ayer, y también lo harán mañana, al elegir colegio para sus hijos se fijan, mucho más que en las leyes sobre instrucción, que muchas veces ni conocen, en la confianza que el colegio les merece para la educación moral y religiosa de sus hijos y de sus hijas, supuesta, claro está, la debida capacidad instructiva. Por ello no creemos que los padres españoles retiren a sus hijos o a sus hijas de los colegios de la Iglesia por la promulgación de la nueva ley de ordenación de la Enseñanza Media. para algunos polemistas lo más esencial de la ley de 1938 era el examen de Estado por profesores de universidad. Es ciertamente sistema que garantiza la paridad en los exámenes de todos los alumnos oficiales y no oficiales del bachillerato; pero, sin embargo, es discutido que sea el procedimiento más adecuado para los alumnos de enseñanza media.

Es muy de notar que en España la Confederación Católica Nacional de Padres de Familia en la asamblea celebrada en 1951 propugnaba no la continuación del examen de Estado por los profesores de universidad, sino por un tribunal mixto; y aun en una revista publicada por un instituto religioso docente se ha sostenido también que para los alumnos del bachillerato no eran los examinadores más adecuados los catedráticos de universidad. Por otra parte, en España éstos rechazan esta misión, y al presentarse el proyecto de la nueva ley en las Cortes han insistido y han logrado que por la ponencia y, al fin, en la ley se les exonerara al menos de intervenir en los exámenes de bachillerato de grado elemental. Lo esencial que ha propugnado la Conferencia de Metropolitanos es que, al menos para los colegios reconocidos de la Iglesia, haya paridad en la constitución de los tribunales con los institutos oficiales, y esto se ha logrado.

No creemos que la nueva ley aprobada y promulgada sea inmejorable. Es más, esperamos que en algunos puntos de los derechos de la Iglesia sea mejorada ya por disposiciones meramente civiles en el orden económico, ya en el futuro concordato que está negociando el Gobierno con la Iglesia. Mas creemos que ella ofrece un desenvolvimiento digno a los colegios de enseñanza media de la Iglesia, que hoy en España, aun habiéndose fundado recientemente algunos colegios episcopales, renovando antiguas tradiciones, son, en su máxima parte, dirigidos por beneméritos institutos religiosos docentes, cuya grande utilidad para el Estado hizo resaltar la instrucción de la Conferencia de Metropolitanos. Ésta ha procurado con infatigable celo, con la firmeza debida y con la cordial comprensión necesaria para la eficacia de negogiaciones que en lo que a derechos de la Iglesia se refiere (no a cuestiones o procedimientos discutibles) no hubiese un retroceso respecto de la anterior ley de 1938, antes al contrario, una consolidación jurídica que era de todo punto necesaria y aun una ampliación en no pocos aspectos.

Esperamos que los colegios de la Iglesia tengan cada día un afianzamiento y un perfeccionamiento mayor, como ella, su madre y su tutela, desea. Que todos cuantos puedan se pongan en condiciones de ser colegios reconocidos, ya que los simplemente autorizados están en un grado de inferioridad, como legalmente lo estaban según la ley de 1938. Que si en algunos lugares no es posible establecer un verdadero colegio de enseñanza media, no dejen de utilizarse las residencias que la ley autoriza y que pueden prestar no pequeños servicios educativos. Que tanto en éstos como en la capacitación instructiva se procure cada día un mayor perfeccionamiento, como la Iglesia jerárquica desea, la cual se preocupa de facilitar centros de formación aun para las religiosas docentes, como tienen en Italia, bajo la mirada paternal de la Santa Sede.

ECCLESIA, en su editorial del 8 de diciembre de 1951, hacía también votos para una cooperación común de todos: Iglesia, Estado, padres de familia y profesores o educadores, sin antagonismos entre estos últismos. Los mismos votos hace hoy al ser ya un hecho la promulgacipon de la nueva ley de ordenación de la Enseñanza Media.